LA VIE QUOTIDIENNE AU QUÉBEC

LA VIE QUOTIDIENNE AU QUÉBEC

HISTOIRE, MÉTIERS, TECHNIQUES ET TRADITIONS

Mélanges à la mémoire de Robert-Lionel SÉGUIN
publiés sous les auspices de
La Société québécoise des ethnologues

Sous la direction de
René BOUCHARD

1983
Presses de l'Université du Québec
C.P. 250, Sillery, Québec   G1T 2R1

Photo de la couveture : Léo PLAMONDON
Conception graphique : Norman DUPUIS

ISBN 2-7605-0338-0

Dépôt légal — 4e trimestre 1983
Bibliothèque nationale du Québec
Bibliothèque nationale du Canada
Imprimé au Canada

Avant-propos

Ce livre veut avant tout être un hommage à Robert-Lionel Séguin, ce chercheur infatigable dont l'oeuvre ethnologique aura connu au Québec une portée considérable.

La raison d'être de ces mélanges est ainsi tout entière liée aux témoignages de coeur et d'estime que les ethnologues ont voulu rendre, une dernière fois, à celui qu'ils considèrent comme le véritable fondateur de l'ethnologie historique québécoise.

Comment mieux souligner en effet la qualité de son oeuvre scientifique, ainsi que les efforts constants qu'il a sans cesse déployés pour la sauvegarde et l'interprétation du patrimoine national des Québécois, que de publier ce volume qui marque, bien plus que tout autre chose, l'influence considérable de Séguin auprès des chercheurs, et la part dominante qu'il a prise dans l'orientation de la recherche ethnologique.

À des titres divers, les collaborateurs de ce recueil sont redevables à Séguin de ses travaux, des nombreuses pistes de recherche qu'il a ouvertes, de ses conseils désintéressés, de l'accueil chaleureux qu'il a réservé à ceux qui ont visité son impressionnante collection de Rigaud, de sa générosité et surtout, faut-il le dire, de son amitié. Chacun d'entre eux témoigne à sa manière du rayonnement de sa pensée et de son action, des grands moments de sa carrière.

Tels quels, les études et les témoignages ainsi rassemblés confèrent à ces mélanges une grande unité et en font une fresque ethnologique centrée sur le concept de culture matérielle si cher à Séguin.

Car l'oeuvre de Séguin est bâtie autour d'une idée simple mais terriblement exigeante: connaître en profondeur, à travers ses traces matérielles, «l'homme durable» québécois.

Connaître, comme lui-même l'a avoué, l'histoire «de ses joies, de ses peurs, de ses aspirations, de ses convoitises, de ses espoirs, de ses déceptions, de ses misères, de ses réussites, de ses qualités et de ses défauts.» Car chez cet homme l'intéressait avant tout «sa façon de vivre, de travailler, d'aimer, de souffrir, de s'amuser et, disons-le, de pécher.»

Cet homme durable, Marius Barbeau et, dans sa foulée, Félix-Antoine Savard et Luc Lacourcière en avaient déjà suivi la trace dans le domaine de la littérature orale. Robert-Lionel Séguin l'a recherché, lui, avec autant d'obstination que de difficultés, en battant la campagne québécoise pour y scruter cette matière méconnue, à peine exploitée à l'époque, de la culture matérielle.

Comme Barbeau, comme Lacourcière et tant d'autres qui ont réussi à recueillir et sauvegarder des milliers *d'exempla* de notre littérature orale, Séguin, tout au long de sa carrière, et plus souvent seul qu'à son tour, a réalisé l'impensable projet de sauver, parce qu'il en savait l'importance, et d'inventorier, pour qu'on en reconnaisse la valeur, quelques 20 000 objets de notre patrimoine matériel, créant du même coup la collection la plus imposante et la plus riche d'Amérique en ce qui a trait à la civilisation traditionnelle des Québécois.

Cet homme sensible, attentif, d'un respect scrupuleux vis-à-vis ses informateurs qu'il jugeait à juste titre les plus précieux passeurs d'expériences et de connaissances qui se puissent rencontrer, cet homme a réussi à tirer de sa pratique du terrain une «science des êtres et des choses» dont il a voulu faire profiter tout le Québec.

Comme l'écrivent en ces pages le père Benoît Lacroix et le poète Gaston Miron, Robert-Lionel Séguin aura ainsi consacré sa vie à ressusciter de façon systématique et scientifique notre civilisation matérielle.

Affirmer que nous en serons tous comptables traduit bien mal le vide que nous causera désormais son absence. De ce Québec qu'il a tant aimé, Séguin disait qu'il devait pourtant commencer et finir quelque part. De l'homme, qu'ajouter de plus ...

René BOUCHARD

Remerciements

La présente anthologie résulte de la volonté de la Société québécoise des ethnologues de rendre à Robert-Lionel Séguin ses hommages les plus respectueux. En prenant à charge de mettre sur pied un comité d'édition et d'organiser une souscription publique, la Société aura hâté la réalisation de cet ouvrage. Elle a droit à tous nos remerciements. Que Bernard Genest, Jean-Pierre Pichette et Jean Simard, du comité d'édition, et Marie Durand et Léopold Désy, du comité de souscription, trouvent ici l'expression de nos sentiments les plus sincères pour le travail considérable qu'ils ont accompli.

Ces «mélanges québécois» à la mémoire de Robert-Lionel Séguin n'auraient jamais pu voir le jour non plus sans la patience et le soutien exemplaires que tous les collaborateurs ont apportés à la fabrication du manuscrit. Ils méritent vraiment nos remerciements les plus chaleureux. Notre reconnaissance s'adresse finalement à tous nos souscripteurs qui ont montré avec éclat qu'ils tenaient à la publication de ces mélanges. Leur participation, plus qu'on ne le pense, a été des plus encourageantes. À tous, merci.

R.B.

Table des matières

I

En hommage
à Robert-Lionel Séguin

Robert-Lionel Séguin, 1971. (Photo: Office du Film du Québec)

Robert-Lionel Séguin, historien de l'identité et de l'appartenance

Gaston Miron

Bien plus que lui rendre hommage et faire son éloge*, il m'importe, à l'enseigne de l'amitié, de dire merci à Robert-Lionel Séguin, pour ce qu'il est pour nous et qu'il a fait pour le Québec, au nom de ses amis et de ceux qui l'admirent, et aussi au nom du Québec.

Nous avons effectivement plusieurs raisons de lui dire merci. Historien, ethnologue, professeur, animateur, son apport spécifique à la culture québécoise s'inscrit désormais et dorénavant comme assise et influence dans la reconquête du droit de la nation québécoise à disposer d'elle-même. Quelque temps après que fut annoncé qu'il était lauréat du Prix Duvernay 1975, il me disait qu'il interprétait le fait qu'on le lui ait décerné comme une reconnaissance de son appartenance à la patrie québécoise. C'est en effet la fierté de cette appartenance, son amour pour la nation québécoise et son patrimoine, sa foi en l'avenir de cette nation, qui sous-tendent son oeuvre ethno-historique et son combat.

Entre lui et les hommes qui ont fondé notre nation, les ancêtres, une complicité ouverte est née, et en particulier avec cet ancêtre majoritaire, «l'Habitant», qui est de la meilleure étoffe

---

*   Discours de présentation du prix Duvernay 1975 de la Société Saint-Jean-Baptiste de Montréal, le 9 février 1975. Texte paru dans l'*Action Nationale*, vol. LXV, no 8, avril 1976, pp. 539-546. Publié avec la permission de l'auteur et de l'éditeur.

de notre pays et dont il a fait le champ de son oeuvre. L'admiration qu'il a pour eux, fruit d'une fréquentation intime et concrète, est manifeste et recueille notre adhésion. Je relis quelques-unes des dédicaces à ses ouvrages: il dédie *La Vie libertine* ainsi: «En hommage à la gaillardise des hommes et des femmes qui ont fait la nation québécoise»; *Les ustensiles en Nouvelle-France:* «Aux femmes qui ont fait la nation québécoise»; *Les jouets anciens du Québec:* «Aux enfants de la nation québécoise».

Fierté, amour, confiance en soi, admiration, qu'il a su, avec ténacité, nous communiquer, nous redonner dirais-je, par sa recherche et son action, par la résurrection systématique et scientifique, démythifiée, de notre civilisation traditionnelle. Ce faisant, comme on enlève les couches successives de peinture qui aliènent le matériau naturel d'un meuble, il nous a montré et tendu un visage décapé du passé et des ancêtres, que nous avons d'abord regardé avec étonnement et pudeur, et commencé de récupérer et d'aimer dans les années soixante. Il a, en allant aux origines et aux sources, en quelque sorte rendu l'homme québécois d'aujourd'hui à lui-même, c'est-à-dire à sa mémoire, à sa responsabilité, à sa souveraineté. Il nous a restitué le vécu quotidien du passé comme conscience agissante du présent et d'un devenir, depuis la vie de «l'Habitant», figure centrale de ce peuple qui se forme au cours des 17 et 18es siècles, en Nouvelle-France, et qui dessine déjà des caractéristiques d'homogénéité culturelle, une conscience de son unité, un vouloir-vivre collectif.

À cette nation québécoise, à l'inventaire de ce qui constitue son identité dans ses signes matériels et son cadre de vie hier et maintenant, il consacre sa ferveur, son temps et littéralement ses ressources. En premier lieu, je veux saluer son oeuvre écrite: plus de deux cents articles et seize ouvrages, dont deux sommes magistrales: *La civilisation traditionnelle de «l'Habitant» aux 17e et 18e siècles — Fonds matériel* (1967) et *La vie libertine en Nouvelle-France au 17e siècle* (1972). Un dix-septième ouvrage paraît ces jours-ci: *L'injure en Nouvelle-France.* Oeuvre étonnamment considérable qui force l'enthousiasme quand on considère que Robert-Lionel Séguin atteint seulement la maturité de l'âge. Oeuvre dont le style sobre, précis, efficace est en parfaite adéquation avec le propos qui est le sien, et qui révèle l'art de raconter de notre peuple et les voies de son parler savoureux. Si le Prix Duvernay est l'occasion de lui dire merci pour ce qu'il a accompli jusqu'ici, c'est l'occurence pour le remercier à l'avance

Lors de la signature du Livre d'or de la Ville de Trois-Rivières par Robert-Lionel Séguin pour célébrer la remise du Prix Duvernay qu'il venait d'obtenir.

Robert-Lionel Séguin commentant une photo de son livre *Les jouets anciens du Québec* paru chez Leméac en 1969.

des travaux qui viendront enrichir et épanouir davantage son oeuvre. Je retiens pour exemple la thèse qu'il prépare pour le Doctorat d'État à l'université de Strasbourg, sur l'équipement aratoire et ses projections dans la vie sociale.

Le cheminement de Robert-Lionel Séguin est exemplaire de la prise de conscience qui est intervenue au Québec ces vingt-cinq dernières années. Homme simple, modeste, lucide mais sensible, accueillant, à l'humour narquois au coin du sourire ou de l'oeil, d'esprit libre et fin, sûr de ses origines, de sa place, des valeurs de sa culture, c'est tout aussi exemplairement qu'il poursuit son combat contre une image faussée de notre passé et pour faire de l'ethnologie québécoise une contribution à l'universel. Au passage, il me plaît de noter que sa démarche n'a pas toujours eu l'heur de plaire à la position et au point de vue conformistes et académiques.

Il est né à Rigaud dans la plus vieille famille de la région. Sa jeunesse est imprégnée par les traditions familiales toujours vivaces, le folklore oral, les fêtes, les veillées, les objets de la ferme ancestrale, les travaux et les jours. On peut y voir assurément la matrice de son intérêt pour l'ethnologie québécoise. Toutefois, dit-il «je ne pense jamais avec un esprit de clocher, j'ai une approche pan-québécoise». Il veut que l'appartenance locale débouche sur l'appartenance nationale, que la conscience régionale se transcende dans la conscience nationale. Il se sent chez lui et à l'aise tout aussi bien à l'Île d'Orléans, à Rimouski, Trois-Rivières qu'à Rigaud. Pour lui, la diversité du patrimoine québécois est le fait entier de l'âme québécoise.

À l'époque où il commençait ses études en histoire et en sciences sociales, dans les années quarante-cinq/cinquante, la dépossession progressive engendrée par la Conquête, marquée par le traumatisme de l'écrasement de la Rébellion de 1837, atteignent une phase ultime: une quasi-amnésie culturelle. On maintenait notre peuple dans une existence politique insignifiante et dans une aliénation qui l'amenait à mépriser ses valeurs originales au profit du modèle du conquérant. C'était une époque de honte de soi. On s'empressait de cacher ou de se défaire des vieux objets, des vieux meubles, bref de l'héritage, pour les remplacer par du moderne et du chromé. Prélarts, tapisseries, peintures, recouvraient les matériaux d'origine. On avait donc peur de passer pour «habitant». Quelqu'un avait-il l'air timide ou gauche, on l'accueillait par un «arrive en ville, maudit colon», ou par un «maudit habitant du fond des rangs». Pendant ce temps-là, des camions chargés à bloc des choses de notre patrimoine prenaient le chemin de l'étranger après avoir écumé les campagnes. Sans que les pouvoirs publics s'en émeuvent. J'ai vu ça, avec un point au cœur.

Robert-Lionel Séguin s'est toujours méfié de l'histoire conventionnelle. L'histoire copie-conforme. Quand il est arrivé à sa recherche et à ses travaux personnels, elle ignorait ou boudait la civilisation traditionnelle, tout au plus la tenait pour négligeable. Cette «grande» histoire déployait ses tomes, lançait ses fortes monographies, avec compétence et nécessité certes, mais elle ne s'en attachait pas moins qu'au héros, qu'au martyr, qu'aux chefs religieux, d'État ou de guerre, qu'aux faits politiques, qu'aux institutions. Mais le peuple, lui, où était-il? qui était-il? Faisait-il l'histoire, lui aussi? Quand il en était question, il était présenté le plus souvent comme une entité monolithique sous l'appellation de «nos ancêtres». Avant 1760, c'était des hommes vertueux, qui priaient tout le temps, qui se battaient en héros pour la patrie, des hommes hors du commun quoi. Après la Conquête, ils étaient non moins vertueux, du fait qu'ils étaient résignés à leur sort, devant obéissance et respect à leurs nouveaux maîtres, et heureux d'être sous la houlette du pasteur et de ses chefs politiques. On l'a dit depuis, nous avions affaire à une histoire en partie mythique,

Hockey à Rigaud vers 1945. Robert-Lionel Séguin occupe le 3e rang de la 1ère rangée, en partant de la gauche.

apologétique et, dans sa composante compensatrice, messianique. Tout se passe comme s'il fallait s'expliquer sans cesse, prouver à l'occupant le bien-fondé de notre présence actuelle comme peuple, voire même s'excuser auprès de lui d'être encore là, pour finalement se justifier d'exister en invoquant la vertu des ancêtres. Nous devions mériter de survivre en étant plus parfait que les modèles du passé. Écrasés par une idéalisation et une survalorisation du passé, nous nous sentions misérables, déchus, indignes de ces aïeux, pas du tout à la hauteur. Dans ces conditions, par rapport aux luttes du présent, l'histoire officielle se plaçait en état d'expectative, comme si le salut allait venir d'un *deus ex machina*. Nous avons oscillé, durant des décennies, entre le désespoir et l'attente d'un miracle, du sauveur rêvé. C'est ici que se situe la contestation de Robert-Lionel Séguin. Dans la contradiction interne de l'image reçue, fardée, du passé québécois: les archives et les pièces qu'il accumulait et diffusait montrent que cette image n'est pas tout à fait conforme à l'idée qu'on nous en formait.

Un autre aspect concernant une certaine histoire, c'est l'espèce de culpabilité à taire la résistance du peuple québécois, qui court tout au long de ses conditions et de sa pratique historiques. Pensez-y, on pourrait se faire faire mal, mieux vaut jouer d'astuce et composer, parfois même élever la collaboration au rang de vertu. Robert-Lionel Séguin fut l'un des premiers à faire émerger cet esprit de résistance, de libération nationale, qui ne s'était jamais éteint dans le coeur d'un grand nombre. Il lui consacre son premier livre, en 1955: *Le mouvement insurrectionnel dans la presqu'île de Vaudreuil, 1837-38.* Par la suite, il reviendra sur le sujet pour que nous gardions vivant cet esprit, en publiant *La victoire de Saint-Denis,* en 1968, et *L'esprit révolutionnaire dans l'art québécois,* en 1973.

C'est en 1956 qu'il choisit de se spécialiser en civilisation traditionnelle. Qu'il entreprend de nous faire rencontrer ces ancêtres dont on nous parlait tant et que nous connaissions si mal en fait, à nous faire nous reconnaître en eux. Il va s'employer à les faire vivre tels qu'ils furent en réalité, dans leur cadre de vie, leur technologie, leurs travaux, leurs coutumes, fêtes et traditions, bref des êtres à notre échelle avec les mêmes désirs et besoins, les mêmes préoccupations que nous et, collectivement, la même problématique. Il a écrit d'eux: «C'étaient des êtres sensibles, humains et normaux dont nous sommes fiers.» Et encore ceci: «Je ne veux pas que ma grand-mère soit à toute force considérée comme une punaise de sacristie, soit comme une putain. Ainsi passe-t-on d'une école caricaturale à l'autre. Il se trouve tout bonnement que mes grands-parents étaient des gens normaux, ni trop méchants ni trop vertueux, des gens irréductibles en tout cas aux schémas théoriques de l'idéologie du moment. Mieux vaut reconstituer leur cadre de vie si l'on veut vraiment les connaître.»

Au début, il était pratiquement seul dans ce domaine, entouré d'indifférence, et il lui fallait tout inventer. Il parfait sa formation à Laval et Paris. Il est l'homme du document d'archive et du terrain. Il met au point sa méthode: l'histoire de l'objet. C'est-à-dire la mise en relation de l'archive figurée, l'objet, avec les imprimés et manuscrits qui le concernent dans les diverses régions du pays, avec les archives notariales et autres, avec sa filiation et son extension, avec ses implications juridiques et économiques, et avec ses projections dans la vie sociale et culturelle. Il se sent proche alors d'hommes comme Jacques Rousseau et Jean-Marie Gauvreau qui l'ont aidé et conseillé. Partout où il se trouve, attaché au ministère des Affaires culturelles, aux Archives judiciaires, maintenant nationales, au Musée des arts appliqués, etc., il inventorie les dépôts, classifie, fixe sur papier la civilisation traditionnelle. «Je ne pensais qu'à sauver ce qui peut l'être encore, dit-il, sans archives, telle technique, telle pièce sur le terrain seront perdues à jamais... Or l'opération sauvetage devait se faire dans la clandestinité... Le travailleur, le créateur dans les disciplines historiques devait littéralement vivre dans le maquis.» Dès 1959, la publication de ses travaux va se succéder à un rythme constant. Il y traitera, pour n'en mentionner que quelques-uns, de l'équipement de la ferme, de la sorcellerie, des moules, des granges, du costume civil, de la maison, des divertissements, des ustensiles, des jouets, de l'injure. Dans les années soixante, le Québec change et son oeuvre coïncide avec l'affirmation de l'identité de sa culture, de son être anthropologique pour ainsi dire. Nous connaissons la suite. Aujourd'hui, résultat de son entreprise de pionnier, les jeunes chercheurs sont en grand nombre dans sa foulée.

Au cours de ces années, il s'est aussi dépensé pour le rayonnement de la civilisation traditionnelle du Québec, également par son enseignement et son animation. La fondation du Centre de documentation en civilisation traditionnelle à l'université du Québec à Trois-Rivières, dont il a été le directeur. Les expositions qu'il a organisées, notamment celle de Strafford en Ontario

(1961), celle du Musée national des arts et traditions populaires, à Paris (1975). Les congrès et colloques auxquels il a participé: le Premier Congrès mondial d'ethnologie à Paris en 1972, le Premier Congrès d'ethnologie euro-américaine à Mexico en 1974. À ce dernier, il fut le seul ethnologue de langue française à y être invité officiellement; sa communication est un exemple parfait d'ethnographie comparatiste. Grâce à lui, nous assistons à une reconnaissance internationale de la civilisation traditionnelle québécoise et de sa contribution à l'enrichissement du patrimoine universel.

Mais c'est d'abord à nous que son oeuvre s'adresse. Elle nous révèle l'environnement des hommes qui ont construit notre nation, et abolit ainsi la distance entre eux et nous. Robert-Lionel Séguin déclarait dernièrement: «L'histoire a érigé une cloison entre présent et passé, une muraille que justement l'ethnologie détruit.» Nous savons que c'est à partir de nous que nous déterminerons le processus et l'expérience historiques, «pour la suite du monde» (Perrault). Que, quelles que soient les circonstances du passé, nous n'avons pas à quémander ou justifier notre existence: un peuple comme des individus a des droits et il doit prendre place parmi les nations. Une oeuvre comme la sienne fonde non seulement notre espoir, mais notre certitude. C'est pourquoi nous sommes ici pour le remercier de son immense travail et célébrer la réussite de son oeuvre et de son action.

Je dis de lui: rien de ce qui est québécois ne l'indiffère.

N.B. Je veux ajouter quelques mots sur le grand collectionneur qu'a été Robert-Lionel Séguin. Combien de fois m'a-t-il abordé, un vieux scapulaire à la main, ou une vieille gravure, ou une pièce d'antan, heureux de me faire partager son émotion et son émerveillement. Chez lui, à Rigaud, sa maison splendide et les grands bâtiments qui la flanquent abritent un nombre inouï d'archives et de pièces traditionnelles qu'il a rassemblées en collection depuis sa jeunesse. Il y a là l'embryon d'un véritable Musée national québécois des arts et des traditions populaires. Un homme seul a fait cela.

(Note de l'éditeur: cette collection a été acquise depuis par l'Université du Québec.)

Le domaine de Robert-Lionel Séguin à Rigaud. Vue partielle des nombreux bâtiments où sont entreposés les quelque 20 000 objets de sa collection.

Écurie à encorbellement, du troisième-quart du XIXe siècle, ayant apparatenu à la famille Bouchard, Île-aux-Coudres, comté de Charlevoix. Bâtiment conservé à Rigaud, chez R.-L. Séguin. (Photo: Studio Tremblay, Rigaud)

Baraque datant du milieu du XXe siècle, en provenance de la famille Etchevery, Étang-du-Nord, Îles-de-la-Madeleine. Bâtiment conservé à Rigaud, chez R.-L. Séguin.

Laiterie à pôteaux coulissants et fenêtre à guichet, datant probablement du milieu du XIXe siècle. Provenance: famille Clément, Rigaud, comté Vaudreuil. Bâtiment conservé à Rigaud, chez R.-L. Séguin. (Photo: Studio Tremblay, Rigaud)

Laiterie en queue d'aronde ayant appartenu à la famille Robert (le père de l'arrière grand-père de R.-L. Séguin) et provenant du rang du Haut de la Chute, à Rigaud. Bâtiment conservé à Rigaud chez R.-L. Séguin. (Photo: Studio Tremblay, Rigaud)

Séchoir à maïs de forme pentagonale qui constituerait, avec la *baraque*, l'un des deux bâtiments d'origine hollandaise implantés au Québec. Ce séchoir vient de la ferme ancestrale des Séguin, dans le rang Saint-Georges, à Rigaud. Bâtiment conservé à Rigaud, chez R.-L. Séguin. (Photo: Studio Tremblay, Rigaud)

Prototype de maison paysanne à Vaudreuil. Datant du milieu du XIXe siècle, cette maison était jadis la propriété de la famille Quesnel, du rang Sainte-Julie, à Sainte-Marthe de Vaudreuil. Bâtiment conservé à Rigaud, chez R.-L. Séguin. (Photo: Studio Tremblay, Rigaud)

Maison paysanne (de colonisation), datant du milieu du XIXe siècle, jadis la propriété de la famille Giraldeau. Bâtiment conservé à Rigaud, chez R.-L. Séguin. (Photo: Studio Tremblay, Rigaud)

Buté, acharné, Séguin...

Gilles Boulet

Président, Université du Québec

C'est en octobre 1969 — l'Université du Québec à Trois-Rivières n'avait pas six mois — que j'ai eu le bonheur de rencontrer Robet-Lionel Séguin pour la première fois. C'est Maurice Carrier, ce féru d'histoire, qui me l'amena un jour avec dans les yeux ce regard étincelant qui me disait: «Si tu comprends, je t'emmène là ce qu'il faut pour frapper un grand coup.»

Et quel coup! Je connaissais surtout Séguin comme l'auteur de *La civilisation traditionnelle de l'habitant aux 17e et 18e siècles*. Je le considérais comme le premier véritable ethnologue québécois. Pour le reste, j'ignorais tout. Mais Carrier se mit à m'expliquer: les travaux de Robert-Lionel Séguin, ses recherches, ses collections, son travail, ses difficultés, ses espoirs. Et Séguin entra dans la conversation.

Les yeux pétillants, le verbe saccadé, les mots crépitants comme la pluie d'octobre sur un toit de tôle, le souffle en difficulté d'avoir à suivre un tel flot de paroles, l'hésitation de temps à autre comme si cette parole n'arrivait pas à son tour à suivre le déroulement de la pensée, il me parla de civilisation traditionnelle. Tout y passa, les vêtements, les courtepointes, les manuscrits, les volumes, les outils, les documents notariés, les publications, les musées, tout.

Comme si j'avais besoin d'être convaincu. Robert-Lionel Séguin s'offrait pour venir travailler à l'Université du Québec à Trois-Rivières! Dès le départ, quelques collègues et moi avions fait le projet de développer un secteur d'études québécoises qui deviendrait une des caractéristiques et un des points forts de la nouvelle institution. Nous avions commencé d'en dessiner les grandes lignes et les principaux points d'appui. Nous rêvions, entre autres, d'un élément d'ethnologie québécoise et de civilisation traditionnelle. Nous avions conscience des besoins énormes d'enseignement et de recherche qui existaient chez nous dans ce domaine et nous savions bien que peu de choses s'était encore fait dans les universités québécoises francophones à ce propos.

Avec Séguin c'était le rêve à la portée de la main. Les discussions ne furent pas bien longues ni bien difficiles. L'idée fit son chemin, les projets se précisèrent et, dès l'automne suivant, le 5 octobre 1970, le Centre de documentation en civilisation traditionnelle était créé à l'Université du Québec à Trois-Rivières. Avec deux recherchistes, un photographe et une secrétaire, Séguin commença, à ce moment-là, le dépouillement systématique des archives notariales et bailliagères des XVIIe et XVIIIe siècles. Parallèlement sont inventoriés les imprimés des XVIe, XVIIe et XVIIIe siècles afin d'en tirer tout ce qui concerne notre civilisation traditionnelle. Enfin on y ajoute des archives visuelles: photographies, illustrations, devis sur la technologie, les moeurs, les coutumes et la vie d'antan au Québec. Tout est classé d'après un ordre thématique et chronologique.

Au début Séguin est prêté à l'Université du Québec à Trois-Rivières par le ministère des Affaires culturelles du Québec et, dès le mois de décembre 1971, il est engagé, à titre de professeur régulier, au Département d'histoire. Le Centre continuera, sous son énergique direction, à constituer les fichiers les plus complets qu'on puisse imaginer sur les éléments fondamentaux de notre civilisation. Il traversera les déboires communs à ce genre d'aventure dans les milieux universitaires. Les centres de documentation et les fichiers de cette sorte ne trouvent pas leur place dans les catégorisations budgétaires qu'on impose aux universités. Il faut trouver l'argent supplémentaire, chercher à gauche, frapper à droite. Les démarches sont toujours longues, harassantes, souvent inutiles. C'est d'autant plus difficile que cette recherche systématique ne correspond à aucune description ni à aucun schème des «recherches» subventionnées par les organismes responsables. Buté, acharné, Séguin frappe à toutes les portes et vient discuter chez moi. Le Centre continue. Son personnel diminue parfois, augmente parfois. Il n'atteint jamais aux dimensions que son directeur souhaiterait lui voir obtenir. Il se développe pourtant, atteint les 200 000 fiches, attire des étudiants de maîtrise et de doctorat, des spécialistes de l'ethnologie du Québec, du Canada et des États-Unis.

Séguin, lui, pendant ce temps, continue d'écrire, d'inventorier, de publier. C'est à la naissance d'une dizaine d'ouvrages que j'assisterai pendant les années qui vont suivre. C'est aussi à la publication de la première revue d'ethnologie du Québec, à la création de collections ethnologiques qu'il dirige, à la mise sur pied de remarquables expositions de jouets anciens ou de catalognes ou de courtepointes au Québec comme en France. Comme si non satisfait d'avoir arraché à l'oubli ou à la disparition une collection extraordinaire de ces objets qui disent notre passé, Robert-Lionel Séguin sentait le besoin lancinant de les dire, de les expliquer, de les présenter afin que nous puissions tous les découvrir avec lui.

Toute la vie de Robert-Lionel Séguin est là. Il l'a consacrée entièrement, d'un seul bloc, à la conservation des mille et une petites choses qui témoignent d'une civilisation, à leur connaissance, à leur explication. Ce faisant il a été l'architecte d'une des oeuvres historiques les plus importantes du Québec. Car au fond ce que j'ai toujours le plus admiré chez lui, ce n'est pas l'acharnement à la tâche, l'opiniâtreté dans la démarche, l'acuité de son intelligence, la perspicacité de ses études. Au-delà de toutes ces qualités qui ont été siennes, il en est une qui se dégage en splendeur, c'est le sens profondément scientifique qu'il a eu de l'histoire. Scientifique, il l'a été jusqu'au bout des ongles, jusqu'au scrupule, jusqu'à l'ultime vérification du plus infime détail. Il s'est mis constamment à l'écoute des gens et des choses dont il a parlé, les a comparés, les a compris et a rendu compte de l'enseignement qu'ils contiennent. Il l'a fait avec une rigueur désarmante, parfois même avec une certaine sécheresse tant il a été attaché à la seule vérité de la présentation. Il a eu la pudeur admirable des grands scientifiques. Il a été en quelque sorte gêné de sa propre intervention entre les choses qu'il présentait et ceux à qui il les présentait. Chez lui, aucune théorie préalable à démontrer, aucun corpus de doctrine à justifier: c'est le lot des faibles. Seuls ont percés finalement son amour et sa fierté des gens et des choses de chez nous. Et encore! Il ne l'a pas affirmé, ne l'a pas dit, ne l'a pas écrit. On sent que le savant n'aurait même pas osé faire ce geste. Et pourtant il est là, sublime, dans l'hommage constant que son oeuvre écrite, son travail, ses collections, ses expositions et ses interventions rendent aux gens de chez nous.

D'autres que moi le diront bien mieux dans les pages qui suivent. Par leur science de l'histoire, de l'ethnologie, de l'ethnographie, ils ont été beaucoup plus proches de Séguin et l'ont compris beaucoup mieux. Bien peu ont eu, cependant, la chance de vivre, comme je l'ai fait, les démarches résultant de l'amour acharné de ce grand scientifique pour les choses de notre histoire. Et il fallait que je le dise.

Lancement d'un volume de Robert-Lionel Séguin aux Éditions Leméac.

Robert-Lionel Séguin à Paris, en 1975, lors de l'inauguration de l'exposition sur les couvre-lits anciens du Québec au Musée des arts et traditions populaires.

Un grand diffuseur
de la connaissance

Denis Vaugeois
Député de Trois-Rivières

Cet ouvrage célèbre avec justice l'oeuvre de Robert-Lionel Séguin, historien-ethnographe envers qui l'homme de science comme le large public se sont acquis une lourde dette de reconnaissance au fil des ans. N'eût été, en effet, du travail incessant de cet homme qui sut si bien combiner dans son oeuvre l'apport indispensable et complémentaire de l'humanisme le plus authentique avec l'érudition la plus exigeante, nous serions encore plus ignorants de notre propre passé, encore plus dépossédés de notre histoire collective, encore plus dépourvus de mémoire.

Modeste, discret mais absolument passionné et tenace, Robert-Lionel Séguin révèle un modèle de comportement propre à nous instruire. Tout au long de sa carrière de chercheur et d'homme de science, il aura apporté une remarquable et efficace attention à la diffusion de la connaissance que, pour nous tous, il faisait émerger avec plus de clarté. Sans reprendre tout le cheminement de son activité pédagogique, sans établir la liste exhaustive de chacune de ses publications, sans identifier précisément toutes ses entreprises de vulgarisation, il me sera en effet aisé de faire reconnaître, parmi tous ceux qui l'ont connu comme chez tous ceux qui ont appris de lui, non seulement un autodidacte avide de connaissances mais, aussi, un authentique savant soucieux de transmettre son savoir au plus grand nombre de ses collègues et de ses concitoyens. Une part non négligeable de son énergie, de sa capacité créatrice et de sa rigueur scientifique aura été investie dans cette démarche essentielle à son oeuvre de maître et qui nous fut et nous restera si profitable.

Mettre l'accent sur ce rôle social si pleinement accompli par Robert-Lionel Séguin, c'est lui rendre du même souffle nos hommages, de ceux-là qu'on adresse en sachant qu'ils sont bien en deçà du service octroyé même s'ils demeurent notre unique moyen de marquer notre reconnaissance. Ces hommages, je les formule bien sûr au nom des fonctions que j'occupe actuellement et en y associant mes nombreux compatriotes qui n'auront ici que ma plume pour s'exprimer. Je voudrais aussi les dire en mon nom personnel.

Un chercheur d'avant-garde

Jean-Claude Dupont
Ethnologue, CELAT, université Laval

Robert-Lionel Séguin s'est façonné lui-même par un travail acharné dans une discipline aux domaines de recherche multiples, dont il a jeté quasi à lui seul les bases scientifiques: l'ethnologie historique québécoise.

À mesure qu'il enrichissait ses connaissances glanées à la pratique du travail, il les fit sanctionner, d'abord par des historiens de l'université Laval (doctorat ès lettres) en 1961, puis par des ethnologues de la Sorbonne à Paris (en 1972) et de l'Université de Strasbourg (en 1981).

Ce chercheur qui n'avançait de résultats scientifiques qu'à partir de faits qu'il avait relevés, et qui se méfiait des «théories à la mode», fut pourtant un chercheur d'avant-garde. Sortant des canons de l'histoire, il concilia des faits de culture matérielle (des objets) avec des documents historiques et des éléments de la prose notariale relatifs à la culture populaire. Seul, isolé, il tenta de faire la jonction de sources diversifiées où les règles n'étaient pas encore définies.

Séguin fut le premier chercheur qui sut faire parler le document figuré. L'objet matériel, disait-il, ne doit pas seulement servir d'illustration graphique pour émailler des pages historiques, mais constituer une des sources d'un langage technologique. Le simple usage du rabot dans la région montréalaise aux XVIIe et XVIIIe siècles lui suffira ainsi à rédiger un article scientifique (voir *Revues des arts et traditions populaires*, Paris, janvier-mars

1961). La nature et le vécu de l'objet matériel, discours de la science populaire, insérés dans le temps et les lieux, voilà en quoi consiste l'ethnologie qu'il développa.

Il sera trop occupé pendant cette trentaine d'années consacrées à dresser le corpus des activités rurales traditionnelles pour défendre sa conception méthodologique qui fait fi de détails statistiques. Il dira souvent que les observations constructives lui ont été profitables, mais que celles-ci se font entendre rarement à travers des critiques à l'emporte-pièce.

Simple, direct, il est aussi à l'aise auprès des paysans de qui il tire des données scientifiques qu'en milieu académique.

Séguin fut surtout un homme de terrain, un archiviste et muséologue, mais aussi un diffuseur de connaissances.

L'homme de terrain

Séguin parcourut le Québec en tous sens, à la recherche de documents figurés. En 1977, il avait déjà collectionné et classifié dans son domaine de Rigaud queque 18 000 pièces. À la veille de son décès, il revenait en compagnie de son épouse d'une mission d'une semaine qui lui avait fait découvrir, entre autres, une maquette de goélette à Charlevoix, la technologie du feutre domestique à Lamy, Témiscouata, une voiture de boulangerie rurale à Saint-Jean-Port-Joli, et des pièces d'art populaire en Beauce.

De 1960 à 1966, d'abord sous les auspices du Musée national du Canada, puis ensuite sous l'égide du Musée national des arts et traditions populaires de Paris, ses relevés sur le terrain lui avaient aussi fait parcourir plusieurs régions rurales de la France, pour retrouver, à titre comparatif, des prototypes de spécimens québécois et étudier des variantes d'outils de la technologie agricole et textile.

Son désir était d'en arriver, au moyen d'objets d'époque, à reconstituer tous les moments de l'existence de l'homme et de la femme au Québec au temps de la civilisation traditionnelle. Ces témoignages des activités humaines, il les percevait tout aussi bien dans les rites de passage de la vie que dans le cycle calendaire de l'année, ou dans les travaux domestiques, artisanaux, agricoles, forestiers, etc. C'est ainsi qu'il avait rassemblé dans son domaine de Rigaud des bâtiments (fournil, «baraque», grange à encorbellement, séchoir à maïs, laiterie, etc.) et des séries d'objets relatifs à l'art populaire, au luminaire, au mobilier, à l'alimentation, à la lingerie et au costume. La technologie de transformation figure au sein de cette collection sous forme de spécimens relatifs à la plupart des métiers du cuir, du bois, du fer, de la pierre et de l'argile; celle de la production y est représentée dans les chaînes d'activité agricole, forestière et d'élevage; et celle de l'acquisition dans la cueillette, la chasse, le trappage et la pêche. Quant aux moyens de transport, on y retrouve des traîneaux, carrioles et autres voitures roulantes de tous genres, sans oublier le «canot à glace» des îles de la Madeleine. Les faits de folklore sont, quant à eux, évoqués tout particulièrement par des objets associés aux étapes de la vie (baptême, mariage et mort) et aux fêtes de l'année (Toussaint, Noël, Pâques, etc.).

L'archiviste et muséologue

Archiviste, il l'est déjà au milieu des années 1950, alors qu'il travaille au dépouillement d'actes notariés pour le compte du Musée du Québec, puis ensuite, par ses relevés minutieux faits à travers des documents judiciaires, des registres paroissiaux et des ordonnances, etc. Et au hasard de ses visites chez les collectionneurs et les antiquaires, il accumule des documents d'archives qui iront s'ajouter à sa riche collection (monnaie de carte, etc.).

Séguin documente ses pièces, d'abord auprès des informateurs chez qui il les a retrouvées, puis à l'aide de dépouillements d'oeuvres anciennes souvent tirées de sa bibliothèque spécialisée, probablement la plus complète qu'on puisse trouver du genre au Canada français.

Assisté de Maurice Carrier, il fonde en 1971 le Centre de documentation en civilisation traditionnelle à l'Université du Québec à Trois-Rivières. Il allait réaliser là un important dépouillement de documents notariés relatifs à la culture matérielle québécoise.

Séguin pratique déjà le métier de muséologue au milieu des années 1960, au moment où il fait l'inventaire de la collection Gauvreau et monte le musée de l'Institut des arts appliqués de

Montréal. Au Musée national des arts et traditions populaires de Paris, en 1975, il prépare une exposition sur les catalogues et les courtepointes du Québec, et en 1979, il y expose le costume paysan québécois du XIXe siècle. Il se rendra également au Musée des Beaux-Arts de la Rochelle, en 1980, présenter des pièces textiles. Comme pour la dizaine d'expositions qu'il fait au Québec dans les musées régionaux, il utilise exclusivement des pièces tirées de ses collections et il prépare les catalogues d'accompagnement.

Sitôt arrivé de ses visites sur le terrain d'où il ramène ses pièces documentaires, il les place physiquement là où elles se situent dans la chaîne d'appartenance scientifique et les rattache à la classification qu'il a établie et retouchée régulièrement depuis une trentaine d'années.

Le diffuseur de connaissances

À titre de professeur, on le retrouve déjà chargé de cours en folklore matériel à l'université Laval en 1966, puis à l'Université de Montréal en 1969, et à l'Université du Québec à Trois-Rivières en 1972.

Depuis 1980, comme chercheur invité au Centre d'études sur la langue, les arts et traditions populaires des francophones en Amérique du Nord (CELAT) de l'université Laval, il a terminé un important travail sur la technologie agricole préindustrielle (à paraître aux Éditions Leméac), et il laisse, inachevée, une recherche portant sur les textiles anciens du Québec.

Conférencier à maints endroits au Canada français, il le fut aussi à l'étranger, soit à Paris, en 1971, au Premier Congrès international d'ethnologie, puis au Colloque d'ethnologie France-Canada en 1973. Il présentera aussi une communication au Premier Symposium d'ethnologie euro-américaine tenu au Musée de l'Homme de Mexico, en 1974.

Il fonde la Collection d'ethnologie des *Cahiers du Québec* en 1972 (chez Hurtubise HMH), la *Revue d'ethnologie du Québec* en 1975 (chez Leméac) et les *Archives d'ethnologie du Québec* en 1976 (aux Presses de l'université du Québec).

Séguin donne sa mesure autant au chapitre de ses écrits qu'à celui de ses archives figurées. Il suffit de se rappeler qu'il mit sur papier, à travers son oeuvre publiée, plus de 7 000 pages de texte.

En plus de rédiger une quinzaine de volumes, il publia plus de 300 articles dans divers bulletins, cahiers et revues, sans compter ses participations hebdomadaires aux journaux *L'Interrogation* de Rigaud entre 1941 et 1951; *La Presqu'île* de Dorion entre 1952 et 1959; *Le Progrès* de Valleyfield en 1950; et *Le Salaberry* au même endroit entre 1945 et 1953.

Séguin voudra encore diffuser les connaissances sur la vie traditionnelle au moyen de l'audio-visuel; et il se fera l'instigateur d'un projet de films ethnographiques que le cinéaste Léo Plamondon allait mettre de l'avant à l'Université du Québec à Trois-Rivières vers la fin des années 1970. Il réalisait là un rêve datant du milieu des années 1960, au moment où il devint consultant sur le milieu traditionnel québécois auprès de l'Office national du film.

Une présence continue

Par ses écrits basés sur une documentation de première main, il démystifia plusieurs opinions répandues par des devanciers qui avaient décrit la mentalité et le milieu de vie populaires comme ils auraient voulu qu'ils furent et sans s'en approcher. C'est ainsi qu'il nous présenta les anciens Québécois non plus seulement comme des gens aux fortes convictions religieuses, ou encore au comportement froid à la manière des clichés photographiques sur zinc, mais plutôt comme des hommes et des femmes de plaisir qui savaient se divertir (*Les Divertissement en Nouvelle-France*), même à l'occasion explorer les maléfices (*La Sorcellerie au Canada français*), et qui avaient le verbe haut et vif (*L'Injure en Nouvelle-France*) quand ils ne se laissaient pas aller, à l'occasion, à quelques moments de libertinage (*La Vie libertine en Nouvelle-France*).

Il nous apprit encore, entre autres, à distinguer le costume bourgeois de celui de l'habitant et que ce dernier ne s'habillait pas que d'étoffe du pays, mais qu'il était fier et orgueilleux, qu'il savait aussi rehausser son apparence par des vêtements de qualité, «à l'européenne» (*Le Costume civil en Nouvelle-France*).

Les travaux de Séguin publiés entre 1959 et 1967, et portant sur l'agriculture dans la société traditionnelle, n'ont toujours pas d'équivalent et l'on n'a encore rien publié d'autres sur les moules et les ustensiles du Québec depuis la parution de ses travaux sur le sujet en 1963 et 1971.

Il est bien peu de professionnels et d'étudiants dans sa discipline qui n'aient bénéficié de ses conseils ou de ses sources documentaires. Ses ouvrages continueront, eux, pendant longtemps, de constituer des sommes de renseignements pour les spécialistes du milieu matériel. Quant aux documents figurés que Séguin appelaient ses «archives du milieu matériel», il est à souhaiter pour le développement des connaissances sur le patrimoine québécois, qu'ils puissent continuer de servir de bases scientifiques à la façon de spécimens dans un laboratoire.

Membre de l'Académie des Lettres et Sciences humaines de la Société Royale du Canada, de la Société internationale d'ethnologie et de folklore de Paris, de la Société des Dix, et membre honoraire de la Société québécoise des ethnologues, Séguin s'est mérité par son travail les prix de l'Association des hebdomadaires de langue française du Canada (1953), du Gouverneur général (1968), Broquette-Gonin de l'Académie française (1969), France-Québec (1973), et Duvernay de la Société Saint-Jean-Baptiste de Montréal (1973).

Dans la mémoire de ceux qui l'ont connu, Robert-Lionel Séguin restera un savant acharné au travail et un homme simple, près des gens du peuple qu'il affectionnait par-dessus tout.

Le vrai pays de Rigaud...

Robert-Lionel Séguin

Beauvaisienne d'origine, ma famille est au Québec depuis trois cent dix ans. S'amenant de Vaudreuil, mes ancêtres paternels et maternels habitent Rigaud depuis le dernier quart du XVIIIe siècle. Ils ont mis pied sur les terres neuves de la Grande-Ligne et de la rivière Rigaud où je suis né, un certain dimanche de mars.

J'aime trop l'histoire de ma glèbe natale pour la rapetisser au rang de simple chronologie. L'histoire de Rigaud n'est pas une sèche nomenclature de curés, de marguilliers, de maires, de conseillers ou de commissaires d'école. C'est celle de l'homme avec ses joies, ses peines, ses espoirs, ses craintes, ses convoitises, ses qualités, ses défauts et ses faiblesses. C'est ainsi que Rigaud a gravé son nom dans les chairs du Québec.

Avant-poste québécois

Placé à la croisée des routes, un premier panneau routier indique que Rigaud est à proximité d'une frontière. «Frontière ontarienne, 3 milles», lit-on sur une pancarte, à l'entrée du pont qui enjambe la rivière. D'autres affiches, plus discrètes, rappellent que Rigaud est situé «ès confins du pays de Québec». Si l'on pousse plus à l'ouest, par les chemins de la Baie ou du Haut-de-la-Chute, il y a pareille indication, cette fois avec distance réduite.

«Frontière ontarienne, 1 mille». Puis, c'est le grand panneau vert à trois fleurs de lis blanches qui marque la fin et le commencement de la terre québécoise à la frontière ontarienne.

L'habitant frontalier est davantage conscient de son identité, de sa vocation, de sa mission. Posté à un jet de pierre ou presque de l'Ontario, le Rigaudien saisira, d'instinct, des réalités qui échapperont à la plupart des autres habitants de l'intérieur du pays. Il comprendra, par exemple, que ce ne sont pas les frontières géographiques ou politiques qui séparent les hommes, mais plutôt les frontières linguistiques et culturelles. À vingt ou trente milles à l'ouest de Rigaud, je me sens dépaysé, lointain, étranger, alors que je suis chez moi à La Rochelle, Bordeaux ou Lausanne, même si ces villes sont situées à des milliers de kilomètres de mon patelin natal.

Le Québec devrait commencer et finir quelque part. Un jour, il fut décidé que le pays francophone prendrait fin avec les dernières seigneuries que le roi de France avait concédées à l'ouest de Montréal. Celles de Rigaud et de Nouvelle-Longueuil étaient en bordure de cet alignement. Par le jeu de la politique, toute la presqu'île de Vaudreuil et de Soulanges deviendra enclave québécoise en territoire ontarien. Au hasard d'un document paraphé à Versailles, Rigaud marquera la fin et le commencement de ce sol québécois.

Découvreurs et précurseurs

Formée des seigneuries de Vaudreuil, Rigaud, Soulanges et Nouvelle-Longueuil, toute l'enclave triangulaire de la Presqu'île est géographiquement séparée du bloc québécois par le Saint-Laurent et l'Outaouais qui coulent sur ses flancs sud et nord. C'est sur ces deux «chemins qui marchent» que seront écrits les principaux chapitres de l'histoire du Québec ancien. L'un et l'autre ont des vocations différentes. Le Saint-Laurent est la voie militaire qui mène aux Grands-Lacs, alors que l'Outaouais est l'avenue commerciale qui conduit aux bassins de castors. L'Outaouais, qui débouche des Hauts, invite aux longues pérégrinations. La *grande rivière*, comme on l'appelle encore, a tôt fait d'attirer, de fasciner les hommes.

Bien avant la venue du Blanc, l'actuel territoire de Vau-dreuil et Soulanges faisait partie du domaine ancestral des Iro-quets, peuplade de la grande famille algonquine. Un de leurs principaux villages, dit-on, aurait été situé sur les bords de la rivière Rigaud, non loin de la localité du même nom. L'Iroquet s'est toujours révèlé sociable et intelligent. Lorsqu'en 1664, le grand conseil algonquin s'assemble à Québec pour discuter de ses relations avec les Français, les Iroquets délèguent leur chef Cahy-kouan, renommé pour son éloquence et son jugement.

Mais découvreurs, explorateurs, voyageurs, trafiquants, militaires et missionnaires défilent devant Rigaud depuis déjà un bon demi-siècle. La nomenclature débute avec Étienne Brûlé, qui, en 1608, ira hiverner dans les Hauts avec un parti de Hurons. Le prochain visiteur sera de marque. Le 11 juin 1613, deux canots portant Champlain, cinq français et un guide algonquin doublent la Pointe de la Raquette pour bivouaquer sur l'île Carrion, en face de Rigaud. Deux ans plus tard, en 1615, passeront les pre-miers récollets qui vont faire mission en Huronnie. Et la route outaouaise deviendra plus fréquentée, voire plus recherchée des explorateurs et des voyageurs. En 1640, c'est au tour de Jean Nicolet, bientôt suivi de Médard Chouart, Pierre-Esprit Radis-son et Greysolon Duluth. Puis s'amène La Vérendry, en route vers les Rocheuses. Viendra l'héroïque printemps de 1660, alors que Dollard et ses hommes défileront devant Rigaud avant de se rendre au Long-Sault. Ironie du sort. À la tête d'une flotille de castors, Pierre-Esprit Radisson descendra des Hauts, quelques semaines après l'holocauste du 24 mai. Pour lui barrer la route, des tirailleurs agniers se sont barricadés dans le fortin même où sont morts Dollard et ses compagnons. Radisson et ses chasseurs amérindiens bousculent tout sur leur passage, puis atteignent Montréal avec leur caravane de fourrures, évaluées à quelque 200 000 livres, juste à temps pour regarnir l'assiette économique de la Nouvelle-France.

Pour plus de deux siècles, l'Outaouais restera la grande ave-nue vers l'Ouest. À l'automne de 1670, Saint-Lusson et Nicolas Perrot la remonteront pour atteindre le Sault-Sainte-Marie où ils prépareront la prise de possession des terres occidentales de l'Amérique. Occasionnellement, des militaires suivront cette route qui pénètre jusqu'au coeur même de la Nouvelle-France. Au mois d'avril 1686, une centaine d'hommes, dont une trentaine de soldats et quelque soixante-dix habitants, s'avancent prudemment sur la glace outaouaise, à la hauteur de l'île Carrion. En serait-il aurement à l'époque du dégel et de la débâcle prochaine? Cahin-caha, la petite troupe arrive bientôt en face de l'actuelle localité de Rigaud. Les deux hommes qui marchent en avant ne sont nuls autres que d'Iberville et le chevalier de Troyes. Une bonne demi-heure plus tard, toute la troupe va disparaître derrière le tournant de la rivière du Nord. Chose impensable de nos jours: par l'Outaouais et ses affluents, ce parti de guerre s'en va tout bonnement à la Baie d'Hudson pour y livrer bataille aux Anglais.

La route outaouaise est invitante, bien sûr, mais on n'y circule pas toujours sans heurt ni difficulté. Les exemples ne manquent pas. En octobre 1689, pendant que les forces iroquoises frappent impitoyablement le secteur montréalais, quelque vingt-huit courreurs de bois, commandés par Du Luth et Nantel, remontent le lac des Deux-Montagnes, atteignent l'embouchure de la rivière Rigaud où ils livrent combat à un parti de Tsonnontouans. Ils en tuent dix-huit et capturent les autres. Durant tout ce XVIIe siècle, l'Outaouais sera pavé d'espoirs, de rêves, d'aventures et de luttes. Qui pourrait les dénombrer, les narrer? Même si l'histoire n'a pas tout révélé, tout consigné, mais nous en savons suffisamment pour affirmer que le sol rigaudien a été étroitement associé à l'épopée française en Amérique septentionale.

Ère seigneuriale

Cette terre, si fertile de dévouement et de bravoure, devra fatalement appartenir à quelqu'un. Le 29 octobre 1732, le gouverneur de Beauharnois et l'intendant Hocquart concèdent, à Pierre de Rigaud de Vaudreuil Cavagnal et à Pierre-François de Rigaud de Vaudreuil, «un terrain de trois lieues de profondeur à titre de fief et seigneurie sous le nom de Rigaud, avec droit de traite haute, moyenne et basse justice, chasse, pêche et traite avec les sauvages, tant au-devant qu'au dedans de la dite seigneurie, avec les isles, islets et battures adjacentes». C'est la genèse du pays de Rigaud. Les Rigaud de Vaudreuil sont marquis de haute lignée comme l'attestent d'anciens manuscrits du IXe siècle. Un proverbe de leur Languedoc originel en fait des défenseurs de la civilisation et de la chrétienté.

Les Hunauds, les Levis et les Rigauds
Ont chassé les Visigots;
Les Levis, les Rigauds et les Voisins
Ont chassé les Sarrazins.

Premiers peuplements

Une hirondelle, dit-on, ne fait pas le printemps. De même qu'une seigneurie peut être concédée sans être pour autant habitée. Dans le cas de Rigaud, les premiers censitaires se feront attendre pendant plus de trois décennies. Le 18 février 1763, des premières terres sont accordées à Joseph Franche et Louis Dicaire, respectivement de Vaudreuil et d'Oka. Mais ces tentatives de défrichement et de peuplement seront sans lendemain. Franche et Dicaire abandonneront bientôt leurs lopins pour regagner leurs paroisses d'origine. Les premiers colons ne s'amèneront de Vaudreuil qu'une vingtaine d'années plus tard, cette fois sur les bords de la rivière Rigaud, à partir des limites actuelles de la ville du même nom jusqu'à l'Outaouais. De 1783 à 1792, il arrive une dizaine de familles qui ont noms de Séguin, Sabourin, Quesnel, Chevrier, Villeneuve et Roy.

Il est normal que la première colonie viable de peuplement prenne pied sur les rives de la «petite rivière». À l'époque, la civilisation s'arrête à Oka et à Vaudreuil. Aucune route terrestre relie l'établissement rigaudien à ces avant-postes. Reste la rivière, ce «chemin qui marche». Par l'Outaouais, on atteint Oka et Vaudreuil, l'été en canot, l'hiver en raquettes sur la surface gelée. Mais Rigaud et Vaudreuil ne tarderont pas à être reliés par un chemin. En 1792, le capitaine de milice Joachim Génus est chargé de dresser le procès-verbal de cette route qui partira de Vaudreuil pour aboutir à la rivière Rigaud, quelque sept lieues plus à l'ouest. L'initiative déterminera le développement futur de Rigaud. Les concessions de l'Anse et de la Nouvelle-Lotbinière, communément appelée Grande-Ligne, recevront désormais leurs premiers habitants. Un presbytère-chapelle s'élèvera à l'extrémité du chemin. Puis, quelques maisons se grouperont, tout autour. Le village est «né».

Voyageurs et cajeux

Un dernier sursaut des Laurentides couvre une bonne part du comté de Vaudreuil, et particulièrement de la seigneurie de Rigaud. De là, la vocation forestière de Rigaud et de ses environs. Cette vocation se manifeste tôt. C'est ainsi que le 20 mai 1740, l'intendant Hocquart paraphe une proclamation qui défend expressément d'abattre les chênes des vallées des rivières Rigaud et à la Raquette. On réserve ce bois, explique-t-on, à la construction des vaisseaux du roi. Le 23 septembre de la même année, un charpentier de Québec, David Corbin, est chargé de la coupe de ces arbres. Les premiers seront abattus l'hiver suivant.

Sous la cognée, la forêt rigaudienne sera dépouillée de ses plus beaux géants. Mais les métropoles ne son jamais rassasiées. Après la France, c'est l'Angleterre qui réclame son tribut de bois pour la construction navale. Nous sommes au tournant du XIXe siècle. Avides de gains et profits, négociants et marchands étrangers se tailleront un empire à même les réserves jusqu'alors intouchées de la Gatineau, de la Lièvre et de l'Outaouais supérieur. Bientôt, tout le nord québécois sera transformé en un immense chantier où, des mois durant, s'esquintent et se morfondent bûcherons et draveurs. Arrive mai fleuri, tout ce monde descendra la «grande rivière» pour retrouver la femme aimée, l'épouse inquiète, la glèbe ancestrale.

Par sa situation géographique, Rigaud est le grand relais sur la route des Hauts. Voyageurs, bûcherons, draveurs et cajeux s'y arrêtent en montant ou en descendant la *rivière*. À l'instar de marins rentrant au port, ces reclus de la forêt ont besoin de se détendre, de s'amuser, de se défouler en joyeuse compagnie. Et où le feront-ils, sinon au cabaret? Rigaud deviendra bientôt aussi animé, aussi coloré qu'un port d'embarquement. Dès le deuxième quart du XIXe siècle, l'arpenteur Joseph Bouchette y dénombre pas moins de douze auberges où on lève le coude aussi allégrement que le cotillon. Tels sont les hommes qu'on y rencontre. Bons vivants comme ceux de leur race, ils boivent, dansent et chantent pour oublier qu'on les exploite. D'aucuns sont entrés dans la légende. Tel Montferrand, justicier sans peur ni reproche. Un jour, dit-on, pour rendre hommage à une jolie hôtesse, le roi de la Gatineau imprime la marque de son talon ferré sur un madrier du plafond. Après cet entrechat, l'homme salue gracieusement la belle des céans, puis s'en va rejoindre ses *hivernants*. À l'époque, voyageurs, bûcherons, draveurs et cajeux ont leur *code* galant.

Historiquement parlant, l'aventure des cajeux débute avec le XIXe siècle, plus précisément en juin 1806, alors que la première cage glisse devant Rigaud. Elle venait de la Gatineau et se dirigeait vers Québec, via l'Outaouais. On lui avait donné le nom de *Colombo*.

Durant près d'un demi-siècle, auberges et maisons rigaudiennes résonneront des rires et des chansons des cajeux. Tellement que la langue populaire et le folklore local en resteront fortement marqués. La *parlure* rigaudienne s'est enrichie du vocabulaire des Voyageurs. À Rigaud, on n'est pas en goguette ou sur la «brosse» mais plutôt en *derouine*, comme disaient jadis les collecteurs de fourrures de la Rivière-Rouge quand ils allaient trousser l'Amérindienne. Le folklore oral, spécialement la chanson, témoigne également du passage des cajeux. À Rigaud, que de complaintes s'inspirent de la vie nomade du forestier. *Le retour du voyageur*, par exemple, est l'une des plus belles pièces du romancero québécois.

> Les voyageurs sont arrivés, oh! gai,
> Bien mal chaussés,
> Bien mal vêtus,
> Beau voyageur, d'où viens-tu?

Et le «beau voyageur» retrouve la gaîté des ancêtres. Une rasade pour se rincer le gosier: «jolie hôtesse as-tu du vin blanc?» La joie est courte. Le «beau voyageur» n'est nul autre que le mari de l'hôtesse, parti pour les Hauts il y aura bientôt sept ans. Hélas! l'épouse esseulée, s'est depuis remise en ménage.

> J'ai tant reçu de fausses lettres,
> Que vous étiez mort et enterré,
> Et moi, je me suis remariée.

Beau joueur, le cajeux reprendra la route des bois. *Le retour du voyageur* n'est rien d'autre qu'une version rigaudienne d'une pièce fort connue du folklore oral de France: *Le retour du soldat*, que l'on chante un peu partout, notamment en Aunis, en Poitou, au Perche, en Savoie, en Bresse, en Lorraine, en Franche-Comté et en Bretagne. Selon des ethno-musicologues, dont Doncieux, cette chanson aurait été composée par des militaires, au temps de Louis XIV. Mais en ce Rigaud de la première moitié du XIXe siècle, on ne rentre pas de l'armée mais bien de la forêt. Aussi l'arrivant n'est pas soldat mais voyageur. Autre particularité: des «fausses lettres» annoncent à la femme que son homme est bien mort et enterré. Détail révélateur sur les moeurs du temps. En forêt, et plus particulièrement à la drave, la noyade guette le travailleur. Or dans l'optique populaire, mort subite et noyade sont de terribles châtiments puisque la victime passe de vie à trépas sans avoir le temps de se confesser et de reconnaître ses fautes. Le fait que le héros de la chanson ait été «enterré» signifie qu'il est décédé chrétiennement. Suprême consolation pour la veuve et les enfants.

Le fantastique

Hantés par les grandes solitudes, ces hommes rudes et vaillants éprouvent le besoin d'un univers fantastique, peuplé de panache et de légendaire. Tel ce chant de mort que Cadieux, à demi enseveli, écrivait sur le bouleau des Sept-Chûtes:

> Petit Rocher de la Haute Montagne,
> Je viens ici finir cette campagne!
> Ah, doux échos, entendez mes soupirs,
> En languissant, je vais bientôt mourir!

Ainsi commence la longue complainte que Cadieux écrivait sur l'écorce lisse, avant d'agoniser au Petit-Rocher des Sept-Chutes. Ne dirait-on pas un barde chantant l'épopée de Roland au col de Roncevaux? Que d'autres chants s'inspireront de la même tradition épique. Souvent, ce sont les paroles d'adieu d'un draveur sur le point de disparaître à jamais dans le remous. Qui dira tout ce que le fantastique de Rigaud a emprunté à la littérature orale des voyageurs et des cajeux?

La *Légende des guérêts* ou le *Champ du diable* appartient depuis longtemps au folklore québécois. Ce récit s'inspire de deux thèmes folkloriques français: le *laboureur foudroyé* et la *punition du travail dominical*. Ces thèmes remontent au moins au XVe siècle, alors qu'on les relève dans des manuscrits du duc de Bourgogne, conservés à la Bibliothèque Bodléienne d'Oxford et à la Bibliothèque nationale de Paris, ainsi que dans des imprimés, tels les *Canards* qui sont des narrations de faits ordinairement invraisemblables.

C'est sur le versant nord de la montagne de Rigaud que se serait déroulé l'événement que nous a transmis la littérature orale. Aux première heures de peuplement, un nouveau censitaire va s'établir, dit-on, à l'endroit qu'on appelle aujourd'hui *Champ du diable*. L'arrivant est solitaire, vindicatif; il ne parle à personne. Du chant des ruisseaux délivrés au vol de la dernière outarde, il se démène dimanche comme semaine, de la barre du jour au feu de la première étoile qui s'allume en face des échancrures de la baie de Carrion, avant-poste des grands bois où se fatiguent les hommes. Tel comportement n'a pas échappé aux habitants qui en jasent, le dimanche, à l'issue de la messe dominicale. Un jour, le prêtre monte les galets pour aller causer avec l'impie. «Allez faire vos remontrances aux courailleux d'en-bas», de lui dire l'impénitent, avec un accent de mépris. Pareille conduite ne pouvait rester indéfiniment impunie. Un dimanche, un éclair sinueux déchire le ciel, juste au-dessus de la montagne où l'homme est à labourer son champ. Puis, un coup de tonnerre secoue les pans célestes et la terre d'alentour. Sortant d'une traînée de soufre, Satan se dresse devant le laboureur foudroyé. Et subitement, les guérêts du matin sont pétrifiés, solides comme le lit de la Raquette qui coule dans les gorges d'en bas. À quelques arpents du Prince des Enfers, l'écran rocheux se fend d'une plaie béante où glissent à jamais paysan et équipage. Jusqu'à la fin des temps, cette terre caillouteuse attestera du drame qui s'y est déroulé. Désormais, on donnerait bien cent écus d'or bien comptés à quiconque oserait aller y rôder le soir, entre chien et loup, ou par une nuit sans lune, surtout depuis que des *veilleux* attardés auraient entendu le gémissement du damné entre la dentelle des pins. Et voilà comment on raconte la légende à Rigaud.

L'explication scientifique est toute autre. Il s'agit d'une moraine qu'un glacier aurait «oubliée» là, à l'époque de la Mer Champlain. Historiquement parlant, quant la littérature orale s'est-elle inspirée de ce phénomène géologique pour imaginer le récit fantastique que l'on sait? Certes, les Blancs qui voyagent sur l'Outaouais aperçoivent la montagne de Rigaud dès le tournant du XVIIe siècle. Pourtant, il faudra attendre une centaine d'années, soit à l'été de 1711, avant que le sulpicien de Breslay, missionnaire à l'île aux Tourtes, escalade la coupole rocheuse avec quelques indigènes. Point question de fantastique ou de légendaire. Le but de l'excursion est nettement scientifique. De Breslay prélève des échantillons de granit qu'il envoie par après en

France, pour expertise. Même que l'on songe à exploiter le matériau. Le projet restera sans lendemain car il en coûterait trop pour
transporter cette pierre à Montréal. Que d'eau coulera sous les
ponts avant qu'il soit question de *Pièce de guérêt*. L'arpenteur
Joseph Bouchette serait le premier à en parler dans une étude
publiée à Londres en 1832. L'origine du nom daterait de cette
époque. Dans un autre travail paru en 1815, le même Bouchette
décrit longuement la montagne de Rigaud sans parler, toutefois,
de l'appellation précitée. Pourquoi en ferait-il mention, quelque
dix-sept ans plus tard, en 1832, sinon parce que le nom de *Pièce de
guérêt* n'aurait été donné à cette partie de la montagne que cinq
ou six ans plus tôt. Autrement, un esprit aussi méticuleux que
celui de Bouchette ne l'aurait pas ignoré, comme il l'a fait en
1815.

Jusqu'alors, il est aucunement question d'intervention dia-
bolique. On note que le champ rocheux ressemble à des labours
pétrifiés, c'est tout. Le fantastique fournira l'explication que l'on
sait, deux ou trois décennies plus tard. En juin 1844, le jésuite
français Joseph Hanipaux, alors en mission au pays, se rend à
Rigaud pour y prêcher une retraite de tempérance et pour y bénir
une chapelle construite sur le faîte de la montagne. Pour arriver à
ce dernier endroit, le prédicateur emprunte un sentier qui frôle la
future *Pièce de guérêts*. La ressemblance entre le phénomène géologique et un champ labouré n'échappe pas au jésuite de France.
On présume qu'il aurait vite fait le rapprochement entre la curiosité naturelle de Rigaud et un thème folklorique fort connu en sa
Champagne natale, soit celui de la punition infligée à tout travailleur dominical. Tels observation et propos ont tôt vite fait le tour
de la paroisse. Censitaire rigaudien et paysan champenois partagent un même sort pour avoir fait oeuvre servile un dimanche. Le
champ de l'un et de l'autre a été changé en cailloux. Et voilà comment naissent les légendes.

La littérature orale de Rigaud est également riche d'autres
récits fantastiques. Mentionnons le *Champ des fées*, la *Clôture
écartante* et la *Côte de la marmite*, sans compter les contes de
loup-garou, de feu-follet, d'homme sans tête, ainsi que le répertoire des intersignes que l'on raconte le soir, dans la pénombre du
camp, avant que les hommes exténués coulent dans le sommeil.

Mais à côté de ces récits imaginaires, il y a des événements
réels qui tiennent aussi, je dirais, de la légende. Enfant, j'en ai

vécu un qui est resté gravé dans ma mémoire. J'avais alors sept ou huit ans. Un oncle maternel m'amenait quelquefois sur l'Outaouais pour taquiner la perchaude. Un jour ensoleillé de juillet, nous étions à pêcher au large des dernières battures, juste en face de l'élargissement du lac des Deux-Montagnes. Aucune ride ne troublait la surface verdâtre de la rivière. On aurait dit que temps et eau s'étaient subitement figés. Regardant à l'est, j'aperçus trois points noirs qui paraissaient immobiles sur la grande éclaircie du lac. Mais bientôt, ces points grossissaient à vue d'oeil. Je pouvais maintenant mieux les distinguer; ils avançaient sur une seule ligne, serrés les uns contre les autres. Il s'écoula bien une dizaine de minutes avant que je puisse réaliser de quoi il s'agissait. C'était trois canots iroquois de Caughnawaga. Ceux qui les montaient, comme on me l'a dit, allaient vendre des manches de hache aux forestiers d'Hawkesbury. À l'époque, cette production relevait, en grande partie, de l'artisanat amérindien. Une ou deux fois l'an, des colporteurs de fortune offraient cette marchandise à travers la campagne. En quelques minutes, les trois embarcations défilaient à faible distance de notre chaloupe. Leurs occupants, droits, impassibles, superbes, chantaient une langoureuse complainte en langue iroquoise. Les voix, fortes, semblaient sortir d'un mystérieux passé. Était-ce un refrain de guerre, une narration épique ou un message amoureux? Nul ne le saura jamais. Pris par la magie des paroles, les chanteurs ne semblaient même pas remarquer notre présence. On aurait dit que le récit jaillissait du fond de leurs temps, des fibres de leur race. Et l'écho du chant se faisait plus lointain, à mesure que les canots redevenaient points noirs. Puis ce fut le silence d'avant. Aujourd'hui, je donnerais une petite fortune pour posséder un enregistrement sonore de ces paroles. Imaginons l'importance d'un tel document pour l'ethno-musicologue. Mais il ne reste de tout ceci qu'un souvenir persistant que j'associe aux plus beaux événements du Rigaud de mon enfance.

Figure de proue

Dans nombre de monographies paroissiales, l'auteur consacre un chapitre aux individus qui font partie, paraît-il, de la panoplie des personnalités. Qu'est-ce qu'une personnalité dans l'optique présente? Les critères d'appréciation sont aussi simples que conventionnels. Seront auréolés, *ipso facto*, tous ceux qui se font prêtres, médecins, avocats et notaires. J'ai toujours catalogué les hommes par leur valeur, non par leur profession. Qu'on me permette de loger mes personnalités à toute autre enseigne. À ce titre, deux fils de Rigaud, Léandre Dumouchel et Joseph Séguin, méritent mon admiration.

Héritiers du coureur de bois, du voyageur et du cajeux, des gars de Rigaud rechercheront l'aventure, l'imprévu, l'incertain. Par atavisme, d'aucuns entreprendront d'audacieuses pérégrinations. Le cas de Léandre Dumouchel est à retenir.

Fils du marchand Ignace, emprisonné comme patriote à l'automne de 1837, Léandre Dumouchel voit le jour à Rigaud, un premier mars 1841. Il comptera parmi les premiers élèves du Collège Bourget, fondé une décennie plus tard. Un beau matin, alors qu'il vient d'avoir dix-huit ans, Léandre quitte son Rigaud natal, baluchon au dos et fleur au chapeau. Où va-t-il? Nulle part ailleurs qu'en Allemagne et en Autriche.

Une fois à destination, le jeune voyageur parvient si bien à maîtriser la langue de Goethe qu'il s'inscrit aux facultés de musique de l'Université de Leipzig et de l'Université de Vienne. On ne passe pas de Rigaud à Vienne sans surprise, sans choc, sans ravissement, surtout à l'époque des Strauss. Mais le jeune Dumouchel ne se laisse pas distraire par les mille et un plaisirs d'une vie libre et brillante. Il ne s'est pas transporté de l'Outaouais au Danube pour rien. À Vienne, il poursuit patiemment ses études, si bien qu'il obtient son doctorat en musique en 1872. On dit qu'il serait le premier Québécois à mériter pareille distinction.

D'autres disciplines, telles les sciences, attireront pareillement des fils de Rigaud. Le 20 mars 1838, en ce terroir de la Nouvelle-Lotbinière, communément appelé Grande-Ligne, naissait Joseph Séguin, du mariage d'Antoine, cultivateur, et d'Adélaïde-Brigitte Quesnel. Qui aurait prédit que cet enfant s'éveillerait, un jour, aux données compliquées des hautes mathématiques. Cette vocation se révèle pourtant dès les premières années de collège. Durant toute sa vie, Joseph Séguin se tiendra en rapport constant avec des mathématiciens chevronnés à travers le monde, notamment le célèbre Jules-Henri Poincarré. À la fin du XIXe siècle, cette longue et persévérante recherche sera couronnée par la publication d'une oeuvre maîtresse: la *Mono-*

formule. Vers le même temps, des journalistes, des poètes, des musiciens et des peintres sont régulièrement reçus chez des familles rigaudiennes, férues de culture.

Les résistants

Jusqu'à une époque malheureusement trop récente, nous éprouvions le besoin maladif d'expliquer, de justifier, voire d'excuser notre présence sur le sol ancestral. En fut-il toujours ainsi? On oublie trop que nos ancêtres étaient traditionnellement insubordonnés à toute forme d'autorité. À Rigaud, le climat d'insoumission remonte au peuplement. Les choses vont se détériorer davantage aux premières décennies du XIXe siècle alors que la délimitation de la frontière entre le Bas et le Haut-Canada provoque de vives altercations entre les habitants de la Presqu'île et les Écossais de Glengarry. À Rigaud, poste frontière, d'aucuns ont les nerfs à fleur de peau. Les batailles parlementaires de Papineau ne vont pas calmer les esprits. À l'orageuse session de 1834, le député de Vaudreuil Charles Larocque, qui est marchand à Rigaud, vote pour l'adoption des *92 Résolutions.*

En ce magnifique automne de 1837, Rigaud est devenu un lieu de rencontres clandestines. Des patriotes se rendent, de nuit, aux magasins d'Ignace Dumouchel et de Charles Larocque pour y discuter des événements récents. Si bien que le samedi 18 novembre 1837, le bailli Guillaume Kell se présente à Rigaud, les poches bourrées de mandats d'arrestation destinés aux plus compromis. Mal lui en prend. Le représentant de la jeune reine Victoria n'a que le temps d'enfourcher son cheval et de déguerpir en vitesse pour échapper à la colère populaire. À l'époque, les habitants vont même se payer le luxe d'une feuille révolutionnaire, imprimée et publiée au fief Choisy par Whitelock, un collaborateur du *Vindicator.*

Des cabales et des charivaris en règle s'organisent contre des loyalistes et, pire engeance encore, des chouayens. Un soir de fin d'octobre, des patriotes se groupent en face du presbytère de Rigaud pour y pendre en effigie l'agent seigneurial Janvier-Domptail Lacroix, reconnu comme constitutionnel notoire. La manifestation se prolonge jusqu'aux petites heures de la nuit, et les flammes du brasier sont visibles à plus d'un mille à la ronde.

Rigaud est en effervescence. Plusieurs habitants ont pris les armes. Michel Gauthier, de la Pointe-au-Foin, pour ne nommer que celui-ci, est à la tête d'une dizaine d'hommes qui traversent l'Outaouais, en chaloupe, puis remontent la rivière du Nord jusqu'à Saint-André où ils se rendent maîtres de la route qui mène au camp insurgé de Saint-Benoit. D'autres, dit-on, n'attendent que le moment propice pour gagner Oka et y rafler les armes et les munitions de la Mission.

Ce n'est sûrement pas le député de Vaudreuil qui va calmer les esprits. Élu le 4 novembre 1834, à l'âge de vingt-six ans, Charles-Ovide Perrault est l'un des plus ardents et des plus sincères partisans de l'indépendance nationale. À deux ou trois reprises, en novembre 1837, il est à Rigaud pour y rencontrer les chefs patriotes du lieu. Quand le choc devient inévitable, Perrault se rend à Saint-Denis où il participe à l'héroïque victoire du jeudi 23 novembre. Mortellement blessé sur la barricade, il est transporté à la maison Dormicourt où il meurt la nuit suivante. Comme l'ordonne le curé Demers, les patriotes tués au combat n'auront pas droit à la sépulture ecclésiastique. En cette froide matinée du samedi 25 novembre, le corps de Perrault sera jeté en terre à Saint-Antoine, sans cérémonie ni prière, avec ceux de Lévis Bourgeois, Benjamin Durocher et Honoré Bouteillet. Un des adversaires les plus acharnés du jeune parlementaire de Vaudreuil, le chouayen Sabrevois de Bleury, ne pourra s'empêcher de dire: «ce jeune avocat était en chemin de devenir marquant». Témoignage qui se passe de tout commentaire.

Le cas de Louis Larocque est pareillement à retenir. Fils d'un ancien député et marchand à Rigaud, Louis participe aux batailles de Saint-Denis et de Saint-Charles. Après le premier engagement, il passe la nuit chez Jean-Baptiste Bousquet du même endroit, en compagnie de Nelson, Kimber, Jalbert et Bonaventure Viger. Le sort des armes est aussi imprévisible que cruel. Après l'exaltation de Saint-Denis, les Patriotes connaîtront, deux jours plus tard, le désespoir de Saint-Charles. Avec Viger et Jean-Baptiste Senécal, Larocque tente de fuir aux États-Unis, en passant par Saint-Hyacinthe. Le trio a dépassé Stradbridge et atteint Bedford, dans le comté de Missisquoi, quand il est aperçu et arrêté par une patrouille d'habits-rouges. Les captifs sont d'abord conduits à l'Île-aux-Noix, puis amenés, enchaînés, à Montréal le jeudi 7 décembre. Au Pied-du-Courant, Larocque partage la même cellule que le notaire Jean-Joseph Girouard, un chef des Deux-Montagnes.

Après les tragiques levées de boucliers du Richelieu et des Deux-Montagnes, plusieurs patriotes de Rigaud sont recherchés et traqués. Jusqu'à la fin de l'orage, d'aucuns trouvent refuge sur les galets inviolés de la montagne où ils sont bientôt rejoints par des compagnons d'armes de Saint-Benoit et de Saint-Eustache qui ont traversé sur la glace du lac.

L'insoumission sera pareillement de mode lors de la révolte métisse du Manitoba. À Rigaud, on affiche ouvertement ses sympathies à la cause de Riel. Celui-ci n'a pas de plus fidèles partisans qu'Anthoine-Guillaume Charlebois, marchand, capitaine de milice et maître de poste par surcroît. C'est chez ce dernier que le chef métis trouvera refuge, en 1870, alors qu'il parvient à gagner Montréal au nez de ses poursuivants.

À diverses occasions, l'insubordination des habitants de Rigaud se manifestera pareillement sur le plan religieux. Les exemples ne manquent pas. Retenons celui-ci. Vindicatif et plaideur, le curé Louis Naud s'attire, plus d'une fois, la critique et le mécontentement de ses paroissiens. La mesure est comble un certain soir d'octobre de l'année 1834, alors que ceux-ci le pendent tout bonnement en effigie devant le presbytère. Voilà qui s'écarte du portrait traditionnel des fidèles d'alors.

Travail et travailleurs

Le comté de Vaudreuil ne sera jamais une région essentiellement agricole, et pour cause. C'est que la montagne et ses boisés couvrent une grande partie du territoire. L'exploitation forestière occupera une bonne part de la main-d'oeuvre locale et garnira, pour longtemps, l'assiette économique de Rigaud. Bouchette le confirme en 1815. «Les hommes, dans cette seigneurie, écrit-il, sont généralement voyageurs, actifs, résolus, et entreprenans (sic). Ceux qui suivent ce genre de vie étant détournés des soins de l'agriculture, il n'y a qu'un petit nombre de fermiers en comparaison, mais ceux-ci se livrent à cet état avec zèle et avec succès proportionné». Voilà qui compense pour le peu de vocations agricoles.

Dès la fin du XVIIIe siècle, Rigaud a ses moulins à scie où sont débités madriers et planches destinés aux marchés montréalais. Dans les décennies qui suivront, la localité connaîtra un essor considérable. Vers le milieu du XIXe siècle, une industrie, pour la moins inusitée, prend naissance à Rigaud. Comme les couches pierreuses des rapides du Haut-de-la-Chute sont propres à la fabrication du ciment, Hyacinthe Robert y construira la première cimenterie en Amérique septentrionale. Entreprenante, la famille Robert y fondera même tout un complexe industriel qui deviendra le centre nerveux de toute la région. Des moulins à scie et à farine y seront érigés. Malheureusement, l'âge d'or de la cimenterie sera de courte durée. D'autres fabriques, disposant d'équipement et de moyens de production plus modernes, ouvrirent bientôt leurs portes, ici et là. Cette concurrence deviendra trop difficile et trop serrée pour la cimenterie familiale de Rigaud qui devra se taire et céder la place.

Pour un temps, on songera à exploiter le granit de la montagne. Un Français, Pierre Brunet, originaire de Souché, au département des Deux-Sèvres, y consacrera une bonne partie de sa vie et de sa fortune. Il prospectera sur nombre de lopins et construira son propre atelier, au coeur même de Rigaud. Nous devons à cet artisan la plupart des monuments qui font l'orgueil des cimetières régionaux.

La proximité de l'Outaouais a toujours vivifié la vie commerciale et économique de Rigaud. Si le trafic des cages décline à partir du milieu du XIXe siècle, la *grande rivière*, par contre, ne sera pas désertée pour autant. Grâce à sa position géographique, Rigaud deviendra le principal port d'embarquement pour le bois et le grain à destination de Montréal. Cette nouvelle vocation procurera un travail saisonnier à nombre d'habitants. À chaque printemps, sitôt les labours et les semailles terminés, l'homme deviendra «voyageur de barge» jusqu'à l'automne, époque des moissons retardées. Mi-nomade et mi-sédentaire, cette vie, qui se déroulait sous le signe de l'aventure et de la liberté, ne prendra pratiquement fin qu'au premier conflit mondial. Quand les canons se tairont, l'homme aura pour toujours oublié le chemin des grandes solitudes. Il ne lui restera plus qu'à s'emprisonner dans les usines urbaines.

Les démembrements

Au fil des ans, une technologie, une pensée et des besoins nouveaux vont changer jusqu'au visage même de Rigaud. Les localités comme les hommes n'échappent pas à la montée des générations. Les unes et les autres doivent se refaire, doivent céder un peu d'eux-mêmes pour la survie de l'espèce. Généreuse, la paroisse de Rigaud s'est morcelée, amputée même de ses plus belles concessions. Paroisse-mère, Rigaud a des rejetons. Tout d'abord, en 1844, elle fera don des *rangs* de Saint-Henri, Saint-Guillaume, Sainte-Marie et Sainte-Julie à la nouvelle localité de Sainte-Marthe. Quelques décennies plus tard, en 1880, la concession de Sainte-Madeleine sera érigée en paroisse sous le vocable de Très-Saint-Rédempteur. Enfin, au tournant du présent siècle, l'extrémité ouest de la seigneurie de Rigaud deviendra la municipalité de la Pointe-Fortune.

À la lecture de ces lignes, d'aucuns penseront que les désignations géographiques de Rigaud sont tirées du calendrier liturgique. Ici comme ailleurs, dira-t-on, il y a eu usage abusif de noms de saints. Ne concluons pas trop vite. Bien au contraire, la toponymie rigaudienne, toute française, est riche d'archaïsmes savoureux. Retenons les Écores, la Baie, la Pointe-au-Foin, la Pointe-à-Toussaint, la Raquette, le Carcan, le Fief, le Ruban et l'Anse.

Conclusion

L'histoire de Rigaud, c'est bien plus que l'arrivée du premier desservant, la construction de la première église, l'érection civique de la paroisse, du village, puis de la ville, la fondation du Collège et du Couvent, l'inauguration du Sanctuaire de Lourdes, l'ouverture de la première école, que sais-je encore? C'est surtout et avant tout l'histoire de l'homme, de ses joies, de ses peines, de ses aspirations, de ses convoitises, de ses espoirs, de ses déceptions, de ses misères, de ses réussites, de ses qualités et de ses défauts. Et chez cet homme, ce qui m'intéresse, c'est sa façon de vivre, de travailler, d'aimer, de souffrir, de s'amuser et, disons-le, de pêcher.

Au Québec, et jusqu'à une époque encore récente, l'Histoire était trop facilement ramenée au rang de simple traité d'apologétique. Elle devait, coûte que coûte, valoriser le passé. La vie d'antan se déroulait, voulait-on, paisible, à l'enseigne même du sacrifice et du renoncement. C'est mépriser l'aspect scientifique de l'Histoire. Hommes et femmes du passé sont des êtres sensibles, émotifs, intelligents. Comme nous, ils obéissaient aux impératifs, aux impulsions de l'heure. Ils mordaient dans la vie. Voilà qui nous rapproche davantage. Ne sommes-nous pas de la même pâte? ne sommes-nous pas les rameaux d'un même tronc?

Et pourtant, cette première option sécurisante de l'histoire trouvera audience jusqu'à ces dernières décennies. En 1941, l'abbé Élie-J. Auclair publie une monographie paroissiale de Rigaud dans laquelle il souligne que la population de l'endroit compte, en 1825, des *résidants*, des *hivernants* et des *voyageurs*. Cette population se chiffre alors à quelque 2 371 âmes, groupées en 365 familles. Et l'auteur d'enchaîner: «Les moeurs à cette époque étaient toutes simples, à Rigaud, comme ailleurs. On vivait sans prétention, on travaillait dur, joyeusement quand même et chrétiennement sous l'oeil de Dieu». C'est à croire. Sûrement qu'on y trimait dur, mais pour le reste...

Justement, vers 1825, l'arpenteur Joseph Bouchette entreprend le relevé topographique du Bas-Canada qui sera publié à Londres en 1832. Comme les seigneuries sont alors cataloguées par ordre alphabétique, celle de Rigaud précède immédiatement celle de Rimouski. Les chiffres sont révélateurs des moeurs et des habitudes du temps. Rimouski compte 7 935 habitants; il y a cinq tavernes. À Rigaud, il y a neuf concessions qui groupent deux cent soixante-six fermes. Les hommes, d'écrire Bouchette, sont voyageurs, peu sont agriculteurs. La population rigaudienne se chiffre à 3 821 habitants; il y a onze tavernes.

À l'époque, l'appellation de taverne désigne une maison d'habitant où passant et passante s'arrêtent pour manger, boire, chanter et s'amuser. C'est ce qu'on appelle «tenir bouchon». Le «bouchon» étant le rameau vert qu'on accroche à la porte de tout établissement où on peut vider un verre. L'expression et la coutume ont leurs lettres de noblesses. En janvier 1690, l'intendant Bochart de Champigny paraphe une ordonnance par laquelle «toute personne pourra vendre du vin par assiette, en mettant bouchon, et après avoir obtenu permission par écrit des juges et seigneur». Plus tard, en novembre 1726, autre mesure plus explicite. Dorénavant, «tous ceux qui tiendront cabaret et qui vendront vin, eau-de-vie et autres boissons à petites mesures, seront tenus de pendre à leur porte une enseigne ou tableau avec bouchon de verdure, sans tableau à leur choix, faits de pin ou d'épinette ou autre branchage de durée qui conserve sa verdure en hiver».

Qu'on accorde «bouchon» où l'on voudra, hommes et femmes de Rigaud ne vivront pas tous à l'enseigne de la prière et de la mortification. Surtout quand ils entreprennent la tournée des onze tavernes précitées. Profondément humains, ces hommes et ces femmes travaillent dur, font bonne chère, lèvent le coude à leur tour et ne dédaignent pas la bagatelle. Ce sont des êtres sensibles, intelligents, normaux, dans toute l'acception du mot. Comme l'écrit si justement Clément Marchand, ce grand poète du terroir: «j'aime savoir que les ancêtres étaient bien plus de vrais gaillards qu'un ramassis vivant de vertus artificielles, souvent imaginées par de pseudo-historiens».

Voilà, en raccourci, l'histoire de mon patelin natal. Elle est belle, cette histoire, parce qu'elle témoigne de l'audace, de l'abnégation, de la détermination, du rythme, de la verdeur des générations qui ont précédé la mienne. Puisse-t-elle inspirer la jeunesse qui monte.

Robert-Lionel Séguin incarnant, avec des pièces de sa collection person-
nelle, un des nombreux personnages illustrés par Henri Julien. (Photo: Studio Tremblay. Rigaud, 1979)

Bio-bibliographie de Robert-Lionel Séguin

René Bouchard
Carole Saulnier
Bibliothèque générale, université Laval

François Séguin, l'ancêtre québécois de la famille, est originaire d'Ons-en-Bray, en Picardie (France). Il traverse l'Atlantique à bord du *Saint-Sébastien* pour débarquer à Québec le 12 septembre 1665. François épouse Jeanne Petit, à Boucherville, le 31 octobre 1672. Leur fils, Jean-Baptiste, est désigné comme censitaire de la seigneurie de Vaudreuil, lors du recensement de 1725. Il est même le seul à laisser une descendance. La famille Séguin serait historiquement la plus ancienne du comté de Vaudreuil. Deux fils de Jean-Baptiste, Pierre et Louis, deviendront respectivement les ancêtres paternel et maternel de Robert-Lionel Séguin.

Lignée de Robert-Lionel Séguin

I

Laurent Séguin — Marie Massieu,
mariés à Guigny-en-Bray (Picardie),
le 14 juillet 1643.

II

François — Jeanne Petit,
mariés à Boucherville,
le 31 octobre 1672.

Baptisé à Saint-Aubin-en-Bray (Picardie);
arrivé à Québec, le 13 septembre 1665.

III

Jean-Baptiste et Geneviève Barbeau,
mariés à Boucherville,
le 7 juin 1710.

IV

branche paternelle   *branche maternelle*

Pierre — Marie-Catherine André,   Louis — Marie-Anne Raizenne,
mariés à Sainte-Anne-du-Bout-   mariés à Oka, le 8 mai 1736.
de-l'Île, le 3 novembre 1761.

V   ### V

Jean-Noël — Marie Larocque-   Louis — Pélagie Léger,
brune, mariés à Vaudreuil,   mariés à Pointe-Claire,
le 21 janvier 1793.   le 3 novembre 1773.

VI   ### VI

Jean-Baptiste — Josephte Sabou-   Louis — Jeanne de Chantal Mal-
rin, mariés à Rigaud,   lette, mariés à Rigaud,
le 18 octobre 1824.   le 24 novembre 1806.

VII   ### VII

Napoléon — Émiliana Gauthier,   Louis — Justine Larocque,
mariés à Rigaud,   mariés à Rigaud,
le 23 janvier 1872.   le 9 octobre 1832.

VIII   ### VIII

Omer — Marie-Jeanne Séguin,   Amédée-Gaspard — Célima Ca-
mariés à Rigaud,   dieux, mariés à Rigaud,
le 19 janvier 1917.   le 11 janvier 1881.

IX

Marie-Jeanne

IX et X

Robert-Lionel
né à Rigaud, le 7 mars 1920;
marié à Huguette Servant, à Rigaud,
le 27 octobre 1957.

Diplômes universitaires

Doctorat ès lettres et histoire,
Université Laval, 1961.

Doctorat ès lettres et sciences humaines,
Université René Descartes, Sorbonne, Paris, 1972.

Doctorat ès lettres et ethnologie,
Université des Sciences humaines, Strasbourg (France), 1981.

Diplôme d'études supérieures en histoire,
Université Laval, 1964.

Licence ès sciences sociales, économiques et politiques,
Université de Montréal, 1951.

Robert-Lionel Séguin habillé «à l'ancienne», vers 1980, dans sa maison de
Rigaud.

Enseignement, administration et recherche

Chargé d'études ethno-historiques,
Musée du Québec, 1958.

Chargé de recherche sur le milieu matériel québécois,
Musée national du Canada, 1960-1965.

Travaux au Musée national des arts et traditions populaires de
Paris.
Enquêtes ethnographiques sur le terrain en France, 1960.

Missions de recherche en France (Conseils des arts), 1964, 1965 et
1966.

Consultant à l'Office national du film
(milieu traditionnel québécois), 1965-1968.

Inventaire de la Collection Gauvreau.
Institut des arts appliqués de Montréal, 1963.

Présentation de la Collection Gauvreau
(musée-laboratoire en civilisation traditionnelle).
Institut des arts appliqués, 1964.

Chargé de cours d'ethnologie et de folklore matériel,
Université Laval, 1966, 1967.

Chargé de cours en civilisation traditionnelle
(Service d'éducation aux adultes),
Université de Montréal, 1969.

Chantiers de recherche sur le terrain en France et au Québec,
1968, 1969 et 1970.

Fondation du Centre de documentation en civilisation traditionnelle,
Université du Québec à Trois-Rivières, 1971.

Création d'un cours d'ethnologie québécoise,
Université du Québec à Trois-Rivières, 1972.

Professeur d'ethnologie québécoise,
Université du Québec à Trois-Rivières, 1973.

Fondation et direction de la *Revue d'ethnologie du Québec*,
1975.

Fondation et direction des *Archives d'ethnologie du Québec*,
1976.

Baie Saint-Paul, 1968. Un habitant de Cap-au-Corbeau, monsieur Joseph Dufour, explique à R.-L. Séguin la technique du four en terre battue. (Photo: Studio Tremblay, Rigaud)

Dircecteur de missions de recherche sur le terrain,
Centre de civilisation traditionnelle,
Université du Québec à Trois-Rivières:

1973 - La vie quotidienne aux chantiers.
       Comtés de Hull, Gatineau et Papineau.

1974 - Les techniques et les agrès de pêche de la Côte Nord.
       Région de Natasquan.

1975 - L'utilisation du chaume comme matériau de toiture.
       Région du lac Saint-Pierre.

1976 - Construction et utilisation de la *barraque*. Îles-de-la-
       Madeleine.

Chercheur invité au CELAT (Centre d'études sur la langue, les
arts et les traditions populaires), Faculté des Lettres, université
Laval, 1981.

Aux Îles-de-la-Madeleine, en 1976, R.-L. Séguin en mission d'enquête sur
les *baraques*.

Colloques et congrès

- ## à l'étranger:

1971 - Premier Congrès international d'ethnologie.
Musée national des arts et traditions populaires, Paris.

1973 - Colloque d'ethnologie France-Canada.
Musée national des arts et traditions populaires, Paris.

1974 - Premier Symposium d'ethnologie euro-américaine
(*American Anthropological Association*).
Musée de l'Homme, Mexico, Mexique.

Communication: *l'Apport européen à la civilisation traditionnelle du Québec.*

R.-L. Séguin à Paris, en 1971, lors du 1er congrès international d'ethnologie européenne. (Photo: Max Micol, Paris)

• **au Québec:**

1963 - Le Canada français et l'Europe occidentale du XVIe au XXe siècles.
Institut d'histoire, université Laval.

Communication: *L'Équipement aratoire prémachiniste aux XVIIe, XVIIIe et XIXe siècles.*

1976 - La religion populaire au Québec.
Université de Sherbrooke.

1977 - Colloque France-Canada III.
Département d'anthropologie et le Centre d'études sur la langue, les arts et les traditions populaires, université Laval.

Communication: *Le Bâtiment rural au Québec.*

• **au Canada:**

1978 - Le Folklore religieux.
Université laurentienne, Sudbury, Ontario.

Communication: *Croyances et pratiques religieuses agro-pastorales au Québec.*

Expositions

• **France:**

1975 - Catalognes et courtepointes de l'ancien Québec.
Musée national des arts et traditions populaires de Paris.

1979 - Se vêtir au Québec (costume paysan québécois au XIXe siècle).
Musée national des arts et traditions populaires de Paris.

1980 - La Couverture de lit du Québec ancien.
Musée des Beaux-Arts, La Rochelle.

• **Québec:**

1963 - Mobilier ancien du Québec.
Centre d'art du Mont-Royal, Montréal.

Les Jouets anciens du Québec.
Centrale d'artisanat et Office du tourisme du Québec, Palais du Commerce, Montréal.

1969 - L'Art populaire québécois.
        Centre d'art du Mont-Royal, Montréal.

        Le Mobilier québécois des XVIIe et XVIIIe siècles.
        Ministère des Affaires culturelles du Québec,
        Maison Chevalier, Québec.

1976 - L'Art de la couverture de lit au Québec.
        Centre d'Art de Trois-Rivières.

1977 - Les métiers traditionnels au Québec.
        Université du Québec à Montréal.

1978 - Le Thème de la crucifixion dans l'art populaire du Québec.
        Université du Québec à Trois-Rivières.

1979 - Le jouet ancien au Québec.
        Maison Papineau, Ville de Laval.

1980 - Au fil de la navette et de l'aiguille.
        Musée régional de Vaudreuil, Vaudreuil.

R.-L. Séguin, en compagnie de quelques collègues, lors de l'exposition «Se vêtir au Québec» tenue au Musée des arts et traditions populaires de Paris, en 1979.

• Canada

1961 - L'intérieur québécois aux XVIIIe et XIXe siècles. *Stratford Shakespearean Festival*, Stratford, Ontario.

Réception organisée par R.-L. Séguin dans une de ses maisons de pièce sur pièce reflétant un intérieur québécois traditionnel. (Photo: Studio Tremblay, Rigaud, 1978)

Société

Société Royale du Canada*.

Société des Dix.

Société internationale d'ethnologie et de folklore (Paris).

Société académique de l'Oise (Beauvais).

---

*   Élu membre de la Société Royale du Canada, section Lettres et Sciences humaines, le 1er juin 1969, Robert-Lionel Séguin a décliné l'invitation de participer à la réception et à la présentation officielles que l'on réserve traditionnellement aux nouveaux sociétaires.

Réunion de la Société des Dix à Rigaud. De gauche à droite: Louis-Philippe Audet, Armand Yon, Jacques Rousseau, Robert-Lionel Séguin et Luc Lacourcière. (Photo: Pierre Gaudard)

Robert-Lionel Séguin et Luc Lacourcière, les deux figures dominantes du folklore et de l'ethnologie québécoises. (Photo: Pierre Gaudard)

Prix littéraires

1953 - Prix de l'Association des hebdomadaires de langue française du Canada.

1968 - Prix du Gouverneur général.

1969 - Prix Broquette-Gonin (Académie française).

1973 - Prix France-Québec (Paris).

1975 - Prix Duvernay.
Médaille «Bene Merenti de patria»,
Société Saint-Jean-Baptiste de Montréal.

Remise des Prix du Gouverneur général à Ottawa en 1968. À l'extrême-
gauche, Robert-Lionel Séguin et l'écrivain Jacques Godbout.

Texte radiophonique

Série: *Un Écrivain et son pays* — Radio-Canada

Robert-Lionel Séguin raconte des anecdotes de son enfance et du vécu quotidien de son village natal. 27 pages. Durée de lecture: 1 heure. Lecteurs: Roland Chenail et François Bertrand. Diffusion: lundi 10 mars 1975.

À Paris, à l'automne 1973, R.-L. Séguin recevant le prix FRANCE-QUÉBEC pour son livre *La vie libertine en Nouvelle-France au dix-septième siècle*. (Photo: Max Micol, Paris)

R.-L. Séguin conversant avec Alain Peyrefitte lors de la remise du Prix
France-Québec. (Photo: Max Micol, Paris)

BIBLIOGRAPHIE

A. Volumes

Le Mouvement insurrectionnel dans la presqu'île de Vaudreuil, 1837-1838. Montréal, les Éditions Ducharme, 1955, 160 p.

L'Équipement de la ferme canadienne aux XVIIe et XVIIIe siècles. Montréal, Les Éditions Ducharme, 1959, 156 p.

La Sorcellerie au Canada français du XVIIe au XIXe siècles. Montréal, Les Éditions Ducharme, 1959, 192 p.

Les Moules du Québec. Bulletin numéro 188, no 1 de la Série des Bulletins d'histoire. Musée national du Canada. Ottawa, 1963, 141 p.

Les Granges du Québec. Bulletin numéro 192, no 2 de la Série des Bulletins d'histoire. Musée national du Canada. Ottawa, 1963, 128 p.

La Civilisation traditionnelle de l'«habitant» aux 17e et 18e siècles. Montréal et Paris, Fides, 1967, 701 p.
Prix du Gouverneur général et de l'Académie française (Broquette-Gonin).

La Victoire de Saint-Denis. Montréal, Parti Pris, 1968, 45 p.

Le Costume civil en Nouvelle-France. Bulletin numéro 215, no 3 de la Série des Bulletins de folklore. Musée national du Canada, Ottawa, 1968, 330 p.

La Maison en Nouvelle-France. Bulletin numéro 226, no 5 de la Série des Bulletins de folklore. Musée national du Canada, Ottawa, 1968, 92 p.

Les Divertissements en Nouvelle-France. Bulletin numéro 227, no 6 de la Série des Bulletins de folklore. Musée national du Canada, Ottawa, 1968, 79 p.

Les Jouets anciens du Québec. Montréal, les Éditions Leméac, 1969, 109 p.

La Sorcellerie au Québec du XVIIe au XIXe siècles. Montréal, Les Éditions Leméac, 1971, 245 p.

Les Ustensiles en Nouvelle-France. Montréal, Les Éditions Leméac, 1971, 211 p.

La Vie libertine en Nouvelle-France au XVIIe siècle. Montréal, Les Éditions Leméac, 1972, 2 v., 557 p.
Prix France-Québec, 1973.

L'Esprit révolutionnaire dans l'art québécois. Montréal. Parti Pris, 1973, 579 p.

L'Injure en Nouvelle-France. Montréal. Les Éditions Leméac, 1976, 250 p.

L'Équipement aratoire et horticole en Nouvelle-France et au Québec du XVIIe au XIXe siècles. Montréal. Les Éditions Leméac, 2 v., 970 p.

Rééditions:

La Civilisation traditionnelle de l'«habitant» aux 17e et 18e siècles. Montréal. Fides, 1973. 2ième édition. 701 p.

Les Jouets anciens du Québec. Montréal. Les Éditions Leméac, 1976. 2ième édition revue et augmentée. 124 p.

La Sorcellerie au Québec du XVIIe au XIXe siècles. Montréal et Paris. Éditions Leméac/Payot, 1978. 3ième édition revue et augmentée. 250 p.

Réimpressions:

Les Granges du Québec. Montréal. Les Éditions des Quinze, 1976, 128 p.

Album commémoratif:

Monographie de la paroisse Saint-Thomas d'Aquin (Hudson). Montréal, Édition hors commerce, 1947, 56 p.

B.   Collaborations

Contributions to Anthropology, 1960. Part II. Bulletin no 190 du Musée national du Canada. Ottawa. Ministère du Nord canadien et des ressources nationales, 1960.
Le Milieu matériel du Canada français aux XVIIe et XVIIIe siècles, pp. 139-155.

France et Canada français du XVIe au XXe siècles. 7e Cahier de l'Institut d'histoire. Québec. Les Presses de l'université Laval, 1966.

L'Équipement aratoire prémachiniste aux XVIIe, XVIIIe et XIXe siècles, pp. 121-139.

Participation au Colloque sur la transformation des techniques au Canada français. Tenu à l'université Laval en octobre 1963.

Québec '65. Revue publiée par la Maison du Québec à Paris. Ministère des Affaires culturelles du Québec.

Une rareté: le meuble du Québec ancien, pp. 95-100.

Visages de la civilisation au Canada français. Études rassemblées par la Société Royale du Canada. Toronto et Québec. University of Toronto Press et Les Presses de l'université Laval, 1969.

L'Artisanat, pp. 119-130.

Dostie, Gaétan, *L'Affaire des manuscrits ou la dilapidation d'un patrimoine national.* Montréal. Éditions du Jour/L'Hexagone, 1973.

La Querelle des manuscrits, pp. 81-82.

Bouchard, René et Jean Simard, *L'Art populaire au Québec.* Sous presse.

Appréciation et codification de l'art populaire québécois.

C. Bulletins, cahiers, mémoires, rapports et revues*

• Volet français:

Académie des sciences d'outre-mer (l'). Paris. Revue trimestrielle publiée par l'Académie du même nom.

L'Esprit d'indiscipline en Nouvelle France et au Québec aux XVIIe et XVIIIe siècles. Tome XXXIII, no 4, 1974, pp. 573-589.

Arts et traditions populaires. Paris. Revue trimestrielle publiée par le Musée national des arts et des traditions populaires.

L'Usage du rabot dans la région montréalaise aux XVIIe et XVIIIe siècles. Neuvième année, no 1, janvier-mars 1961, pp. 69-74.

L'Usage du «javelier» au Québec. Neuvième année, nos 3 et 4, juillet-décembre 1963, pp. 281-290.

---

* Cette liste ne retient que les travaux historiques, ethnologiques et folkloriques de l'auteur.

Culture française (Paris). Revue de l'Association des Écrivains de langue française.

    Communication donnée lors de la remise du Prix France-Québec, 1973. Vingt-deuxième année, no 4. Hiver 1973, pp. 59-61.

Ethnologie française. Paris, Berger-Levrault. Revue trimestrielle de la Société d'ethnologie française publiée par le Centre d'ethnologie française.

    Force motrice et technologie traditionnelle en pays de Charlevoix. Tome 2, nos 3-4, 1972, pp. 339-352.

    L'Outillage agraire en Nouvelle-France (du défrichement au labourage). Tome IV, no 3, 1974, pp. 291-308.

Oise libérée (l'). Journal hebdomadaire publié à Beauvais.

    Les Ramifications d'une famille picarde au Québec. 12e année, no 1, 122. Samedi 28 mai 1955.

Provinces (La Rochelle). Périodique de l'Association des Deux Mondes, La Rochelle.

    Au Fil du temps et de la navette. Été 1980, pp. 24-32.

Revue française d'histoire d'outre-mer. Paris. Revue trimestrielle publiée par la Société d'histoire d'outre-mer.

    Les Divertissements au Québec (XVIIe et XVIIIe siècles). Tome LXI, no 222, 1974, pp. 5-17.

• Volet québécois:

Action nationale (Montréal).

    L'Habitant.
    Vol. XLI, no 5, mai 1953, pp. 321-345.
    Vol. XLI, no 6, juin 1953, pp. 395-422.
    Les Cents Associés, 1627-1643.
    Vol. XLIII, nos 7 et 8, juillet 1954, pp. 534-564.
    Vol. XLIV, no 1, septembre 1954, pp. 79-84.

Annuaire commercial de Vaudreuil et Soulanges. Publication annuelle. Dorion et Valleyfield, Marcel Brouillard, 1951.

    En Feuilletant les annales de la Presqu'île.
    No 1, 1951-1952, pp. 94 à 113.

Archives, 71 (Québec). Revue de l'Association des archivistes du Québec.

    Archives et recherches ethnographiques.
    No 1, janvier-juin 1971, pp. 55-69.

Bulletin des recherches historiques (Lévis).

L'esclavage dans la Presqu'île.
Vol. 55, nos 4, 5, 6. Avril, mai, juin 1949, pp. 91-93.
Vol. 55, nos 7, 8, 9. Juillet, août, septembre 1949, pp. 168-169.
Le Sieur Chartier, docteur en médecine.
Vol. 56, nos 7, 8 et 9. Juillet, août, septembre 1950, p. 211.
Les Gobelins du Manoir de Vaudreuil.
Vol. 57, no 1. Janvier, février, mars 1951, p. 61.
Une Tentative d'assassinat sur la personne d'un ancien seigneur.
Vol. 57, no 4. Octobre, novembre, décembre 1951, pp. 223-226.
L'Insubordination chez les habitants d'une seigneurie.
Vol. 58, no 1. Janvier, février, mars 1952, pp. 35-40.
La Famille Delesderniers.
Vol. 58, no 3. Juillet, août, septembre 1952, pp. 127-135.
La Dépouille de Chénier fut-elle outragée?
No 58, no 4. Octobre, novembre, décembre 1952, pp. 183-189.
Le Portage des Cascades.
Vol. 59, no 4. Octobre, novembre, décembre 1953, pp. 207-213.
Le Cheval en Nouvelle-France.
Vol. 59, no 4. Octobre, novembre, décembre 1953, p. 231.
Les Premières scieries dans la Presqu'île de Vaudreuil et de Soulanges.
Vol. 59, no 2. Avril, mai, juin 1953, pp. 85-90.
Le Docteur Valois, un patriote ignoré.
Vol. 60, no 2. Avril, mai, juin 1954, pp. 85-92.
Le Comportement de certains habitants de Lachine aux environs de 1689.
Vol. 60, no 4. Octobre, novembre, décembre 1954, pp. 187-194.
La Verrerie du haut de Vaudreuil.
Vol. 61, no 3. Juillet, août, septembre 1955, pp. 119-130.
L'Apport germanique dans le peuplement de Vaudreuil et Soulanges.
Vol. 63, no 2. Avril, mai, juin 1957, pp. 44-58.
Les Dates d'échéances.
Vol. 66, no 2. Avril, mai, juin 1960, pp. 27-40.
La Salve des mariés.
Vol. 66, no 3. Juillet, août, septembre 1960, pp. 51-54.
La Grange octogonale.
Vol. 67, no 3. Juillet, août, septembre 1961, pp. 93-97.
Quelques «aventures dominicales» en Nouvelle-France.
Vol. 68, no 1. Janvier, février, mars 1966, pp. 55-57.

Cahiers des Dix (Montréal).

> *Les Techniques agricoles en Nouvelle-France.*
> Vol. 28, 1963, pp. 255-289.
> *L'Équipement aratoire de l'habitant.*
> Vol. 29, 1964, pp. 115-143.
> *Le Champ du diable.*
> Vol. 30, 1965, pp. 102-129.
> *Le Romancero des Séguin.*
> Vol. 31, 1966, pp. 243-302.
> *Une Montréalaise devant le tribunal bailliager.*
> Vol. 32, 1967, pp. 109-124.
> *Le Poêle en Nouvelle-France.*
> Vol. 33, 1968, pp. 157-171.
> *Quelques techniques et métiers traditionnels.*
> Vol. 34, 1969, pp. 165-180.
> *La Plaisanterie des cornes en Nouvelle-France.*
> Vol. 35, 1970, pp. 155-168.
> *Le Présage dans la littérature orale d'une famille québécoise.*
> Vol. 36, 1971.
> *L'Habitation traditionnelle au Québec.*
> Vol. 37, 1972, pp. 191-222.
> *La Basse-cour en Nouvelle-France.*
> Vol. 38, 1973, pp. 205-228.
> *L'Apport européen à la civilisation traditionnelle du Québec.*
> Vol. 39, 1974, pp. 221-241.
> *La Bête de labour en Nouvelle-France.*
> Vol. 40, 1975, pp. 246-273.
> *La Grange au Québec.*
> Vol. 41, 1976, pp. 205-235.
> *Les Aspects religieux du travail agro-pastoral au Québec.*
> Vol. 42, 1979, pp. 89-100.

Cahiers de Radio-Canada (Montréal), Service des transcriptions et dérivés de la radio.

> *Écrire l'histoire du Québec.*
> No 6, juillet 1981.

Châtelaine (Montréal).

> *Pour apprendre à connaître les beaux meubles.*
> Vol. 5, no 7, 1954.

Chez-soi (Montréal).

    Le Moule à sucre et l'habitation traditionnelle.
    Vol. 4, no 13, mars 1982, pp. 73-78.
    L'Ustensile de bois.
    Vol. 4, no 16, juin 1982, pp. 72-79.

Documents (Québec), Arts anciens du Québec.

    Un Centre de documentation en civilisation traditionnelle.
    No 1, février 1971, pp. 15 à 17.

Écho de Bourget (Rigaud).

    Une Silhouette attachante et pittoresque.
    No 85, juillet 1947, pp. 190-192.
    Propos paysans.
    No 88, mai 1948, pp. 266-267.
    La Seigneurie de Rigaud.
    No 90, octobre 1948, pp. 306-309.
    No 93, juillet 1949, pp. 391-394.
    No 95, février 1950, pp. 452-455.
    L'Esclavage dans la région de Vaudreuil et Soulanges.
    No 98, novembre 1950, pp. 532-534.

Ethnologie québécoise. Revue du Centre d'ethnologie de l'Université
    du Québec à Trois-Rivières. Montréal, Éditions HMH.
    L'Art de la teinturerie en pays de Charlevoix.
    Vol. 1, 1972, pp. 185-197.

Forces (Montréal).

    Le Folklore agraire du Québec.
    No 32, 1975, pp. 24-32.
    Le Jouet ancien au Québec.
    No 37, 1976, pp. 42-48.

Liberté (Montréal).

    Les Patriotes étaient-ils armés?
    Vol. 7, nos 1-2, janvier-avril 1965, pp. 18-33.
    Le Menu quotidien en Nouvelle-France.
    Vol. 10, nos 7-8, janvier-février 1969, pp. 65-90.
    L'Aïeul.
    Vol. 12, no 2, mars-avril 1970, pp. 43-47.

Mémoires de la Société généalogique (Montréal).

> *Les Deux Jean-Baptiste Séguin.*
> Vol. 11, no 2, juin 1946, pp. 109-113.
> *La Descendance de François Séguin dans la Presqu'île.*
> Vol. 11, no 4, juin 1947, pp. 219-237.
> *L'Origine d'une famille québécoise en France.*
> Vol. 111, no 3, janvier 1949, pp. 192-194.
> *Les Deux Joseph Séguin au poste du Détroit.*
> Vol. IV, no 1, janvier 1950, pp. 59-62.
> *L'Ancêtre de la famille Strasbourg.*
> Vol. IV, no 3, janvier 1951, pp. 154-159.
> *Certains soldats de Montcalm et Lévis.*
> Vol. IV, no 4, juin 1951, pp. 241-242.
> *François Séguin, 1644-1704.*
> Vol. V, no 1, janvier 1952, pp. 19-24.

Métiers d'art du Québec (Montréal).

> *La Vogue du mobilier ancien.*
> No 3, octobre-novembre 1963, p. 23.
> *La Poterie ancienne du Québec.*
> No 4, octobre-novembre 1964, p. 21.

Presse information. Bulletin de l'Université du Québec à Trois-Rivières.

> *La civilisation traditionnelle et l'art populaire: deux aspects méconnus de la culture québécoise.*
> Vol. 5, no 5, février 1974, pp. 4-5.

Québec-Histoire (Montréal).

> *L'Art populaire québécois et les objets domestiques.*
> No 7, 1972, pp. 55-58.

Rapport de l'Archiviste de la Province de Québec.

> *Les Miliciens de Vaudreuil et de Soulanges.*
> Vol. 36-37, 1955-1956 et 1956-1957, pp. 227-252.
> *La Coiffure dans la région montréalaise.*
> Vol. 41, 1963, pp. 208-233.

Revue d'ethnologie du Québec.

> Publiée par le Centre documentaire en civilisation traditionnelle de l'Université du Québec à Trois-Rivières. Montréal. Éditions Leméac.

L'Utilisation de la vessie de porc comme blague à tabac.
No 1, 1975, pp. 11-25.
La Récolte du jonc de cajeu et de la rouche à l'Île d'Orléans et à l'Île aux Oies.
No 2, 1975, pp. 9-22.
L'Appareil de freinage du véhicule de ferme au Québec.
No 3, 1976, pp. 9-25.
La Clôture de perches en Nouvelle-France.
No 4, 1976, pp. 9-40.
Le Séchoir à maïs de type pentagonal.
No 5, 1977, pp. 9-17.
Le Tressage de la paille au Québec.
No 6, 1977, pp. 9-22.
Le «Crocheton».
No 7, 1978, pp. 9-18.
Le «Grappin».
No 8, 1978, pp. 9-16.
La Crécelle.
No 9, 1979, pp. 9-14.
L'Origine et la transmission d'une histoire égrillarde.
No 10, 1979, pp. 9-14.
Le Marteau à débotter.
No 11, 1980, pp. 9-22.
Le Fléché québécois serait-il d'origine française?
No 12, 1980, pp. 9-19.

Revue d'histoire de l'Amérique française (Montréal).

Aveu et dénombrement.
Vol. II, no 4, mars 1949, pp. 581-589.
Un patriote de '37, le docteur Masson.
Vol. III, no 3, décembre 1949, pp. 349-368.
Le testament de Lamothe Cadillac.
Vol. III, no 3, décembre 1949, pp. 447-458.
Le cheval et ses implications historiques dans l'Amérique française.
Vol. V, no 2, septembre 1951, pp. 227-252.
La bête à cornes et ses implications historiques dans l'Amérique française.
Vol. VI, no 3, décembre 1952, pp. 408-430.
Vol. VII, no 4, mars 1954, pp. 538-558.
L'île aux Tourtes, avant-poste de peuplement.
Vol. VIII, no 2, septembre 1954, pp. 243-254.

La persévérance d'un seigneur en quête d'une croix de Saint-Louis.
Vol. IX, no 3, décembre 1955, pp. 361-377.
L'habitant et ses véhicules aux XVIIe et XVIIIe siècles.
Vol. XI, no 2, septembre 1957, pp. 242-271.
La femme canadienne aux XVIIe et XVIIIe siècles.
Vol. XIII, no 4, mars 1960, pp. 492-508.
L'outil dans la région montréalaise.
Vol. XIV, no 4, décembre 1960, pp. 378-384.
La catalogne.
Vol. XV, no 3, décembre 1961, pp. 419-430.
La cave, une pièce du mobilier canadien.
Vol. XVI, no 1, juin 1962, pp. 102-105.
La cabane, une pièce de mobilier canadien.
Vol. XVI, no 3, décembre 1962, pp. 348-353.
Nos premiers instruments aratoires sont-ils de bois ou de fer?
Vol. XVII, no 4, mars 1964, pp. 531-536.
L'«apprentissage» de la chirurgie en Nouvelle-France.
Vol. XX, no 4, pp. 593-600.
Nos anciens ustensiles à confire.
Vol. XXIV, no 3, décembre 1970, pp. 403-407.

Revue de l'Université Laval (Québec).
À propos du coeur de Chénier.
Vol. VII, no 8, avril 1953, pp. 724-730.
Questions et réponses à propos des Patriotes.
Vol. VIII, no 1, septembre 1953, pp. 32-42.
Des meurtres légendaires.
Vol. IX, no 4, décembre 1954, pp. 305-312.
Le champ du diable.
Vol. VIII, no 10, juin 1954, pp. 925-930.
La côte de la marmite.
Vol. IX, no 10, juin 1955.
La sorcellerie en Nouvelle-France.
Vol. XI, no 9, mai 1957, pp. 795-802.
La pharmacopée populaire de Rigaud.
Vol. XIII, no 6, février 1959, pp. 514-520.
Les jeux de l'enfance à Rigaud.
Vol. XIV, no 4, décembre 1959, pp. 339-343.
Le parler de l'habitant.
Vol. XIV, no 9, mai 1960, pp. 831-832.

La bourse à cheveux.
Vol. XV, no 3, novembre 1960, pp. 276-278.
Le blason populaire et le cheptel.
Vol. XV, no 10, juin 1961, pp. 923-927.
La faucille enchantée.
Vol. XVII, no 2, octobre 1962, pp. 170-174.

Ronde d'Office. Bulletin de l'Association des fonctionnaires du Québec.
À ma Presqu'île.
Vol. 7, no 5, novembre-décembre 1947, pp. 39-40.
Le Champ du diable.
Vol. 9, no 4, novembre-décembre 1949, pp. 32-33.

Les Saisons (Montréal). Publication de l'Union régionale de Québec des Caisses populaires Desjardins.
La Nourriture des anciens.
Vol. 1, no 2. Hiver 1979-1980, p. 6.

Terre et foyer (Montréal).
La ferme québécoise aux XVIIe et XVIIIe siècles.
mars 1962 et avril 1962.

Vie des arts (Montréal).
Achimac ou la raquette pour marcher sur la neige en Nouvelle-France.
No 41, hiver 1965-1966.
Petite et grande histoire de la cabane à sucre.
No 45, hiver 1966-1967.
Le jouet d'autrefois au Québec.
No 53, hiver 1968-1969.
La bouteille-passion.
No 95, été 1979.

Vie française (Montréal).
Le poste de l'île aux Tourtes.
Vol. 3, no 1, août-sept. 1948, pp. 10-21.

Vivre (Montréal)
Si Noël m'était conté.
No 39, 1973, pp. 12-18.

- **Volet canadien**

Canadian Antiques Collector (Toronto).

> Le Moule à sucre d'érable au Québec.
> Vol. 9, no 3, 1974, pp. 74-77.

Revue de l'Université laurentienne (Sudbury).

> *Le Centre documentaire en civilisation traditionnelle de l'Université du Québec à Trois-Rivières.*
> Vol. VIII, no 2, février 1976, p. 129.

D. Journaux

Parmi les quelques deux cents articles de journaux que nous avons catalogués, nous ne retiendrons que ceux d'intérêt historique, ethnologique et folklorique.

1) Nationaux:

Le Devoir (Montréal).

> *Galanterie et libertinage en Nouvelle-France au XVIIe siècle.*
> Vol. LXIII, no 249. Samedi, le 28 octobre 1972, p. 5.

Le Jour (Montréal).

> *L'Europe et la civilisation traditionnelle du Québec aux XVIIe, XVIIIe et XIXe siècles.*
> Vol. 1, no 299. Samedi, le 2 février 1975, p. 13.
>
> *L'Ethno-histoire sort de l'oubli.*
> Vol. II, no 286. Vendredi, 13 février 1976, p. 18.

La Patrie (Montréal, édition dominicale).

> *À propos du seigneur Perrot.*
> 21e année, no 45, 5 novembre 1955.
>
> *Le maléfice en Nouvelle-France.*
> 22e année, no 53, 30 décembre 1956.
>
> *La bénédiction du lit nuptial.*
> 23e année, no 6, 10 février 1957.
>
> *Vaines tentatives pour diminuer le nombre des chevaux en Nouvelle-France.*
> 23e année, no 15, 14 avril 1957.

Les raisons qui ont présidé à la formation de la célèbre compagnie des Cent Associés.
23e année, no 22, 2 juin 1957.

Le charivari en Canada.
23e année, no 31, 4 août 1957.

Nos techniques agricoles aux XVIIe et XVIIIe siècles.
23e année, no 47, 24 novembre 1957.

La bête asine en Nouvelle-France.
24e année, no 1, 5 janvier 1958.

La cariole.
24e année, no 7, 16 février 1958.

Nos premières bêtes à cornes.
24e année, no 20, 12 mai 1958.

Les moeurs à Lachine en 1689.
24e année, no 31, 3 août 1958.

Le Canadien voulait-il se marier?
24e année, no 44, 2 novembre 1958.

Un avant-poste de peuplement à l'ouest de Montréal.
25e année, no 6, 8 février 1959.

Le pain bénit.
25e année, no 12, 22 mars 1959.

L'ascendance germanique de certaines familles de Vaudreuil-Soulanges.
25e année, no 22, 31 mai 1959.

Les premiers ustensiles à frire en Nouvelle-France.
25e année, no 35, 30 août 1959.

La charrette.
25e année, no 44, 1er novembre 1959.

Les harnais en Nouvelle-France.
26e année, no 1, 3 janvier 1950.

Les instruments qui servent aux travaux domestiques en Nouvelle-France.
26e année, no 12, 20 mars 1960.

Les diverses essences de bois utilisées pour fabriquer le mobilier québécois.
26e année, no 38, 18 septembre 1960.

La Canadienne veut-elle se marier?
26e année, no 43, 23 octobre 1960.

Perspectives (Montréal).

Nos ancêtres étaient superstitieux.
Vol. 5, no 10, 9 mars 1963.

Pourquoi les cloches vont-elles se promener à Rome?
Vol. 6, no 13, 28 mars 1964.
Étrennes d'autrefois.
Vol. 6, no 52, 26 décembre 1964.
Les Québécois sont toujours morts en beauté.
Vol. 8, no 46, 12 novembre 1966.
Le violoneux, principal personnage de la soirée dansante.
Vol. 10, no 1, 6 janvier 1968.
Nos ancêtres savaient s'habiller.
Vol. 13, no 30, 25 juillet 1971.

Perspectives-Dimanche (Montréal).

Le Thème de la «bonne mort» dans l'iconographie religieuse au Québec.
Vol. 4, no 44, Montréal, 29 octobre 1972, pp. 8 et 9.

Petit Journal (Montréal).

On a pratiqué l'esclavage dans la région de Vaudreuil jusqu'au début XIXe siècle.
Vol. XXX, no 29. Dimanche, le 13 mai 1956, pp. 39 et 53.

Photo-Journal (Montréal).

Le Jouet québécois d'autrefois.
Vol. 35, no 36. Semaine du 20 au 26 décembre 1971, pp. 62-64.
Moeurs et coutumes du Québec ancien.
Vol. 35, no 38. Semaine du 3 au 9 janvier 1972, pp. 9, 20 et 21.
D'où vient cette coutume de la Saint-Valentin au Québec.
Vol. 35, no 44. Semaine du 14 au 20 février 1972, p. 8.
L'Île aux Coudres à l'heure touristique.
Vol. 36, no 19. Semaine du 21 au 27 août 1972, p. 8.

La Presse (Montréal, section magazine).

Les veillées au pays de Québec. De la traite au cotillon.
79e année, no 136, samedi, 23 mars 1963.
Trois siècles sur la terre québécoise.
81e année, vendredi 24 décembre 1965.

Québec-Presse (Montréal).

La Querelle des manuscrits.
5ième année, no 9, Montréal, semaine du 4 au 10 mars 1973, p. 16.

La Semaine (Montréal).

> *Que faisait-on à Montréal durant la messe dominicale?*
> Vol. 1, no 1, 9 janvier 1967.
> *La bigamie à Montréal au XVIIe siècle.*
> Vol. 1, no 2, 16 janvier 1967.
> *Des curés montréalais dénoncent la conduite libertine de leurs paroissiennes.*
> Vol. 1, no 3, 23 janvier 1967.
> *Au XVIIe siècle, les hommes de Montréal s'amusent de préférence au cabaret.*
> Vol. 1, no 4, 30 janvier 1967.
> *À Saint-Martin, des soldats du roi profanent un crucifix.*
> Vol. 1, no 5, 6 janvier 1967.
> *Au XVIIIe siècle, les magiciens montréalais sont plus sévèrement punis que les voleurs de grand chemin.*
> Vol. 1, no 6, 13 février 1967.
> *Parodie d'un office religieux à Lachine.*
> Vol. 1, no 7, 20 février 1967.
> *Une coquette et légère montréalaise du XVIIe siècle.*
> Vol. 1, no 8, 27 février 1967.
> *Au XVIIe siècle, le libertinage d'une couturière de Québec soulève l'indignation.*
> Vol. 1, no 9, 6 mars 1967.
> *Au Québec, les guérisseuses ont toutes les audaces.*
> Vol. 1, no 10, 13 mars 1967.
> *Les galants de la Nouvelle-France.*
> Vol. 1, no 11, 20 mars 1967.
> *Les peines infamantes infligées aux femmes publiques en Nouvelle-France.*
> Vol. 1, no 12, 27 mars 1967.
> *Le fantastique au temps des ancêtres.*
> Vol. 1, no 13, 3 avril 1967.
> *Le brodequin en Nouvelle-France.*
> Vol. 1, no 14, 10 avril 1967.
> *L'intersigne sur les bords du Saint-Laurent.*
> Vol. 1, no 15, 16 avril 1967.
> *L'engagement d'enfant en Nouvelle-France.*
> Vol. 1, no 16, 24 avril 1967.
> *Le refus de donner le pain bénit.*
> Vol. 1, no 17, 1er mai 1967.
> *Ce que nos ancêtres dépensaient pour s'habiller.*
> Vol. 1, no 18, 8 mai 1967.

En Nouvelle-France, la construction de maison est soumise à des lois sévères.
Vol. 1, no 22, 5 juin 1967.

Les moeurs publiques à Lachine en 1689.
Vol. 1, no 23, 12 juin 1967.

Les rentes seigneuriales payées avec du blé, du sucre d'érable et des fleurs.
Vol. 1, no 24, 19 juin 1967.

La couverture de lit chez nos ancêtres.
Vol. 1, no 19, 15 mai 1967.

Le mariage «obligatoire» en Nouvelle-France.
Vol. 1, no 20, 22 mai 1967.

Le refus de payer la dîme.
Vol. 1, no 21, 29 mai 1967.

La rixe en Nouvelle-France.
Vol. 1, no 25, 26 juin 1967.

Les traitements «agréables» de médecins montréalais.
Vol. 1, no 26, 3 juillet 1967.

L'insubordination des habitants.
Vol. 1, nos 27, 28 et 29, 10, 17 et 24 juillet 1967.

Viols singuliers de montréalaises.
Vol. 1, no 30, 21 juillet 1967.

Les disputes de Madeleine de Verchères et du curé de Batiscan.
Vol. 1, no 31, 7 août 1967.

Les plaisirs de la danse chez nos ancêtres.
Vol. 1, no 32, 14 août 1967.

Les jeux de société en Nouvelle-France.
Vol. 1, no 33, 21 août 1967.

La loterie et la transmission du patrimoine.
Vol. 1, no 34, 28 août 1967.

L'habitant affectionne le confort et la sécurité.
Vol. 1, no 35, 4 septembre 1967.

La Sainte-Catherine, fête des «vieilles filles».
Vol. 1, no 46, 20 novembre 1967.

Le jouet au «bon vieux temps».
Vol. 1, no 51, 25 décembre 1967.

Les réjouissances du Mardi gras.
Vol. 2, no 7, 19 février 1968.

Querelle autour de l'érection du monument Chénier.
Vol. 2, no 25, 24 juin 1968.

L'«habitant» repousse les milices royalistes.
Vol. 2, no 28, 15 juillet 1968.

L'«habitant» s'oppose à la loi de la milice et à l'Acte des chemins.
Vol. 2, no 29, 22 juillet 1968.

Une drôle d'élection provoque une émeute.
Vol. 2, no 30, 29 juillet 1968.

Une rixe politique tourne au tragique en 1834.
Vol. 2, no 31, 5 août 1968.

Dans les Deux-Montagnes, l'élection de 1834 se termine en bataille rangée.
Vol. 2, no 32, 22 août 1968.

La manifestation populaire au XIXe siècle.
Vol. 2, nos 33 et 34; 19 et 26 août 1968.

Le Québec et l'exécution de Louis Riel.
Vol. 2, no 35, 2 septembre 1968.

La solidarité québécoise à la cause des Boers.
Vol. 2, no 36, 9 septembre 1968.

Les manifestations syndicales à Montréal vers la fin du XIXe siècle
Vol. 2, nos 37, 38 et 39; 16, 23 et 30 septembre 1968.

Qui sont les Patriotes de 1837?
Vol. 2, no 49, 15 décembre 1968.

2) Régionaux:

L'interrogation (Hebdomadaire publié à Rigaud). Une trentaine d'articles, relatifs à l'histoire régionale, ont été publiés de 1941 à 1951. Voici quelques titres:

Charles-Ovide Perrault, député de Vaudreuil, tué à la bataille de Saint-Denis, le 23 novembre 1937.
Vol. 12, no 24, 11 décembre 1941, p. 6.
Vol. 12, no 25, 18 décembre 1941, p. 4.
Vol. 12, no 26, 24 décembre 1941, p. 4.
Vol. 12, no 27, 8 janvier 1942, p. 6.
Vol. 12, no 28, 15 janvier 1942, p. 6.
Vol. 12, no 32, 12 février 1942, p. 3.

La Croix de la montagne.
Vol. 17, no 5, 6 septembre 1945, pp. 1 et 4.
Vol. 17, no 6, 13 septembre 1945, pp. 2 et 3.

L'Orme des De Lotbinière.
Vol. 17, no 48, 4 juillet 1946, pp. 1 et 4.

Pierre le Français.
Vol. 18, no 7, 26 septembre 1946, pp. 1 et 3.
Vol. 18, no 8, 3 octobre 1946, p. 4.

Une coutume paroissiale.
Vol. 18, no 18, 19 décembre 1946, pp. 4 et 8.
Rigaud et ses médecins.
Vol. 18, no 37, 1er mai 1947, pp. 3, 7 et 8.
Rigaud et ses chantres.
Vol. 18, no 39, 15 mai 1947, p. 5.
Rigaud et ses notaires.
Vol. 18, no 41, 29 mai 1947, pp. 3 et 7.
Notre fête nationale en 1895.
Vol. 19, no 29, 24 juin 1948, pp. 1, 5 et 8.
Une statue de Louis Jobin.
Vol. 19, no 39, 26 août 1948.
Les Travaux et les jours à Saint-Féréol des Cèdres.
Vol. 21, no 32, 27 juillet 1950, pp. 1 et 5.
La «Roche Charlebois» disparaît.
Vol. 21, no 43, 12 octobre 1950, p. 3.
Un Aspect religieux de Rigaud.
Vol. 22, no 11, 8 mars 1951, p. 5.
Vol. 22, no 12, 15 mars 1951, p. 3.
Vol. 22, no 13, 22 mars 1951, p. 3.
Vol. 22, no 14, 29 mars 1951, p. 4.
Vol. 22, no 15, 5 avril 1951, p. 4.
Vol. 22, no 16, 12 avril 1951, p. 10.
Vol. 22, no 17, 19 avril 1951, p. 4.
Vol. 22, no 18, 26 avril 1951, p. 4.

La Presqu'île.

Hebdomadaire fondé à Dorion, en février 1952, par Marcel Brouillard, Robert-Lionel Séguin et Jean-Marc Gagné.
Éditorial de la semaine.
Sans interruption, du vol. 1, no 1,
1er février 1952 au 30 décembre 1959.

Le Progrès.

Hebdomadaire publié à Valleyfield.
Les Pionniers de Saint-Clet.
Vol. 73, no 5, 5 octobre 1950, pp. 19 et 20.
Vol. 73, no 6, 12 octobre 1950, p. 22.
Vol. 73, no 7, 19 octobre 1950, p. 17.
Vol. 73, no 8, 26 octobre 1950, p. 20.

Le Salaberry.

Hebdomadaire publié à Valleyfield.

Rigaud (Ville et paroisse).
Vol. 44, no 34, 7 septembre 1945, pp. 9, 14 et 15.

La Seigneurie de Rigaud.
Vol. 47, no 31, 29 octobre 1948, p. 7.
Vol. 47, no 32, 5 novembre 1948, p. 9.
Vol. 47, no 33, 12 novembre 1948, p. 15.
Vol. 47, no 34, 19 novembre 1948, p. 2.
Vol. 47, no 35, 26 novembre 1948, p. 11.
Vol. 47, no 36, 3 décembre 1948, p. 11.
Vol. 47, no 37, 10 décembre 1948, p. 11.
Vol. 47, no 50, 31 décembre 1948, p. 15.
Vol. 47, no 2, 14 janvier 1949, p. 2.
Vol. 47, no 3, 21 janvier 1949, p. 8.
Vol. 47, no 4, 28 janvier 1949, p. 11.

Prose paysanne à ma Presqu'île.
Vol. 48, no 22, 3 juin 1949, p. 12.

Légende rigaudienne.
Vol. 48, no 31, 12 août 1949, p. 3.

Le Marguillier à Rigaud.
Vol. 49, no 2, 20 janvier 1950, pp. 9-12.

Histoire de la presse dans la Presqu'île.
Vol. 50, no 32, 28 septembre 1951, p. 18.
Vol. 50, no 34, 12 octobre 1951, pp. 11-15.
Vol. 50, no 35, 19 octobre 1951, p. 14.
Vol. 50, no 36, 26 octobre 1951, p. 2.
Vol. 50, no 37, 2 novembre 1951, p. 2.
Vol. 50, no 38, 9 novembre 1951, p. 14.

Un Fils de Rigaud, mathématicien.
Vol. 50, no 39, 16 novembre 1951, p. 4.

Histoire de Rigaud (du début à 1800).
Vol. 52, no 9, 5 mars 1953, p. 18.
Vol. 52, no 10, 12 mars 1953, p. 11.
Vol. 52, no 11, 19 mars 1953, p. 17.
Vol. 52, no 12, 26 mars 1953, p. 9.
Vol. 52, no 13, 2 avril 1953, pp. 7 et 15.
Vol. 52, no 14, 16 avril 1953, pp. 10 et 11.
Vol. 52, no 15, 23 avril 1953, p. 2.
Vol. 52, no 16, 30 avril 1953, p. 15.
Vol. 52, no 17, 7 mai 1953, pp. 9 et 12.
Vol. 52, no 18, 15 mai 1953, p. 9.
Vol. 52, no 19, 21 mai 1953, p. 15.

Vol. 52, no 20, 28 mai 1953, pp. 14 et 15.
Vol. 52, no 21, 4 juin 1953, pp. 10 et 14.

E. Présentations et préfaces

Archives d'ethnologie.
Publications du Centre documentaire en civilisation traditionnelle de l'Université du Québec à Trois-Rivières.

Récits de forestiers. No 1.
Montréal, Les Presses de l'université du Québec, 1976, pp. 7 à 11.

Le Travail du chaume dans la région du lac Saint-Pierre. No 2.
Montréal, Les Presses de l'Université du Québec, 1978, pp. 3 à 16.

Brouillard, Marcel, *Le Journal intime d'un Québécois en Espagne et au Portugal.*
Montréal, Éditions populaires, 1971, p. 6.

Carrier, Maurice et Vachon, Monique, *Chansons politiques du Québec.*
Montréal, Éditions Leméac, 1977. Tome I, pp. 9 à 12.

Genêt, Nicole, Vermette, Luce et Décarie-Audet, Louise, *Les Objets familiers de nos ancêtres.*
Montréal, Les Éditions de l'Homme, 1974, pp. 13-14.

Lepailleur, François-Maurice. *Journal d'exil d'un patriote de 1838 déporté en Australie.*
Montréal, Éditions du Jour, 1972, pp. 1 à 14.

Reeves-Morache, Marcelle, *Joseph Duquette, patriote martyr.*
Les Éditions Albert Saint-Martin.
La Société nationale populaire du Québec, 1975, pp. 1-3.

F. Catalogues d'expositions

Stratford Shakespearean Festival,
Stratford, Ontario, 1961.

Ethnographie et folklore matériel du Canada français, XVIIIe et XIXe siècles, pp. 2-5.

Le Petit Journal des grandes expositions.
Publication de la réunion des musées nationaux de France, 10 rue de l'Abbaye, Paris.

Catalognes et courtepointes de l'ancien Québec.
Au fil de la navette et de l'aiguille...
Nouvelle série, no 21 (exposition du 26 avril au 30 juin 1975), pp. 1-4.
Se vêtir au Québec, 1850-1910.
Nouvelle série, no 79 (exposition du 11 mai au 3 septembre 1979), pp. 1-4.

Catalogue des courtepointes primées au Salon des métiers d'art, Montréal, décembre 1976.
L'Art populaire vivant, pp. 2-3.

La couverture de lit de l'ancien Québec.
Catalogue publié par le Musée des Beaux-Arts, La Rochelle, France.
Exposition du 27 juin au 31 août 1980.
La couverture de lit en terroir québécois, pp. 6-19.

Catalognes et Courtepointes.
Réalisation du Musée régional de Vaudreuil-Soulanges.
De décembre 1980 à février 1981.
Historique de la couverture de lit au Québec,
pp. 2-24.

Les ouvrages qui suivent comportent une notice biographique de Robert-Lionel Séguin. Le millésime indique la première publication.

Directory of American Scholars.
R. H. Bowker Company, New York & London, 1974.

Réginald Hamel, John Hare, Paul Wyczynski,
Dictionnaire pratique des auteurs québécois.
Montréal, Fides, 1976.

Men of Achievement.
International Biographical Centre,
Cambridge, England, 1977.

Dictionary of International Biography.
International Biographical Centre,
Cambridge, England, 1980.

International Who's Who.
International Biographical Centre,
Cambridge, England, 1980.

Who's Who in America.
Marquis Who's Who, Inc.
Chicago, Illinois, U.S.A., 1980.

Canadian Who's Who.
Kieran Simpson Editor.
Toronto, Buffalo, London, 1980.

II

Ethnologie historique et vie quotidienne

Culture versus nature: une pratique signifiante

Lise Boily

L'existence de réalités matérielles pose constamment à l'observateur attentif la question cruciale: pourquoi?

À vrai dire, l'analyse de choses matérielles dans une culture donnée réfère à des formes précises d'exécution et d'organisation; toutefois, il y a plus derrière l'assemblage visible. Ce qui est important dans l'étude ethnographique, ce ne sont pas tellement les choses elles-mêmes, mais ce sont les relations qu'elles ont entre elles et avec l'homme. Il y a un effort constant qui s'impose à découvrir ces relations et à lire à travers les composantes du tout culturel, la valeur, la portée de ce qu'elles impliquent et représentent; en un mot, il faut une approche englobante aux phénomènes.

En essayant d'atteindre ce niveau de signification et en utilisant les témoignages de nos informateurs, lesquels savent si bien exprimer ce qui constitue leur «réalité», cette recherche* vise à la compréhension du fournil et du mode de vie qu'il entraîne. Nos investigations de l'été 1974 nous ont apporté l'inestimable possibilité d'observer quelques familles habitant encore ce petit bâtiment détaché. De plus, elles nous ont permis de comprendre l'im-

---

*   Cette étude a été subventionnée par le Centre canadien d'études sur la culture traditionnelle du Musée national de l'homme à Ottawa. Dans le présent texte, les références aux informateurs ne sont pas indiquées. Le lecteur pourra consulter la version originale du rapport publié dans la collection Mercure du Musée national de l'homme, dossier no 16.

portance que le fournil a connue dans la vie traditionnelle au Québec.

Ainsi, par une sorte de retour en arrière à partir du mode de vie actuel qu'on pratique au fournil, nous avons pu découvrir l'influence existant entre sa réalité matérielle et l'impact qu'il exerce et a exercé sur l'organisation de la vie des familles.

Nous présentons le fournil comme un phénomène culturel. Il se comprend à travers le système des valeurs propres à la culture canadienne-française et sa spécificité émerge particulièrement du milieu agricole.

Dans ce travail nous présentons d'abord une perspective d'ensemble sur le sujet en introduisant des éléments nécessaires à la compréhension de la dénomination «fournil» et en précisant ses raisons d'existence. Par la suite nous le replaçons dans le contexte économique où il est possible de le retrouver. Nous précisons succinctement ses caractères architecturaux pour passer par après à la relation qui existe entre le cycle saisonnier et les activités domestiques qu'on y accomplit.

Un regard sur l'organisation familiale et la division du travail nous conduit petit à petit vers l'interprétation de certains aspects ethno-psychologiques inhérents aux personnes qui y partagent leur temps et énergie. Nous essayons de replacer cette micro-recherche dans une perspective des théories anthropologiques pouvant s'y rattacher et nous essayons d'examiner ce que peut révéler cet élément matériel de la culture. On retiendra que la structure inconsciente qui soutient les formes d'activités humaines reliées à l'existence du fournil a été perçue à travers l'analyse des données de nos informateurs.

Nous rattachons ce phénomène à la notion de fait culturel total[1]. Le fournil a une signification à plusieurs niveaux; il témoigne des sous-systèmes culturels tels l'économique, le social, les techniques, la vision du monde, etc. Le fournil est une représentation symbolique. «Il faut saisir le phénomène humain dans sa totalité, dans le temps et dans l'espace[2]».

---

1. Émile Durkeim, *Les règles de la méthode*, Paris, Presses universitaires de France, 1963, pp. 3-47; Marcel Mauss, *Sociologie et anthropologie*, Paris, Presses universitaires de France, 1968, pp. 273-279; Claude Lévi-Strauss, *Anthropologie structurale*, Paris, Plon, 1971, pp. 3-33, 303-353 et *Anthropologie structurale deux*, 1973, pp. 11-77, et *L'histoire du structuralisme*, Paris, Verba Manent, s.d.
2. Lévi-Strauss, *L'histoire du structuralisme*, s.d.

Les données et les explications regroupées dans cette étude valent pour les régions de Kamouraska et du Bas du fleuve jusqu'à Matane. Notre passage dans Charlevoix ne nous a pas laissé l'opportunité de connaître des familles vivant encore dans leur fournil en période estivale. Toutefois la rencontre d'informateurs âgés y ayant vécu a contribué largement à une meilleure connaissance de cette façon de vivre et nous permet d'incorporer cette région dans notre étude.

L'ensemble de nos informations est le fruit d'observations directes sur le terrain, d'enquêtes orales auprès des membres des familles visitées, de discussions avec les voisins ou encore avec les gens des villages, en respectant les exigences de la méthode ethnographique. Les inventaires de biens et autres documents historiques ne sont pas inclus dans cette recherche.

Dans une étude antérieure sur *Les fours à pain du Québec*[3], nous avions soulevé la question de la terminologie concernant les «cuisines d'été» et nous avions volontairement omis l'utilisation des vocables «fournil», «cuisine d'été» ou «bas-côté» parce que nous trouvions que ces termes ne correspondaient pas exactement aux perceptions spatiales ou architecturales pour lesquelles on les utilisait.

Par ailleurs, les résultats de nos investigations récentes sur la raison d'existence des dites «cuisines d'été» localisées dans des bâtiments détachés, nous ont permis d'arriver à une généralité quant à l'appellation exacte de ces petites résidences secondaires. La constante dénomination qui revient tout au long de nos enquêtes sur le terrain est celle de «fournil» et cette dernière réfère très exactement à un bâtiment totalement séparé, localisé à mi-chemin entre la maison et la grange et où les membres de la famille déménagent au début de la saison estivale pour y vivre pendant le jour. Ainsi, tout au cours de notre travail, nous employons «fournil» pour désigner un petit bâtiment *détaché* de la maison et nous utilisons «cuisine d'été» pour référer à un petit bâtiment *annexé* à la maison. Le «fournil» est nécessairement indépendant alors qu'une «cuisine d'été» ou «bas-côté» est toujours rattaché au corps principal de logis par un mur mitoyen.

---

3. Lise Boily et Jean-François Blanchette, *Les fours à pain au Québec*, Ottawa, Musée national de l'homme, Musées nationaux du Canada, 1976, 127 p.

Même si le terme «fournil» inclut le radical «four», il n'existe pas nécessairement de trace de la présence du four à pain dans cet endroit. En effet, pour plusieurs de nos informateurs, il était préférable d'isoler le four à pain à l'extérieur, dans la cour, par crainte des incendies. Ici, il semble nécessaire d'ouvrir une parenthèse sur la signification ancienne de ce terme. D'après le dictionnaire Furetière, le fournil désigne: «le lieu où est le four dans les maisons particulières[4]»; ce mot, dans son origine française, signifie l'endroit où l'on prépare la pâte et la cuit. Il est rapporté dans les études de Robert-Lionel Séguin qu'au début de la colonie on érigeait des «fournils»[5]. Peut-être, avec le temps, a-t-on donné une fonction supplémentaire à ce petit bâtiment qui, originellement, servait uniquement pour le four et à qui, petit à petit, on a fait jouer le rôle de «retirance d'été»? Quant à l'origine historique du «fournil», il serait faux de croire que ce dernier est d'origine québécoise ou même française; il faudrait plutôt le considérer comme une caractéristique de l'habitation ouest-européenne existant au moyen âge[6]. D'autres détails viennent s'ajouter à ces remarques; les «fournils» sont plus anciens que les «cuisines d'été»; comme le dit cet informateur, «les cuisines d'été sont sorties après».

Cette remarque étant faite, on pourrait se demander pourquoi des familles entières possédant de grandes maisons avec cuisine bien aérée choisissent de se retirer temporairement pendant les mois d'été dans de petites résidences séparées du corps de logis principal. Dans un sens très général, les raisons, puisqu'il s'en trouve plusieurs, sont liées au régime économique, à la division familiale du travail, au côté pragmatique de ces dépendances, à la séparation psychologique que l'on fait entre travail et repos et, enfin, à la vision cosmologique de l'univers qui entoure l'homme.

L'activité économique des familles observées où nous retrouvons le «fournil» est directement reliée à l'exploitation agricole. Les familles de cultivateurs sont celles où il nous a été permis de satisfaire les objectifs de notre recherche, puisque ce

---

4.   Antoine Furetière, *Dictionnaire universel*, La Haye and Rotterdam, Arnoud et Reinier Leers, 1701, tome second.

5.   Robert-Lionel Séguin, *La maison en Nouvelle-France*, Ottawa, Musée National du Canada, Bulletin no 226, 1968, pp. 30-32.

6.   M.W. Barley, *The English Farmhouse and Cottage*, London, Routledge and Kegan Paul, 1972.

sont elles qui prolongent la coutume de cette forme de «retirance d'été».

L'utilisation du fournil nous permet de réfléchir sur un autre aspect: celui de la division du travail. Le métier de cultivateur exige beaucoup de temps, de surveillance, dès le début des beaux jours, d'où la disponibilité constante des principaux membres de la famille: «l'été c'est la pire saison pour les cultivateurs». La femme étant souvent elle-même impliquée dans les responsabilités de la ferme, il faut la libérer rapidement des autres tâches domestiques: le nettoyage, l'astiquage, etc. Le fait de vaquer aux tâches du quotidien dans le fournil ainsi que d'y partager les repas allège le fardeau de la ménagère. Le fournil étant de petite dimension avec une organisation spatiale des plus fonctionnelles, la simplicité des finitions et souvent même la rusticité du mobilier n'obligent à aucune minutie. Il y a moins d'entretien, moins d'ouvrage qu'à la maison et, par ce fait, la fatigue est épargnée. On ne se gêne pas de la tenue que l'on a: «Avec le travail d'habitant on n'est pas toujours en souliers fins...» On y circule très à l'aise. Empoussiéré ou les pieds lourds on ne prend pas trop attention: l'essentiel, c'est la terre; plus vite on y sera, meilleurs en seront les bénéfices.

Les travaux de la ferme amènent la malpropreté dans la maison: cuisson des aliments pour les animaux, préparation des légumes du potager, mise en conserve, boucheries. Le fournil empêche de salir la grande maison, permet de «faire les cochonneries», on y est plus à l'aise, on prend moins de précautions pour travailler. Étant moins long à nettoyer, requérant moins de petits soins, la femme peut se libérer plus rapidement pour vaquer à d'autres besognes; «Le fournil ça ôtait de l'ouvrage aux femmes. Je n'aurais pu accomplir autant de travail si j'en n'avais pas eu». Autrefois, il offrait la possibilité de faciliter la tâche lors des périodes intensives des travaux agricoles: «La femme travaillait aux champs aussi fort que les hommes. Quand c'était beau au temps des moissons, on pouvait négliger au fournil et aller faire les foins. On pouvait se reprendre quand il pleuvait. Ça sauvait du temps».

L'avantage du fournil semble incontesté dans les régions agricoles étudiées. Ce petit bâtiment est un moyen terme entre la terre à exploiter et la famille qui en assume les responsabilités. Sa présence allège les devoirs de la ménagère, épargne du temps à qui doit consacrer ses énergies aux caprices de la nature.

Les explications déjà données soulignent l'aspect pratique de ces petites dépendances. D'autres doivent être ajoutées. Pour la majorité de nos informateurs, l'utilisation du fournil en période estivale offrait et offre encore des avantages considérables tel celui de garder la grande maison propre et fraîche pour le repos. Après le grand-ménage du printemps dans la maison, on prend soin de n'y rien salir et on déménage au fournil pour faire «l'ordinaire», le «barda». La maison reste à l'ordre, «plus confortable», «permet d'avoir de l'aisance pendant l'été», il n'y a pas de mouche, pas de chaleur: «on n'y fait pas de poêle l'été», «la cuisine est comme un salon». La grande maison devient donc un lieu de détente. On n'est jamais à la gêne si la visite vient à nous surprendre puisqu'il y a un endroit convenable pour la recevoir. Pour plusieurs également, le fournil est une «commodité» fortement appréciée s'il y a de jeunes enfants: il y a moins de problèmes de surveillance car la grande maison reste fermée tout le jour.

Une autre raison venant motiver la vie au fournil réfère à un critère psychologique qui est celui de la séparation entre le travail et le repos. La présence du fournil même sert de démarcation entre les responsabilités journalières et la tranquilité bienfaisante que l'on recherche. Que ce soit explicitement ou implicitement exprimé par le langage de nos informateurs, il y a un constant symbolisme qui revient: la grande maison représente le calme, la relaxation, tandis que le fournil rappelle le travail à endosser et le temps à sauver pour faire plus.

Ces raisons d'existence du fournil se manifestent par une vision du monde particulière; elles accentuent la conception de l'univers que projette l'homme dans sa vie saisonnière et quotidienne. La nature qui exerce son emprise sur l'homme, laisse libre cours à de nombreuses interprétations sur les phénomènes et la périodicité qui souvent les accompagne. L'homme s'adapte au cycle de son environnement et l'exprime par certains rites.

Aspect physique

L'observation d'un bon nombre de fournils datant en majorité de ce siècle et répertoriés au cours de nos enquêtes sur le terrain, permet les descriptions qui suivent. Une vue globale sur les caractères architecturaux ainsi que sur l'organisation matérielle de ces dits bâtiments facilite la compréhension de la relation existant entre l'espace et le conditionnement exercé par lui sur le comportement des occupants.

Un des premiers aspects qu'il convient de souligner est celui de la proximité du fournil par rapport à la maison. La distance séparant la maison du fournil est de vingt-cinq pieds au minimum. L'écart peut varier à certains endroits à cause de caprices géographiques. On remarque que l'emplacement du fournil est souvent dépendant de la localisation d'une «fontaine» ou d'un puits.

Le mode de construction est sensiblement le même pour tous, excepté quand le fournil est l'adaptation de ce que fut la première maison de colon. Dans ces derniers cas la fondation est toujours très solide et l'érection des murs laisse voir le plus souvent possible un assemblage de pièces sur pièces équarries à la hache. Dans tous les cas un appui en pierres de taille ou une structure de poutres de cèdre supporte l'ensemble du fournil, dont la grandeur varie de quinze à vingt-cinq pieds de chaque côté et dont la hauteur se limite à un étage et demi. Les finitions extérieures sont des plus usuelles: une toiture en bardeaux ou en tôle et un recouvrement des murs fait de planches à clan. Une cheminée perce le toit à l'une des extrémités. On adapte quelquefois une petite galerie non couverte à la devanture.

L'intérieur du fournil ne comprend qu'une large pièce divisée selon les besoins par un mobilier de facture rustique. Un petit escalier conduit au demi-étage qui sert de remise. Un plancher d'épinette ou de sapin est délimité par des murs en bois naturel. Autrefois on ne prenait guère le soin de recouvrir ces planchers rugueux et ces murs, tout comme on peut l'observer aujourd'hui.

Nous avons remarqué que de très vieux fournils datant du siècle étaient formés de deux pièces. Une cloison sépare la pièce habitée par les gens d'une autre où l'on rangeait les voitures ou encore, où l'on gardait les volailles et, quelquefois, même les porcs. Nous devons toutefois préciser que, sur ce dernier détail, il est très difficile d'obtenir des explications; on se montre gêné, très embarrassé de fournir quelques informations pertinentes sur cette occupation d'un même bâtiment par l'homme et l'animal.

Lorsque nous entrons dans un fournil, notre attention se porte sur l'organisation spatiale. Elle est si fonctionnelle que l'on comprend d'évidence l'utilité du mobilier qu'on y trouve et tout laisse supposer que l'on ne va dans le fournil que pour satisfaire à des besoins essentiels au cours de la journée. Le meuble principal est une table solide de dix couverts et plus, autour de laquelle on retrouve deux grands bancs pour les enfants et des chaises droites. Tout à côté, il y a un poêle à bois et, en dessous de l'escalier qui mène au demi-étage supérieur, se touve le petit bois de cèdre et de tremble ainsi que quelques rondins d'érable ou de bouleau. Toutefois, comme on cuit au fournil en période estivale, on utilise très peu de bois franc (érable, bouleau, merisier) parce qu'il est plus long à brûler et qu'il dégage trop de chaleur. Une armoire double ou un buffet à deux corps sert de remise pour les ustensiles de cuisine et la nourriture sèche. Tout au centre, quelques vieilles berceuses sont dispersées. Derrière la porte on remarque des crochets pour suspendre les vêtements de travail.

Autrefois on y trouvait également la huche à pain et le berceau du bébé, muni d'une mousseline posée sur les quenouilles pour le protéger contre les mouches. Près de la porte, un petit lavoir à main avec une bassine, un pot à eau et un savon du pays. Un tapis tressé bordait le seuil d'entrée. Quelques instruments ménagers étaient suspendus: balai de sapin ou de cèdre, plumeau, porte-poussière, fourchette à jardinier, plat à vaisselle... Pour quelques informatrices, le deuxième étage servait de refuge au canapé ou «bed». On y rangeait aussi la baratte à beurre, le métier, les cuves pour laver le linge.

Avec l'installation du courant électrique dans les fournils, quelques familles y ont récemment introduit un frigidaire, un poêle électrique. De même, le mode d'éclairage a été modernisé puisque les «lampes à l'huile», régulièrement utilisées anciennement, ne sont que des objets de dépannage lorsque surviennent les orages.

La clarté du fournil pendant le jour est assurée par des fenêtres qui donnent tant sur la maison et la ferme que sur le jardin et les champs. La porte s'ouvre sur la cour arrière de la maison. Il y a généralement une porte moustiquaire.

L'approvisionnement du fournil en eau potable est aujourd'hui assuré par une pompe électrique. Chez quelques familles, apparaît encore la coutume de conserver l'eau de pluie pour certains usages courants comme le lavage du linge, le lavage de la vaisselle, — l'eau de pluie est plus douce et économise le savon —, le lavage des cheveux, — l'eau douce les rend plus soyeux —, et, enfin, l'arrosage du potager et des fleurs. On observe alors sous les «dallots» du fournil et de la maison un tonneau ou un large baquet.

Quant aux conditions d'hygiène générale au fournil, nous préciserons en premier lieu qu'à aucun endroit il nous a été possible de remarquer l'existence de toilette intérieure. On a cependant noté à quelques reprises la présence de latrines logées à l'écart, en direction de la grange. La grande maison sert de lieu convenable à ces besoins.

La proximité d'arbres pour la «fraîche» et l'ombrage sont des raisons invoquées comme venant ajouter à la douceur de vivre au fournil. On apprécie le parfum du lilas, des rosiers, des cerisiers. Les arbres égaient, colorent le journalier! Comme le souligne cette informatrice: «Les arbres attirent la vieillesse et redonnent la jeunesse. L'arbre attire les microbes du monde, nous redonne la santé.» Il y a plus qu'un souci d'esthétique qui filtre à travers ces propos, il y a un besoin de se sentir renouvelé; on s'adapte à une vie d'extérieur et on se laisse apprivoiser par la nature qui infuse de son énergie. C'est pour ces raisons que l'informateur vivant au fournil aime avoir, tout près, des plantes et des fleurs. Le voisinage de la flore en croissance lui fait partager un rythme toujours nouveau.

De par son cycle, sa beauté, sa force, l'arbre est devenu en quelque sorte un symbole de vie. Les hommes ont su découvrir plus que ses attributs utilitaires et ont saisi à travers son existence même une périodicité, une certaine continuité:

> It is understandable why trees were the first plants to be worshipped by man. They were not only the largest living and growing things around him, but they were also always there; when he was a boy, a youth, a man, an elder. He learned that the trees were already standing in the same groves when his father, and even his grandfather were boys themselves. He saw the trees throughout his lifetime, evergreen or shedding their leaves in autumn, springing to life again in spring, bearing blossoms and fruit season after season, and growing stronger, wider and higher all the time. He grasped the idea that the same trees would still be standing, long after he himself would be gone when his children would be no more, and his grand-children would be gorwing old. No wonder that in man's searching mind, the trees became the very symbols of strength, fecundity and everlasting life. They are Nature's perfect examples of the miracle of reproduction and eternity[7].

---

7. Ernst and Johanna, *Folklore and Symbolism of Flowers, Plants and Trees,* New York, Tudor Publishing Company, 1960, p. 15.

À travers l'apparence physique des fournils, il y a une dimension cachée. L'organisation fonctionnelle qu'on y observe répond à des objectifs utilitaires et la localisation de ces bâtiments exprime un désir d'harmonie avec la nature. Chaque jour qu'on y passe adopte une cadence s'accordant à celle du travail et de la vie au grand air.

À l'instar du professeur Edward T. Hall, nous croyons qu'il est faux de prétendre que l'habitat que se créent les individus est sans relation avec ses caractères personnels et avec la culture; il y a toujours à découvrir, à comprendre de l'extérieur vers l'intérieur:

> Man and his extensions constitute one interrelated system. It is a mistake of the greatest magnitude to act as though man were one thing and his house or his cities, his technology or his language were something else. (...) The relationship of man to his extensions is simply a continuation and a specialized form of the relationship of organisms in general to their environment[8].

Cycle saisonnier et activités domestiques

Le contact avec cinq familles au cours de l'été 1974 nous a donné l'avantage de regrouper les activités domestiques saisonnières que l'on vit encore au fournil. Tout démarre au début ou à la mi-mai: c'est le déménagement du printemps. Tout comme autrefois on se préoccupait de finir le grand-ménage de la maison pour avoir la possibilité de déménager au fournil, on continue encore cette règle. On nettoie la grande maison dans toutes ses pièces, on laisse les châssis doubles et on referme les jalousies des fenêtres pour conserver le plus de «fraîche» possible à l'intérieur. On recouvre les planchers des corridors et de la cuisine avec de grandes laizes tissées au métier.

Quand se termine cette besogne et lorsque les hommes commencent les travaux préparatoires aux semences, le besoin d'aller vivre au fournil se fait sentir. C'est la maîtresse de maison qui décide du moment de ce déménagement. Ce choix ne coïncide pas nécessairement avec une fête religieuse. C'est plutôt la reprise des tâches agricoles et la clémence de la température qui commandent ce déplacement. On débarrasse le fournil des traîneries de l'hiver et on désinfecte.

---

8.   Edward T. Hall, *The Hidden Dimension*, New York, Anchor Books Edition, 1966, p. 188.

Ce rituel saisonnier replace dans la mémoire toutes les activités qu'on aura à accomplir. Pour les hommes ce seront les semences, la réparation des clôtures, la surveillance des pousses, le soin des animaux, les moissons, l'engrangement. Pour les femmes, ce sera la garde des enfants, la préparation des repas, la lessive, l'entretien du potager, la mise en conserve des fruits et des légumes, le nettoyage des trayeuses et, pendant les moissons, alors que les hommes sont débordés aux champs, elles s'occuperont d'aller chercher les vaches pour la traite.

On devra souligner cependant qu'il y a moins à faire aujourd'hui qu'autrefois; certes il faut tout autant de dynamisme et d'esprit d'initiative pour mener à bien son entreprise, mais il reste que la mécanisation sur les fermes épargne de la main-d'oeuvre et du temps, et que les femmes ne sont pas tenues d'aider dans le temps des récoltes comme il est courant de l'entendre relater par des dames âgées. De plus, le fait d'acheter les produits alimentaires des commerces régionaux ou provinciaux sauve du temps à la ménagère qui n'a plus à se préoccuper de cuire le pain au four au début de chaque semaine, de faire le beurre, de fumer ou de mettre en conserve les viandes après les boucheries d'automne, de fabriquer le savon du pays. Le fait que la société agricole soit passée d'une économie d'auto-subsistance à une économie de marché a apporté des transformations considérables dans l'organisation de la vie sur les fermes et a influencé le partage des activités saisonnières.

Malgré ces changements appréciables il convient de souligner que, dans les familles observées, on a ce constant souci d'utiliser rationnellement les ressources du milieu. On ne méprise rien de la nature qui puisse être d'un certain apport pour le bien-être de la famille. Du printemps jusqu'à la fin de l'automne, on apprécie de la nature tout ce qu'elle peut fournir.

Tout à travers la rigidité des pressions de la vie agricole, on découvre des mécanismes qui facilitent l'adaptation et la cohésion des membres de la famille. Ces derniers se définissent mutuellement des rôles et s'obligent à un empressement qui assure la bonne réussite de l'entreprise familiale.

Il y a un avantage inestimable à vivre au fournil pendant cette période: on épargne une fatigue inutile, on sauve un temps précieux en essayant de profiter au maximum des ressources vivifiantes de la nature. À la fébrilité du travail se confond l'exubérance de vivre en plein air, avantage que la grande maison ne pourrait offrir.

De mai à la fin des récoltes, on s'exerce à un mouvement de travail qui bien vite apporte des préoccupations, des fatigues, des contraintes, mais qui sont aussitôt dosées par la satisfaction et la fierté de l'effort soutenu. Le fournil amenuise les soucis d'entretien. On vaque aux travaux domestiques avec moins d'égards qu'à la grande maison, on se sent allégé d'y préparer tous les fruits, les confitures et les gelées, d'y nettoyer toutes les herbes ainsi que les légumes terreux du potager. En somme toutes les petites saloperies y passent inaperçues. Aussi les cultivateurs et les «hommes à gage» se trouvent-ils plus à l'aise pour aller y manger.

On suit cette routine journalière où le partage des activités diurnes regroupe la famille dans une ambiance de vie aérée au fournil et où le besoin de repos ramène chacun dans la tranquilité de la grande maison à chaque fin de journée. Le sommeil et les questions d'hygiène, voilà les seuls prétextes qui motivent les allées et venues à la maison.

À la fin de septembre ou au début d'octobre, quand les dernières moissons sont terminées, que les produits sont mis en réserve et que le froid se fait plus persistant, on déménage à la grande maison avec regret en pensant au long hiver, mais aussi avec un sentiment de satisfaction et de nouveauté devant le confort et l'aisance attendus: c'est le déménagement d'automne.

Tout au long de l'hiver le fournil sert à remiser des accessoires d'extérieur, des grains ou encore du bois de chauffage.

Phénomènes ethnopsychologiques

Voilà en quelque sorte une description bien cursive sur un mode de vie observé au cours de l'été 1974. On peut dire qu'il semble assez surprenant de découvrir aujourd'hui des fournils habités en période estivale. Une question se pose: comment expliquer que l'on choisisse de vivre encore de cette manière alors que l'industrialisation, la monopolisation des marchés, conditionnent la population agricole à s'engrener de plus en plus dans ce nouveau système qui liquide les traces d'un régime d'auto-subsistance vers lequel on était orienté avant la dernière guerre mondiale, et qui expliquait la nécessité, l'utilité inestimable de la vie au fournil en saison agricole? Il suffit de relater les témoignages que des personnes âgées nous ont transmis relativement à leurs expériences de vie au fournil lorsqu'elles étaient jeunes, pour comprendre comment la différence entre ce qu'on y faisait et ce qu'on y fait présentement nous amène à nous poser la question: pourquoi vit-on encore au fournil?

FIGURE 1

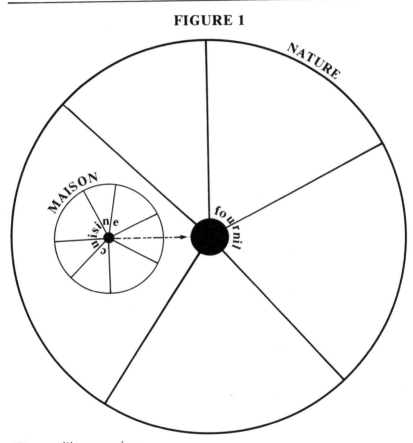

Deux milieux : maison
                nature
Un même centre de gravité : la cuisine

En hiver, la cuisine est le centre de la maison autour duquel gravitent les événements journaliers.

En été, on transporte le centre de gravité dans un nouveau milieu : la nature.

La multiplication des tâches qu'on devait assumer pour permettre le bien-être familial donne quelque peu le vertige, mais une brève énumération de celles-ci nous aidera à saisir l'intérêt de notre question.

Il y a des similitudes qui se remarquent quant au temps de déménagement. Ainsi, dès le début de mai, on fermait la maison après le grand-ménage du printemps, on désinfectait le fournil de planches rugueuses et on s'y installait.

Il y avait une division du travail par sexe et par âge. Les garçons et les filles en âge d'aider se plaçaient à l'école de leurs parents. Le fournil était le centre d'où partaient et se dirigeaient toutes les activités. Les hommes préparaient les champs avant la mise en terre, réparaient l'outillage de ferme, s'occupaient des semences, des animaux, des récoltes, des boucheries, des braieries de lin, de l'enroulage du tabac ainsi que des constructions de bâtiments s'il y avait lieu. Les femmes avaient la surveillance des enfants, la responsabilité des repas, la cuisson du pain de ménage, la fabrication du beurre, l'entretien général du fournil, la fabrication du savon du pays au tout début de mai, la charge de la lessive, le soin des veaux, des poules, des porcelets, la bonne tenue du potager, la cueillette des petits fruits, la préparation des confitures, la mise en conserve des légumes ainsi que des viandes de porc, de boeuf et quelquefois de la venaison.

À cause de la lourdeur de ces tâches, nos informateurs âgés conviennent des avantages de vivre au fournil, puisque ce dernier leur offrait un renouveau saisonnier et les libérait des contraintes de vie d'intérieur et de propreté constante auxquelles les obligeait la grande maison.

On peut dégager deux aspects généraux dans cette façon traditionnelle de vivre: premièrement, le fournil répondait à des fonctions vitales en permettant une économie de temps; deuxièmement, il satisfaisait à des besoins psychologiques de changement et de rapprochement avec la nature.

Aujourd'hui le fournil permet encore une économie de temps mais, comme la mécanisation sur les fermes et l'utilisation des produits commerciaux sont généralisés, il y a un bon nombre de tâches domestiques dont l'importance a diminué. Ce qu'on apprécie du fournil, c'est la possibilité qu'il redonne à chacun de vivre en plein air et de se renouveler à l'énergie de la nature qui lui est proche.

Le fournil est une manifestation saisonnière, une pratique qui remet l'homme dans la nature et lui façonne une nouvelle vision de l'existence. Il y a un symbolisme qui s'exprime: «Le fournil ça raccourcit la vie, ça change tout, c'est une vie nouvelle. Vous savez pas combien est-ce que ça fait du bien, on est tanné de la grande maison où on n'a pas une belle vue comme ici. On ne trouve pas la vie longue, on vit à notre aise, on voit les fleurs, on respire.» Les témoignages recueillis précisent une relation de temps et d'espace. On ressent un défoulement de l'hiver: «On trouve ça long l'hiver, de Toussaint à mai. Le fournil ça nous change de place, on se sent ravigoté». «On goûte la liberté après la fatigue de l'hiver». «Ça ressemble plus à l'été, c'est moins renfermé. Les saisons sont moins longues».

On associe la vie aux saisons. On soulève les oppositions qui se suivent et s'enchevêtrent entre l'hiver et l'été, entre la vie d'intérieur et celle d'extérieur, entre culture et nature. Le mouvement du déménagement au fournil concrétise une sorte de renaissance pour l'homme qui retourne vers la nature. Il quitte la grande maison où l'influence de la culture prévalait sur ses actions et l'obligeait à une vie d'intérieur. Il transpose la culture au coeur de la nature. Il habite le fournil distancé de la maison et vers lequel converge la nature: c'est une vie d'extérieur qui domine. Tout comme l'opposition des saisons se répète à intervalles réguliers, l'opposition culture-nature se matérialise à chaque déménagement. Derrière le langage métaphorique de nos informateurs, il y a une constante représentation qui s'exprime, qui dépasse l'utilité, la commodité, et qui se rattache à une conception cosmologique culturelle. Les allusions de vie plus courte, de rapprochement avec la nature, de séparation entre le repos et les obligations à assumer, manifestent cette conception.

Le fournil est un médiateur entre la culture et la nature. Les besoins ressentis par l'homme d'un retour aux manifestations biologiques, à l'environnement physique, sont une expression légitime qui permet une certaine stimulation. Il y a une synthèse énergique qui opère des changements sur ce qui est socialement ou culturellement construit. De cette manière, culture et nature collaborent à créer une dynamique continuelle, une transformation. L'opposition devient le catalyseur positif d'une nouvelle condition. Comme l'a déjà énoncé Levi-Strauss, «(...) la culture n'est ni simplement juxtaposée, ni simplement superposée à la vie. En un sens, elle se substitue à la vie, en un autre elle l'utilise et la transforme, pour réaliser une synthèse d'un ordre nouveau[9]». Le rapprochement de la culture avec l'environnement physique coopère à générer une source d'où émerge une énergie sans cesse évolutive.

Le fournil a survécu et survivra peut-être encore. Peut-être faudra-t-il retenir que, derrière la relation qui existe entre un changement dans l'organisation de la production et un changement dans le système des valeurs, il est resté un besoin de contact avec la nature qui s'exprime par la présence des fournils observés.

Existeront-ils encore très longtemps? On ne peut prévoir jusqu'à quand persistera le rattachement à cette tradition, puisque le nombre des fournils observés est très limité. On remarquera qu'à partir du moment où il y a changement dans l'organisation matérielle d'une société et dans la conception cosmologique culturelle, certaines coutumes disparaissent parce qu'on ne sait à quel équilibre de valeurs les relier.

Les changements de comportements et de croyances peuvent être expliqués en partie au niveau des systèmes de pensée, car tout ce qui se vit par l'homme est rattaché à un système de pensée. Ce système, logique en lui-même, fournit les explications cohérentes nécessaires pour vivre les expériences humaines. La pensée où la perception des choses et des phénomènes humains s'enregistre, se fait et évolue vers d'autres formes, demeure la clef de voûte où s'effectuent les changements. Dès que l'on substitue de nouvelles connaissances, de nouvelles informations à l'intelligence, le système de pensée qui prévalait jusqu'alors laisse place à d'autres réalités, d'autres concepts d'où émanent de nouvelles motivations. Tout changement dans le système de pensée se traduit en un changement dans la façon de vivre.

L'effacement progressif des fournils au cours des vingt dernières années peut être expliqué en partie par une réadaptation de la vie agricole dans un univers qui se transformait lui-même par des expériences économiques et sociales nouvelles. Peut-être le goût de la modernisation dans une société de production et de consommation avancée, ainsi que l'éclatement d'une nouvelle mentalité, fera-t-il chanceler les dernières traces de ce qui reste de cette tradition? Il faudra éviter de se méprendre toutefois, en con-

9.   Lévi-Strauss, *Les structures élémentaires de la parenté*, La Haye, Mouton, 1971, p. 4.

cluant au fait que là où il n'y a plus de fournil, le retour à la nature a disparu. Non, il faudra plutôt chercher ce qui l'a remplacé...

On a déjà souligné que le fournil était un lieu de transition impliquant une séparation entre repos et travail. Également on a fait ressortir la modification, l'impact que cette sorte de transfert exerce sur l'organisation de la vie de famille. Suivant nos réflexions, on peut rattacher le fournil à un rite de passage!

Le fournil est une résidence temporaire où la famille se regroupe saisonnièrement. La vie dans ce lieu est en concordance avec la durée de la saison douce. Le rythme que l'on prend est en quelque sorte celui dicté par le cycle des saisons qui entraîne certains rites. L'apparition du printemps, ou début de la belle saison, imprègne un dynamisme à l'homme qui lui est en quelque sorte lié; la nature se réveille, se regénère; l'homme renaît. On peut ramener ces considérations aux analyses d'Arnold Van Gennep qui reconnaît cette relation étroite dans son étude intitulée *Les Rites de passage*:

> ...Ni l'individu, ni la société ne sont indépendants de la nature, de l'univers, lequel est lui aussi soumis à des rythmes qui ont leur contre-coup sur la vie humaine. Dans l'univers aussi, il y a des étapes et des moments de passage, des marches en avant et des stades d'arrêt relatif, de suspension. Aussi doit-on rattacher aux cérémonies de passage humaines, celles qui se rapportent aux passages cosmiques: d'un mois à l'autre..., d'une saison à l'autre..., d'une année à l'autre...[10]

De ce point de vue, on peut projeter l'influence certaine exercée par les saisons et, concernant notre sujet, avec d'autant plus de certitude que le fournil se retrouve au coeur même d'une activité agricole, laquelle dépend de la clémence de l'été. En somme le cycle des saisons s'impose à la nature avec des impératifs diversifiés qui commandent eux-mêmes une adaptation chez l'individu.

Le fournil sort l'homme de l'emprise de l'hiver, moment où la pression de sa culture s'impose fortement à lui. Le déménagement dans le fournil symbolise la reprise des activités vitales. Ce passage remet chacun dans la nature qui va lui infuser du sang neuf, une forme d'expression simplifiée, spontanée, libérée de tout protocole: on y vit tout à l'air.

---

10. Arnold Van Gennep, *Les Rites de Passage*, Mouton & Co and Maison des Sciences de l'Homme, 1969, pp. 4-5.

Le fournil est identifié par celui qui y vit comme un moyen d'associer sa propre existence aux phénomènes cosmologiques qui l'entourent. De forme de passage, il devient le terme d'un entendement où s'exprime un changement de perception dans le journalier qui s'infiltre. Un renvoi au langage métaphorique de nos informateurs nous en fait saisir la portée: «le fournil ça change tout, ça raccourcit la vie, on vit à notre aise, on voit les fleurs, on respire.»

Le mode de vie relié à cette réalité architecturale peut être défini comme un système dont les éléments eux-mêmes impulsent un constant dynamisme. Les mouvements se font et se refont. Le fournil est un médiateur permettant l'expression des besoins ressentis. Il traduit la mentalité des gens qui l'utilisent.

FIGURE 2

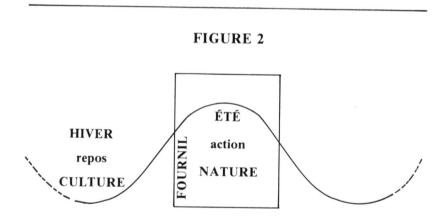

Cette figure traduit les oppositions que le cycle des saisons et les déménagements au fournil sous-tendent.

Pour les agriculteurs l'hiver est un temps de travail laissant une large place de détente. C'est une vie d'intérieur où les valeurs du système culturel exercent leur pression. L'été est une période de travail intense. C'est une vie d'extérieur qui prévaut. Un contact direct avec la nature devient facteur de regénération.

Le fournil est un rite de passage entre l'hiver et l'été, entre l'emprise de la culture et de la nature. Chaque déménagement concrétise ce rite.

Le Peuplement de la Nouvelle-France, opération civilisée

Lucien Campeau
Département d'histoire,
Université de Montréal

La période de notre histoire qui a précédé Jean Talon a été l'objet d'un certain dédain de la part de nos historiens, si l'on met à part ceux qu'intéressait principalement l'histoire religieuse. On a souvent parlé comme si Colbert et Talon avaient été les plus efficaces promoteurs de la colonisation française sur le Saint-Laurent. La vérité est plutôt que l'administration royale fut très heureuse de prendre en main une colonie déjà bien implantée en 1663 et qui a été le fleuron le plus précieux de l'ancien empire français. Il suffit d'en comparer le succès avec celui de l'Acadie, sa contemporaine, sur laquelle Richelieu misait bien plus volontiers en 1632, ou avec celui de la Louisiane, trois quarts de siècle plus tard, malgré l'investissement démesuré qu'on y a fait. La Nouvelle-France laurentienne, en regard, a été la réussite la plus éclatante de la France dans les pays neufs. Or ce résultat est dû surtout aux fondateurs de cette société, déjà compacte et organiquement formée au moment où elle tombe entre les mains des ministres royaux. Sa cohérence et sa force internes furent l'effet d'une soigneuse mise en place poursuivie durant trente ans. C'est à illustrer cette affirmation que nous consacrons cet article, où nous essaierons d'établir les faits démographiques et sociaux qui soutiennent le mérite des fondateurs[1].

En 1632, au témoignage du P. Le Jeune, il y avait deux couples français mariés à Québec: les Hubou et les Couillard. Dix ans plus tard, soit au 1er janvier 1642, le nombre de ceux qui avaient paru dans la colonie était de 69. Parmi eux déjà 32 avaient reçu la bénédiction nuptiale en Nouvelle-France. C'est dire que 37 familles déjà formées avaient émigré de France vers le nouvel établissement. Ces chiffres ne signifient pas toutefois qu'on trouvait 69 foyers dans la colonie à la fin de 1641. Les mariages de veufs ne créent pas de nouvelles familles, mais ils en unissent souvent deux en une seule. Ceux d'Hélène Desportes et d'Anne Convent furent une union des enfants Hébert et Morin, d'une part, et des enfants Amiot et Maheu, de l'autre. On ne comptera donc que 67 foyers. Cela comprend toutefois la maisonnée du vieux garçon Michel Leneuf, qui garde avec lui sa mère, une pupille, quatre neveux et une servante[2]: elle équivaut bien à une famille. Nous ne tenons pas compte du veuf Desportes, des veuves Legardeur, Leneuf et Sevestre, tous rattachés aux familles de leurs enfants. Des 67 on doit maintenant soustraire neuf couples qui retournent en France avant la fin de cette décennie et dont les maris s'appellent Arnault, Blondel, Brassard, Bridé, Drouet, Giroux, Matifas, Salardin et Selle. Trois de ces ménages, Brassard, Selle et Drouet, avaient été mariés à Québec. Mais le premier des trois reviendra dans la colonie dès 1641 et y établira une nombreuse famille. À la fin de la même année, il reste donc 59 foyers français sur le Saint-Laurent, dont cinq à Trois-Rivières, les Crevier, les Hertel, les Nicollet, les Godefroy et la maisonnée de Michel Leneuf, tandis

---

1. Cet article, venant après *Les Cent-Associés et le peuplement de la Nouvelle-France (1633-1663)*, Éditions Bellarmin, Montréal, 1974, et après *Les Finances publiques de la Nouvelle-France sous les Cent-Associés, 1632-1665*, Éditions Bellarmin, Montréal, 1975, pourra surprendre. Il se justifie à nos yeux par l'intérêt que peut présenter le résultat d'une analyse plus poussée et plus minutieuse du développement démographique de cette période. L'occasion offerte de rendre hommage à M. Robert-Lionel Séguin, si passionné par les faits de civilisation matérielle en Nouvelle-France, ne devait pas non plus être manquée. Les sources déjà signalées dans les ouvrages mentionnés n'ont pas besoin d'être rappelées, sinon qu'on fait ici un plus grand usage des travaux de M. Hubert Charbonneau et de ses collègues du Centre de démographie de l'Université de Montréal.
2. La pupille était Anne du Hérisson, qui épousa Antoine Desrosiers. Les neveux sont les enfants de Jean Pouterel, beau-frère de Leneuf. Et la servante était Catherine Goujet, que Nicolas Bonhomme prit pour femme.

que trois ménages, les Godé, les Primot et les Damiens[3], attendent à Québec le départ pour Montréal au printemps de 1642.

La décennie qui suit, de 1642 à 1651, voit paraître 138 couples qui se joignent aux anciennes familles. Parmi ces nouvelles unités familiales, nous comptons la veuve Dupont, venue avec son fils et sa fille, et le veuf Jean de Lauson accompagné d'un fils, auquel se joindront deux autres en 1652. Pendant la même période, il y a eu 92 mariages de coloniaux, comprenant ceux de trois habitants qui semblent avoir été célébrés au cours de voyages en France: Cloutier, Letardif et Poisson[4]. En soustrayant ces couples canadiens du total, l'immigration des familles formées en France se trouve déterminée à 46. Si l'on veut maintenant savoir combien de foyers cela laisse sur le Saint-Laurent à la fin de la décennie, il faut encore opérer quelques réductions. Écartons d'abord trois familles venues et reparties durant la période: les Gosselin[5], les Porchet, les Bénard[6]. On ne tiendra non plus compte de deux mariages nuls, ceux de César Léger et de Michel Chauvin. Dix remariages n'augmentent pas le nombre des familles. L'apport de la décennie se trouve diminué à 123 couples. Les familles de la période précédente ont aussi été réduites de 59 à 52 par la mort ou par les départs: Hubou, Boudart, Pivert, deux Panie[7], Bigot, Gouray, Damiens. Le nombre des foyers se compte donc à 175 au premier janvier 1652. La famille Crevier est ainsi considérée comme demeurant au pays, bien qu'elle en ait été absente de 1642 à 1650.

De 1652 à 1661, on voit paraître 378 nouveaux couples français dans la vallée laurentienne. Quatre-vingt-huit émigraient de

---

3.   Les deux premières familles formaient la partie normande de l'expédition de Montréal en 1641. Les Damiens, nouveaux mariés, étaient les serviteurs de Pierre de Puiseau et retournèrent en France avec leur maître en 1644.

4.   Si toutefois Jean Poisson, serviteur de Champlain, est le même que celui qui élèvera une famille à Trois-Rivières et sera assez lié avec les jésuites.

5.   Philippe Gosselin mourut peu après son arrivée, le 31 janvier 1649. Sa femme, Vincente Després, ne sera plus mentionnée dans la colonie.

6.   Denys Bénard et Marie Michel disparaissent du pays après y avoir marié deux filles, à César Léger et à Pierre Lemieux.

7.   En 1642 est mentionnée Françoise Pinguet, épouse de Charles Panie. La première ne peut être l'épouse de Pierre Delaunay, portant le même nom. Le second ne peut être identifié à Charles Panie qui sera un donné des jésuites. Ils disparaissent donc tous deux. L'autre Panie est Jacques, époux de Marie Pousset. Bigot et Gouray sont les gendres de ces derniers. Les trois couples disparaissent après 1642.

France déjà mariés. Les 290 autres reçurent la bénédiction nuptiale en Nouvelle-France. Ajoutée aux familles déjà établies en 1652, cette augmentation en remonte le chiffre à 552. Mais il faut aussitôt défalquer huit familles qui disparaissent du pays à cette époque, probablement rentrées en France, et tenir aussi compte de 56 remariages qui gonflent le nombre des couples. Ainsi, la colonie comprendrait, tout compte fait, 488 foyers, au premier janvier 1662.

Le dénombrement individuel de la population coloniale, décennie par décennie, suit une courbe parallèle. Il présente cependant quelques difficultés. S'il est relativement facile de dépister les individus membres des familles établies, il l'est moins de relever tous les noms d'hommes isolés qui séjournent dans la colonie pour un engagement limité et repartent ensuite pour la France. C'est par hasard que ces résidents passagers ont pu laisser leurs noms dans un registre ou dans un acte, encore que plusieurs ont été signalés comme parrains ou comme témoins à diverses transactions. Cependant, les chances d'oubli complet sont assez peu nombreuses et elles sont constantes pour les trente années considérées. En sorte que, si l'on peut craindre à bon droit d'échapper des noms d'immigrants, le danger reste proportionnel au volume de la colonie jusqu'en 1663. Le recensement des noms enregistrés nous paraît représenter assurément l'évolution démographique véritable. En tout cas, comme les habitants eux-mêmes, établis à demeure, sont ceux qui ont le moins de chances d'échapper à l'attention, le relevé que nous avons fait d'eux nous paraît conserver sa valeur et sa signification.

En reprenant le recensement selon les mêmes décennies, il s'avère que, de 1632 au dernier décembre 1641, 552 Français séjournent sur le Saint-Laurent. Au dernier jour de la période, nous y comptons 415 personnes présentes. Et durant les dix années on a connaissance de 41 décès. Il reste 96 noms qui ne reparaissent plus par la suite. Quelques-uns peuvent être de défunts qui n'ont pas été signalés. Mais la plupart, bien certainement, sont de gens qui ont regagné la France. Dans ces 96 sont comptées les huit familles qui y retournent à cette époque.

À la décennie suivante, 1642-1651, on relève en tout 1 394 noms sur le Saint-Laurent. De ce nombre, 983 sont attestés comme présents en Nouvelle-France à la fin de 1651. Durant la période, on relève 132 décès. Et il reste 279 noms dont on perd la trace à partir de ce moment. Encore une fois, ce dernier chiffre peut comprendre quelques défunts inconnus; mais la plupart sont sûrement des personnes rentrées en France au cours de ces dix ans.

Les dix dernières années, 1652-1661, procurent un total de 3 215 noms. Les résidents en Nouvelle-France, au dernier jour de 1661, se comptent, d'après nos relevés, à 2 609. À quoi il faut ajouter 389 décès constatés. Des 217 qui restent on n'a plus de nouvelles après 1661. De nouveau, à part quelques défunts, la plupart de ces disparus ont sans doute regagné la France.

Ce qui frappe, dans ce développement, c'est la constance et le dynamisme. Ils apparaissent plus marqués dans la multiplication des familles. Il n'y avait que deux couples à Québec en 1632, dont un seul en état d'avoir des enfants. Au premier janvier 1642, on trouve 59 foyers. Après dix années complètes, en 1652, les familles sont au nombre de 175, presque le triple (177) de ce qu'elles étaient en 1642. Et en 1662, elles sont 488, alors que le triple de celles de 1652 serait 525. La croissance démographique sera ·cependant plus exactement perçue par celle du nombre des individus résidant dans la colonie. De 415 en janvier 1642, ils sont 983 en 1652 et 2 609 en 1662. C'est-à-dire que la population de 1642 a été multipliée par le facteur 2.37 en 1652, et que celle de 1652 a été multipliée par le facteur 2.65 en 1662. Ces taux d'accroissement sont certainement les plus élevés de toute l'histoire du régime français[8]. À ne prendre comme constante que le moindre des deux, la population du Saint-Laurent aurait dû être de 14 505 334 âmes en 1762, année où Murray dénombrait seulement 65 000 Français sur les bords du fleuve.

On dira qu'un tel rythme d'accroissement ne pouvait être maintenu, pour plusieurs bonnes raisons. Nous nous rangerions partiellement à cet avis, pourvu qu'on n'attribue plus à Louis XIV, Colbert et Talon le principal mérite d'avoir activé le peuplement de la colonie française. Jusqu'en juin 1665, temps de l'arri-

---

8.   Le coefficient décennal moyen de croissance, de 1682 à 1761, a été légèrement inférieur à 1.27. Ce taux est moindre que celui de la simple croissance naturelle des Canadiens français, sans immigration française, après 1765. Il équivaut à peu près à l'augmentation des mêmes entre 1831 et 1851, alors qu'aura déjà commencé l'émigration vers les États-Unis. On est à bon droit intrigué par ce taux décennal inférieur à 1.27, à une époque où la colonie reçoit toujours des immigrants.

vée du marquis de Tracy, le Conseil Souverain a conservé l'initiative du recrutement de la population, fait jusqu'alors aux frais de la communauté des Habitants. Les deux recensements de 1666 et de 1667 tracent le tableau de la colonie tel qu'il avait été composé durant les trente premières années: familles établies sur des terres, plus une proportion importante d'engagés, hommes et femmes seuls et le plus souvent célibataires, dont la venue au pays est récente et des rangs desquels sortiront les futurs habitants. L'action de Colbert et de Talon n'a pu se faire sentir que dans la seconde moitié de la décennie de 1662-1671. Il est certain que le rythme de la décennie 1652-1661, au coefficient 2.65 qui est un sommet pour toute l'histoire de la Nouvelle-France, n'a pas été maintenu de 1662 à 1671, en dépit des éloges qu'on a rendus à ces officiers royaux.

Si l'on prend pour constante le coefficient trouvé pour la décennie de 1642-1651, 2.37, la population laurentienne aurait dû être comptée à 6 179 au commencement de 1672 et à 14 638 au commencement de 1682. Or le recensement de 1681, selon la supputation de Benjamin Sulte, ne donne que 9 677 âmes. Manifestement, il y a eu une chute du peuplement, qui ne reprendra plus jamais l'allure des trente premières années par la suite. Cette chute est moins attribuable à la période de 1662-1671 qu'à celle de 1672-1681. En effet, M. Trudel a dénombré 3 035 personnes présentes sur le fleuve au 30 juin 1663. Le recensement de 1666 y nommait 3 418 résidents[9]. Le recensement de 1667 donne le chiffre de 3 918 âmes. Ces jalons nous semblent témoigner que la constante de 2.37 a été à peu près maintenue jusqu'en 1667, année au début de laquelle une projection donnerait 4 015 âmes. Il est probable que la même croissance a continué jusqu'à la fin de 1671, où une projection semblable indiquerait 6 179 âmes. Car on sait que les soldats des régiments accompagnant Tracy qui choisissaient de rester au pays ont été licenciés en 1668. Ils n'avaient pas été comptés dans les recensements.

---

9. La copie que nous avons de ce recensement est fautive, semble-t-il. Car Jean Talon, en 1666, comptait 3 418 personnes recensées. Le texte actuel n'en montre que 3 217. Il manque un assez grand nombre de familles. Le vrai recensement n'était probablement pas sans défaut, oubliant par exemple sept jésuites et six prêtres, énumérant deux fois quelques familles ou quelques individus. Mais le chiffre de l'Intendant est sûrement plus près de la vérité que le texte comme il se trouve.

L'indice de croissance tombe brusquement entre 1672 et 1681. La raison principale semble bien avoir été le conseil mal avisé donné par Jean Talon, dans un mémoire du 2 novembre 1671:

> Sa Majesté poura veoir par l'abrégé des extraicts des registres des baptesmes dont j'ay chargé mon secrétaire, que le nombre des enfans nais cette année est de six à sept cens, que dans les suivantes on en peut espérer une augmentation considérable; et il y a lieu de croire que, sans autre secours des filles de France, ce pays produira plus de cent mariages dans les premières années, et beaucoup plus au-delà, à mesure qu'on avancera dans le temps. J'estime qu'il n'est pas à propos d'envoyer des filles l'année prochaine, affin que les habitants donnent plus aisément en mariage les leurs aux soldats qui restent habituez et libres[10].

Cette complaisance pour la mesquinerie du ministre va coûter cher à la Nouvelle-France. Les renseignements donnés par l'intendant étaient faux. Les naissances ne se comptaient qu'à 311 en 1670 et à 383 en 1671. On était loin de 600 à 700, le premier de ces deux chiffres ne devant être dépassé qu'en 1694. Les mariages, qui avaient subitement augmenté en nombre en 1669, étaient à 109 en 1671. Ils vont retomber à 31 en 1674 et à 30 en 1675, ne remontant au-delà de 100 qu'en 1686. En fait, les chiffres des mariages et des naissances demeurent stationnaires pour les quinze années suivantes, c'est-à-dire le temps qu'il faut aux filles nées en 1671 pour devenir nubiles. Les enfants nés au pays se partageaient avec une équité naturelle entre les deux sexes. Mais il n'en était pas de même des immigrants. Le recensement de 1681 indique assez éloquemment le résultat de la politique suggérée par Talon et adoptée avec trop d'empressement par Colbert. Les célibataires d'âge matrimonial s'y partagent entre 1 392 hommes et 406 femmes. Un très grand nombre de célibataires masculins de cette génération, appliqués pourtant à défricher des terres, ne trouveront jamais à se marier. Et c'est ainsi qu'au lieu des 14 638 résidents qu'une projection permettait d'espérer, le même recensement ne pouvait en dénombrer que 9 677.

Reste maintenant à dégager les caractères du peuplement des trente premières années. Pas plus alors qu'aujourd'hui, on ne quittait son pays d'un coeur léger. Il n'y avait pas en France

---

10. *RAPQ* 1930-1931, p. 161.

comme en Angleterre de dissidents religieux assez vivement animés contre la politique de la mère-patrie pour émigrer en groupes dans l'espoir de former une société plus juste et plus conforme à leur idéal évangélique. Jusqu'en 1685, les Huguenots ne montrent aucune inclination générale à s'exiler de France. Si la condition paysanne passait pour misérable, soit résignation à leur sort, soit manque d'initiative, les paysans français ne seront pas ceux qui rempliront les vaisseaux destinés au Canada. En fait, la Nouvelle-France ne bénéficiera d'aucun mouvement de masse ni d'aucune incitation, publique ou semi-publique, aux déportations en groupe. Pour les familles et pour les individus, la décision d'aller prendre racine sur un continent encore inculte a été libre et particulière. On partait, non par dépit envers la mère-patrie, mais en espérant un sort meilleur, dans une société qui ne cesserait pas d'être à l'image de la France.

La décision d'expatrier une famille est plus grave. Au début, un certain nombre de parents l'ont prise; mais quelques-uns y sont arrivés après l'expérience d'un premier séjour en Nouvelle-France: Abraham Martin, Pierre Desportes, Nicolas Pivert, Robert Giffard. Ils en attirèrent aussi d'autres avec eux. Souvent, le père, seul ou avec un fils, précéda le reste de la famille. Mais l'immigration familiale ne progressa pas au rythme de la colonie et montra quelque hésitation: 37 en 1632-1641, 46 en 1642-1651. Il fallait d'abord humaniser le pays. Celui-ci appelait des hommes de travail et non une surcharge intempestive de femmes et d'enfants. En 1652-1661, le nombre des familles immigrantes monte à 88. C'est que le pays n'est plus entièrement en friche. Des terres en valeur peuvent être prises à ferme et nourrir leur exploitant dès la première année. Québec commence d'avoir une fonction urbaine et, sur une échelle limitée, un père de famille artisan peut espérer dès son arrivée faire vivre sa famille par l'exercice de son métier. Outre les marchands, assez nombreux, un Jacques Boissel peut alors délaisser la culture du sol et fonder une boucherie. Pierre Soumande est à Québec un entrepreneur en maçonnerie. Des artisans nouveaux venus établissent la résidence de leur famille à la haute ville et non plus sur les côtes, par exemple Thomas Touchet, Louis Chapelain, Pascal Lemaistre, Isaac Bédard.

La décision de quitter la France est plus facile pour un homme seul, surtout s'il est jeune. Et il y en a de très jeunes, encore adolescents, même des enfants, à qui leurs parents ou leurs tuteurs permettent cette aventure, moyennant quelques garanties. Un grand nombre ont un métier, sortant d'apprentissage ou l'ayant exercé quelque temps. Ils ne sont pas toujours sûrs de le pratiquer outre mer. Mais l'esprit d'aventure aidant, ils sont prêts à faire toutes sortes de travaux, à être soldats, matelots, défricheurs, hommes à tout faire. Le célibat est l'état le plus fréquent de ces immigrants, issus en majorité des couches artisanales, moins attachées à un lieu et dotées de plus d'imagination et d'initiative. Même les filles n'hésiteront pas à venir, prêtes aussi au labeur. Parfois, leur père les accompagne; plus souvent un frère. L'espoir de trouver facilement un parti, dans ce pays d'hommes jeunes, a pu les motiver. Le caractère fortement individuel de cette immigration est souligné par la multiplication des mariages dans la colonie, qui double au moins les capacités naturelles des familles déjà établies. Les ménages se forment ici même: 32 mariages en 1632-1641, 92 en 1642-1651, 290 en 1652-1661. Pour ces personnes seules, la décision de rester en Nouvelle-France n'a pas besoin d'avoir été prise en France. C'est une assurance appréciable de stabilité. Plusieurs de ces hommes seuls ont adopté le pays, y vivant cinq, dix et même vingt ans avant de se marier[11], en quelques cas y achevant leur vie dans le célibat[12].

Quelle motivation économique a pu déterminer le choix de ces jeunes gens. Sûrement pas le désir de s'enrichir rapidement. Un La Salle, un Lamothe-Cadillac, qui ne sont pas de cette époque, pourront caresser un tel rêve. Mais la Nouvelle-France laurentienne de ce temps ne faisait miroiter aucune illusion de ce genre. Le commerce des fourrures fut une exploitation entièrement réservée à la compagnie des Cent-Associés et à la communauté des Habitants jusqu'en 1663. De 1632 à 1652, ce commerce a été exercé exclusivement par ces détenteurs du monopole et consacré au financement de l'administration publique. À partir de 1652, la traite des fourrures fut louée aux habitants particuliers au prix d'une moitié, puis d'un quart des castors traités. Ce quart payé obligatoirement, un autre quart tout au plus restait à partager comme profit, soit de 50 000 à 75 000 l., entre 200 ou 300

---

11. Par exemple, Guillaume Thibaut, âgé de 20 ans en 1638 et déjà au pays, qui se marie en 1655.

12. Par exemple, Jacques Gaultier dit Coquerel, charpentier, arrivé en 1636, Jean Yger, maçon, qu'on trouvait au pays en 1639, Nicolas Courson, qui sera huissier, présent en 1636.

familles. Il n'y avait là de quoi enrichir personne. On n'a d'ailleurs connaissance d'aucun enrichissement de ce genre à l'époque. Le motif le plus général d'opter pour le Canada, c'était l'occasion et la perspective de se tailler et de créer plus facilement qu'en France un patrimoine à léguer à ses descendants.

Il n'est peut-être pas indécent de parler d'un certain attrait qu'exerce la Nouvelle-France. En tout cas, plusieurs de ceux qui en ont fait une première expérience, l'ayant quittée pour un temps, reviennent s'y fixer. Nous avons rappelé les retours d'Abraham Martin, de Robert Giffard, de Pierre Desportes, de Nicolas Pivert. Olivier Letardif ne s'en éloigna que pour le temps de l'occupation anglaise. Les frasques de Nicolas Marsolet lui auraient bien mérité la corde, s'il avait osé reparaître devant Champlain. Assagi et marié en 1637, il obtint le pardon des Cent-Associés et amena à Québec sa jeune épouse, Marie Lebarbier. Antoine Brassard, marié à Québec, décida en 1638 de repasser en France avec femme et enfant; mais il revint dès 1641 multiplier au pays sa nombreuse lignée. Christophe Crevier, boulanger à Trois-Rivières, y résida avec sa femme le temps de son engagement et retourna en France en 1642; mais on le revoit en 1650 cherchant à s'établir à Québec, avant de reprendre le chemin de Trois-Rivières vers 1653. Charles Cadieu, emmené enfant et gardé par les jésuites à Sillery, y passa son adolescence. Accusé, probablement à tort, de vouloir enlever la femme de Ruette d'Auteuil, il fut renvoyé en France en 1650. Il s'y maria et emmena sa femme vivre à Québec en 1655. Jean-Paul Godefroy et René Robineau, mêlés aux affaires publiques, essuyèrent des insuccès humiliants qui semblent avoir motivé leurs départs pour la France. Mais si le premier et sa femme disparaissent ensuite, peut-être décédés, leur fille se fera ursuline à Québec. Quand au second, il reviendra avec sa famille. Cinq jeunes hommes au service des jésuites, Louis Gaubert, Ambroise Cauvet, Dominique Scot, Joseph Boursier, Louis Leboesme, retournèrent en France pour devenir religieux, puis ils obtinrent, après des intervalles plus ou moins longs, de revenir servir en Nouvelle-France. Louis Pinard, venu enfant et ayant assisté chez les Hurons François Gendron comme chirurgien, suivit son maître en France en 1650. Mais il reviendra en 1655 et exercera le même art à Trois-Rivières, où il épousa Madeleine Hertel. Adrien Duchesne, quittant le pays vers 1645, y envoya tout de même ses neveux et nièces Lemoyne. Plusieurs pères de famille, venus essayer le pays, y appelèrent ensuite leurs femmes et leurs enfants. Nommons seulement ceux qui nous viennent en mémoire: Pierre et Robert Foubert, Antoine Leboesme, Sébastien Hodiau. La Nouvelle-France n'a pas été sans exercer une fascination et Simon Denys en est un témoin, dans une lettre écrite à un beau-frère peu après son arrivée en 1651[13]. Il y eut probablement de cela dans le fait que, durant la troisième décennie, malgré l'accroissement de la population, on ne relève que 217 noms, une diminution par rapport à la décennie précédente, de personnes qu'on ne verra plus mentionnées au pays.

Quelle organisation concrète a régi l'émigration de France en Nouvelle-France? Se rappeler d'abord que la colonie laurentienne est au début l'oeuvre de la compagnie de la Nouvelle-France, ou des Cent-Associés. Formée sous l'inspiration des missionnaires ayant oeuvré au Canada de 1615 à 1627, cette compagnie fut assise sur le principe que l'évangélisation des peuples indigènes ne pouvait réussir sans l'assistance d'une colonie française et catholique, modèle de civilisation et noyau d'assimilation. La compagnie assuma la colonisation, oeuvre patriotique, pour favoriser l'évangélisation, oeuvre religieuse. De 1632 à 1645, c'est le bureau de la compagnie à Paris, qui prit à sa charge le financement entier de l'entreprise, y consacrant le capital investi par ses membres et comptant le développer grâce au monopole du commerce général, octroyé pour quinze ans, et à celui des fourrures, accordé à perpétuité. Pendant ces treize années, l'opération fut largement déficitaire, comme en témoigne la liquidation des dettes en 1643. Mais les actionnaires seuls furent obligés d'absorber le déficit. De 1645 à 1663, c'est la communauté des habitants de la colonie qui assuma toute la charge de son propre financement, grâce à la cession des monopoles du commerce — celui de commerce général n'ayant que trois ans à courir —, surtout de celui des fourrures. Hormis quelques sommes accordées à titre caritatif par Anne d'Autriche pour la protection militaire des missions, tout le développement de la colonie eut exclusivement comme soutien les ressources de la colonie seule pendant ces trentes années. C'est ce qu'il faut prendre en considération, pour apprécier justement les réalisations. L'opé-

---

13. Campeau, Lucien, «Un témoignage de 1651 sur la Nouvelle-France», *RHAF*, vol. XXIII, no 4 (mars 1970), pp. 601-612.

ration aboutira à un déficit financier, relativement peu considérable en regard des immobilisations faites.

Chargée de pourvoir la colonie de ses organes communs, la compagnie se trouva d'emblée le premier et le plus important employeur. Car ce sont les emplois qui seront la première amorce pour attirer les colons. De 1632 à 1663, l'appel de main-d'oeuvre ne semble avoir jamais été saturé. Et c'est ce qui a donné une si remarquable constance à l'immigration, croissant en proportion des besoins comme des ressources de la colonie. La compagnie dut former des garnisons, établir les communications fluviales, développer son commerce, défricher son domaine, distribuer les fiefs, organiser l'administration et la justice, construire les édifices communs: magasins, maison de ville, forts, églises. Tout cela requérait un nombreux personnel. En 1632, elle avait fait traverser 40 personnes. En 1633, le contingent dépassa assez la centaine. Tous, ou à peu près, étaient employés de la compagnie: soldats, matelots, commis, interprètes, défricheurs, bûcherons, scieurs de long, artisans de métiers les plus divers. Plusieurs se marient avant 1642: François Bélanger, Guillaume Bigot, Nicolas Bonhomme, Antoine Brassard, Jean Bourdon, Jamet Bourguignon, Robert Caron, Jean Côté, François Drouet, Denis Duquet, Claude Estienne, Jean Gouray, Martin Grouvel, Jean Jolliet, Noël Langlois, Olivier Letardif, Jean Nicollet, Claude Poulin, Jacques Selle. D'autres, sans se marier encore, demeureront, pour fonder plus tard des familles: François Bissot, Jean Brossier, Bertrand Fafart, Claude Herlin, Jean Levasseur, Nicolas Macart, Jean Noël, Jean Poisson, Guillaume Thibault, Toussaint Toupin. D'autres, simplement, resteront, célibataires à perpétuité: Nicolas Colson ou Courson, Jean Yger, Jacques Gaultier dit Coquerel, trois frères Boivin. Plusieurs des premiers chefs de familles immigrés furent, au début au moins, au service de la compagnie: Abraham Martin, Louis Sédillot, Charles Sevestre, Christophe Crevier, Adrien Dabancour, Thomas Giroux, Antoine Matifas, Nicolas Pivert, Antoine Salardin.

Au moins autant que les Cent-Associés, sinon davantage, la communauté des Habitants s'appliqua au développement et à la croissance du pays. Sans expérience pour assumer la lourde responsabilité de se conduire elle-même, elle fit des erreurs au début, montant une flotte maritime, se donnant une lourde administration. Mais de 1651 à 1663, elle s'acquitta fort bien de ses devoirs dans l'ensemble. Elle engagea d'abord des soldats, dont un grand nombre s'établirent au pays. Elle créa en 1648 un camp volant de 40 hommes, qui furent plus tard distribués dans les garnisons. Celles-ci furent pour elle une lourde charge. Mais les soldats vont jouer un rôle qui pourrait échapper à l'attention. Un nombre étonnant d'entre eux vont révéler des qualités qu'on aurait pu ne pas attendre d'eux. Les premiers secrétaires des gouverneurs, greffiers et notaires, furent des soldats: Delaville, Guitet, Bancheron, De Lespinasse. Rouer de Villeray commença comme soldat, fut secrétaire de Lauson, juge et enfin doyen du Conseil Souverain. Pierre Boucher fut interprète et soldat, puis juge et enfin gouverneur. Flour Boujonnier, soldat, servit comme secrétaire et notaire, avant de périr par la main des Iroquois. Gatineau-Duplessis, soldat à Trois-Rivières et à Montréal, sera un notaire connu. Outre la défense, la communauté dut maintenir la navigation fluviale. Si les maîtres de barque étaient des habitants, les matelots furent des engagés. Outre le commerce, confié à des commis, des habitants, elle fit des travaux qui exigeaient des ouvriers: restauration des forts, construction d'un nouveau magasin, érection du bourg de Trois-Rivières. À observer le développement de Québec et de Trois-Rivières au temps où Montréal, depuis 1653, consolide fébrilement son entreprise, on ne saurait dire quelle partie s'accroît plus vigoureusement. Tout au plus, Trois-Rivières est alors plus durement éprouvé par les Iroquois. Le soin d'amener des engagés s'avérant un trafic rentable, les marchands de La Rochelle le prirent à charge de 1655 à 1659. Le choix ne fut plus aussi soigneux que celui des agents de la communauté, qui eux-mêmes n'abandonnèrent pas entièrement ce service. Le résultat global est assez éloquent: cette croissance étonnante de la troisième décennie.

Les jésuites furent un employeur important. Dès 1633, on leur envoie dix hommes de travail. Robert Drouin, briquetier, semble avoir été l'un d'eux. Ils auront des hommes à leur service dans tous leurs postes. Quelques-uns deviendront frères coadjuteurs. Un plus grand nombre se donneront comme domestiques à vie. Les mêmes religieux ont plusieurs domestiques à gages, comme aussi des fermiers sur leurs terres: Thomas Hayot et Gaspard Boucher, Robert Drouin, Pierre Porchet, Pierre et Robert Foubert. Ils auront cette particularité qu'ils veilleront à l'instruction, non seulement religieuse, mais aussi profane, de leurs serviteurs, des enfants surtout. Pierre Boucher et Charles Lemoyne en sont les exemples les plus frappants, mais on en pourrait nommer plusieurs autres, par exemple Charles Cadieu, Louis Leboesme, Louis Pinard, Guillaume Couture, Antoine Desrosiers, Eustache Lambert, Jean Gloria, Médard Chouart. Les ursulines et les hospitalières, arrivées au pays en 1639, eurent aussi nombre d'engagés pour construire leurs maisons et mettre leurs terres en valeur.

Les Cent-Associés avaient la responsabilité d'ouvrir le pays à la civilisation. Outre les frais qu'ils firent pour organiser leur propre seigneurie, gardée immédiate sur le domaine de Québec, sur la ville et la banlieue du même nom et sur les terres environnant le fort de Trois-Rivières, ils cédèrent d'autres territoires en fief à des vassaux, qui eurent ainsi la charge d'organiser leur seigneurie. Ceux-ci deviennent des employeurs, non seulement pour la construction et le défrichement de leurs domaines, mais aussi pour l'encadrement civil et défensif de leurs censitaires. Bourgeois de quelque considération ou gens de noblesse modeste, ils trouvent place d'emblée au premier échelon de l'échelle sociale. Le cas de Robert Giffard est un exemple bien connu. Il fit défricher son domaine, construisit son manoir, érigea plus tard un village. Mais son action, avant 1640, témoigne d'un certain tâtonnement dans l'organisation d'une tenure féodale. Les Cent-Associés éprouvaient d'ailleurs les mêmes hésitations à Québec. Eux-mêmes et Giffard firent défricher des domaines, payant leurs employés en leur laissant la propriété d'une partie de leur travail. Cela obligera les employeurs à racheter ces lopins dispersés pour reconstituer les domaines intégraux. Après 1640, cependant, le régime paraîtra rodé et fonctionnera sans grincements. Au début, le plus important seigneur fut la compagnie de Beaupré, qui commença par organiser une ferme comme domaine. Elle y employa les trois frères Gagnon, peut-être aussi Joseph-Macé Gravel, leur futur beau-frère, et quelques-uns des premiers censitaires de Beaupré, Jean Cochon par exemple. Les seigneurs, gens venus au pays avec des fonds qui n'étaient pas négligeables, furent tous des employeurs, appelant des engagés de France. Pierre de Puiseaux, Pierre Legardeur de Repentigny, Jacques et Michel Leneuf, François de Chavigny de Berchereau sont connus comme tels. La menace des Iroquois ne leur laissera pas toute la latitude désirable, mais leur oeuvre reste marquante. Les seigneurs actifs vont se multiplier après 1650. Surtout les Lauson, père et fils, eurent une activité remarquable. Mais les seigneurs de Montréal, comme on le sait, se distinguèrent comme recruteurs d'engagés et comme organisateurs de seigneurie, surtout à partir de 1653.

Les simples roturiers ne manqueront pas d'initiative dans cette oeuvre du recrutement d'une population. Une fois leur établissement affermi, ils deviennent à leur tour des employeurs. Guillaume Couillard a une domesticité attestée depuis 1632. Les premiers habitants font valoir l'avantage de leur ancienneté en abordant des entreprises nouvelles et en confiant le soin de leurs terres à des engagés ou à des fermiers, ou bien encore en baillant des parties à rente. Le développement de la basse-ville de Québec est instructif à cet égard. Des habitants de Beaupré, de Beauport, de Notre-Dame-des-Anges, de Lauson, de la banlieue québécoise, de Trois-Rivières même acquièrent et bâtissent des emplacements dans ce quartier essentiellement commercial. Ils deviennent des chefs d'entreprise. Non seulement Jean Bourdon, l'entrepreneur le plus actif en 1655, mais aussi Mathurin Gagnon de Beaupré, François Bissot et Eustache Lambert de Lauson, Martin Grouvel de Notre-Dame-des-Anges, les Cloutier et les Guyon de Beauport, et plusieurs autres. Autant de patrons qui ont du travail à offrir aux immigrants. Les recensements de 1666 et de 1667 reflètent une tradition établie depuis plusieurs années. À Québec, les institutions et les notables ont nombre d'engagés. Mais on est surpris de la quantité des domestiques signalés sur les plus anciennes côtes. Un grand nombre d'habitants en ont un et même deux. Les entrepreneurs en ont davantage. Les côtes nouvelles, pour leur part, en ont moins. La situation aura considérablement changé en 1681. Sur toute la côte entre Québec et Trois-Rivières, pour 323 établissements, on ne trouvera alors que 44 engagés, le seigneur de Portneuf en occupant 12 à lui seul. Sur la côte de Beaupré, on comptait 66 engagés en 1666; en 1681, on n'en trouvera plus que 18. Sur l'île d'Orléans, contre 59 en 1666, on n'en verra que 9 en 1681. Avant 1666, il était fréquent de voir les plus anciens habitants engager de nouveaux arrivants, des adultes. En 1681, plusieurs enfants sont signalés comme domestiques. Mais domestique a peut-être ici son sens étymologique de membre de la maisonnée, plutôt que de serviteur. Les recensements de 1666 et de 1667 appelaient plutôt pensionnaires ces enfants sans famille recueillis par les habitants charitables. Se faire servir par des adultes sera devenu en 1681 un signe de distinction sociale. Mais cela pourrait aussi bien être un signe d'affaissement de la condition économique générale des habitants après la prise en main de la colonie par le Roi.

Formée en trente ans dans une forêt inculte à mille lieues de la mère-patrie et composée d'individus originaires d'une multitude de villes, de bourgs et de villages de l'ouest, du nord et même du sud de la France, la petite société coloniale, groupée autour de Québec, près de Trois-Rivières et sur deux lieues du littoral sud de Montréal, ne peut encore être bien nombreuse. Il est étonnant qu'en si peu de temps elle ait acquis une cohérence pareille: près de 3 000 personnes, moitié venues de France, moitié nées au pays, 488 familles libres, chacune possédant en propre des terres travaillées par elles et capables de les nourrir. Même si plus tard la vie sociale va se polariser autour des églises paroissiales, les seigneurs, en ces premières décennies, remplissent le rôle à eux assigné, celui d'agents de recrutement, de distributeurs de terres et d'organisateurs sociaux. Les côtes, avec quelques villages, y sont formées en communautés d'habitation, que fortifient les alliances matrimoniales, les habitudes d'entraide, le voisinage amical et les associations économiques. Côte de Beaupré, côte de Beauport, côte de Sillery, côte de l'île d'Orléans (rive nord), côte de Lauson, côte du Cap-de-la-Madeleine sont les divisions locales, hors de Québec et de sa banlieue, de Trois-Rivières et de Montréal. Il n'existe encore aucune paroisse canoniquement érigée, même s'il y a trois ou quatre fabriques reconnues. La région entière de Québec dépend de l'église du bourg, bien que des chapelles aient commencé de s'élever à Sainte-Anne, à Sillery, en banlieue sur la terre de Jean Bourdon et à l'île d'Orléans. À Trois-Rivières, l'église appartient aux jésuites, qui ont aussi une chapelle au Cap-de-la-Madeleine pour les indigènes et leurs censitaires. À Montréal, les offices ont lieu dans l'église de l'Hôtel-Dieu. Les jésuites ont desservi cette population dans l'église de Québec, à Trois-Rivières, à Montréal et sur les côtes, souvent en des maisons privées. Le clergé épiscopal commence à les remplacer en 1659 et les sulpiciens ont déjà pris la relève à Montréal en 1657.

C'est une intention missionnaire qui a inspiré la fondation des Cent-Associés et animé le peuplement. La collaboration de la population et des autorités avec les missionnaires a été une constante de ces trente années. Trois-Rivières est né comme poste missionnaire en même temps que comme fort de traite. Montréal est entièrement le fruit d'une volonté de participation directe des laïcs à l'évangélisation des indigènes. C'est aussi dans une vue principalement missionnaire qu'ont été créées des institutions qui par la suite vont rester au service de la population française et qui déjà l'encadrent en 1663: les deux Hôtel-Dieu de Québec et de Montréal, le monastère des ursulines. Marguerite Bourgeoys, avec des compagnes, a commencé son oeuvre d'éducation populaire. Au collège de Québec, les jésuites sont près d'aborder l'enseignement philosophique et théologique. L'administration civile a évolué avec la colonie, possédant un conseil composé en partie d'habitants depuis 1647, jouissant depuis 1645 de l'administration de ses finances et complétée par une organisation judiciaire depuis 1651. Deux gouverneurs secondent celui de Québec, à Trois-Rivières et à Montréal. Des garnisons protègent les trois postes. Le tout a cependant été couronné sur le plan religieux par la venue d'un évêque en 1659. Qu'il n'ait que le titre de vicaire apostolique, ce n'est qu'un problème européen, non colonial. En fait, il possède la même autorité qu'un évêque de France. Dernier trait à noter: le caractère paisible de ce développement. Une société humaine n'est jamais sans frictions et sans désaccords. Mais tout ce qu'on peut en relever ici n'a qu'une importance mineure. Aucune colonie, probablement, n'a connu un commencement aussi pacifique, aussi ordonné, aussi discipliné, un climat de collaboration aussi allègre. On ne peut signaler à l'intérieur aucune crise capable de mettre la communauté en danger. Tel est donc, en somme, le mérite des fondateurs, celui d'avoir mis dans les mains du Roi, en juin 1663, une société structurée et sachant vivre, qu'aucun autre organisme de la France de ce temps n'aurait pu former avec un succès semblable.

L'étole de monsieur Séguin

Madeleine Ferron

Elle est d'un jaune acide phosphorescent l'étole de monsieur Séguin, un de ces jaunes qui attire le regard mais l'irrite en même temps, une de ces couleurs ostentatoires qui signale l'officiant dans les processions religieuses. Brodée d'arabesques qui témoignent de la virtuosité d'une ursuline, frangée de fils dorés, bordée à l'encolure d'un biais de toile festonné, cette étole ne pouvait qu'enthousiasmer monsieur Séguin. Il manifesta son intention de la posséder avec cette façon, aussi discrète qu'opiniâtre, qui rend le plus voilé désir aussi effectif qu'un décret. On la lui offrit. Sans doute que de retour chez lui, il s'empressa d'expertiser le vêtement, le situa chronologiquement et décida du lieu de son origine grâce au style de sa décoration et à quelques détails, invisibles au profane. Puis il le rangea avec l'attention fervente qui caractérise ceux qui se sont donné la mission de recouvrer le patrimoine collectif. Malheureusement le sens religieux de monsieur Séguin n'est pas aussi développé que ses capacités intellectuelles. Il n'a pas perçu l'aura mystérieux, presqu'imperceptible, qui cerne l'étole d'une frange laiteuse comme tous les ex-voto des lieux de pèlerinages. Peut-être serait-il plus attentif s'il savait que cette parure pourrait, à juste titre, être suspendue près des prothèses et des béquilles qui garnissent les murs de la chapelle Sainte-Anne de Sainte-Marie de Beauce. Aux qualités esthétiques de l'étole s'ajoute cette dimension incommensurable autant qu'énigmatique qui émane de la thaumaturgie. Elle ne mérita pas de figurer aux cimaises de la chapelle parce qu'à cette époque, pourtant si proche de nous, le prêtre pouvait conjurer les sauterelles, attirer la pluie sur les récoltes compromises ou remettre les péchés des pénitents endurcis. Les autorités préféraient donc retenir et souligner un miracle concret et spectaculaire plutôt qu'un miracle préventif qui est par définition visuellement sans intérêt. Il fut tout de même reconnu que cette étole jaune attira l'attention sur monseigneur Georges-Léon Pelletier quand le radeau sur lequel il se trouvait s'enfonça à tribord dans les eaux subitement tumultueuses de la rivière Chaudière.

Cet événement sensationnel eut lieu en 1947 lors d'une procession sur l'eau, procession grandiose et pathétique qui laissa un souvenir indéfectible dans le souvenir des assistants.

Ils étaient au nombre de vingt mille, ce soir-là, rangés sur les berges de la rivière, sous la lumière tremblotante et diffuse d'innombrables lanternes chinoises ou blottis derrière de discrets bosquets, éprouvant toute la gamme des ferveurs, mêlant le sacré et le profane dans la plus humaine des confusions pendant que descendait romantiquement, au fil de l'eau, à la lueur orangée des flambeaux, le défilé inoubliable des soixante embarcations.

C'est l'abbé Victorin Germain (auteur méconnu d'un traité exhaustif sur la portée charnelle des 6e et 9e commandements de Dieu), alors vicaire à Sainte-Marie, qui, en 1927, avait pris l'initiative de donner à un pèlerinage conventionnel cet aspect solennel et théâtral. Son but était de stimuler la dévotion à sainte Anne, ce qui ne pouvait qu'augmenter l'affluence des pèlerins et, par voie de conséquence, renflouer les coffres vides de la troisième chapelle.

La première avait été construite en 1778. Les colons beaucerons, originaires de l'île d'Orléans et de la côte de Beaupré, avaient gardé la fâcheuse habitude de faire des promesses à la grande sainte Anne de leur lieu d'origine, engagement qu'ils ne pouvaient tenir à cause des distances et du mauvais état des chemins. La famille seigneuriale, de connivence avec les autorités religieuses, avait alors convenu qu'un pouvoir suffisamment fort peut être délégué sans trop d'inconvénients. La famille Taschereau concéda un terrain, paya pour la construction de la chapelle; les paroissiens, eux, défrayèrent le coût du mobilier et de l'ornementation. La statue de sainte Anne qui se dressa en 1778 sur l'autel du premier sanctuaire s'avéra être aussi puissante que celle de Beaupré, affirme l'abbé Honorius Provost, ce qui nous évite d'en douter.

Statuette de Sainte Anne en bois polychrome, attribuée aux Levasseur (Fonds Fabrique de Sainte-Marie).

Façade de la deuxième chapelle Sainte-Anne à Sainte-Marie (1826-1890) (Fonds Fabrique de Sainte-Marie).

La chapelle Sainte-Anne actuelle, construite en 1892 (Fonds Fabrique de Sainte-Marie).

Une tradition orale, aussi gaillarde que peu répandue, veut que cette première chapelle fut la concrétisation d'un voeu fait par la châtelaine, Marie-Claire Fleury de la Gorgendière, alors que la bécosse où elle se trouvait, allait être emportée par une débâcle subite. À cette époque la coutume voulait qu'on plaçât le cabinet portatif sur les glaces de la rivière afin de bénéficier du nettoyage expéditif des crues du printemps. Que ce soit l'éloignement ou le danger, ces raisons n'ont rien de prosaïque puisqu'elles donnèrent naissance à une si louable dévotion. La ferveur et le nombre des pèlerins dépassèrent les plus optimistes prévisions quand la pratique des dévotions se mit à porter intérêt. Dès 1781, un fond d'indulgences plénières avait été consenti par le pape. Les neuvaines prêchées, les vêpres chantées, les manifestations spéciales pour les malades rapportaient aussi des dividendes en petites coupures d'indulgences partielles applicables aux âmes du purgatoire. L'attachement au culte de sainte Anne tourna à l'engouement et prit une telle proportion qu'il nécessita bientôt la construction d'une chapelle plus vaste et mieux adaptée à sa fonction particulière. Bénite en 1832, elle était située au même endroit que la précédente. La famille Taschereau manifesta de plus en plus d'intérêt pour un sanctuaire qui devenait en même temps la crypte familiale. Elle rapporta de Rome, en 1837, un reliquaire très bien garni. Il contenait des fibres des vêtements de saint Joseph, de la vierge Marie, de Claire d'Assise, des fils du cordon de saint Antoine de Padoue, des effiloches de la pourpre de Charles Borromée et des ossements de saint Louis de Gonzague. Une parcelle de l'auriculaire de sainte Anne eut droit à un reliquaire particulier. La réputation du deuxième sanctuaire ne tarda pas à se répandre dans les comtés avoisinants. Le récit des faveurs obtenues, des miracles observés, excita la curiosité tandis que les privilèges concédés aux pèlerins stimulèrent leur intérêt. Des avantages plus profanes les attiraient aussi. Les rassemblements, c'est reconnu, provoquent des plaisirs multiples et imprévus aussi furtifs que spontanés.

Les autorités, tant civiles que religieuses, se trouvèrent de nouveau confrontées devant une réalité manifeste: le deuxième sanctuaire ne suffisait plus. Misant définitivement et aveuglément sur l'avenir, elles décidèrent de rebâtir une troisième fois en 1892 en faisant contribuer toutes les paroisses afin que le culte de la bonne sainte Anne devienne régional. Il le devint. Et les pèlerinages se succédèrent jusqu'en 1937.

Malheureusement les rites et coutumes se figèrent peu à peu en une formule qui, toute édifiante qu'elle fut, n'en commença pas moins à lasser la population. La bonne sainte Anne continua de faire des miracles mais cela allait de soi puisque c'était son métier. On en vint aussi à considérer les indulgences comme une créance garantie. Le côté profane des célébrations s'accentua aux dépens de son caractère sacré. Les deniers prévus pour les coffres de la chapelle furent bientôt drainés vers les tiroirs-caisses des auberges. Les décorations de la chapelle ternirent à chaque année davantage et des lézardes révélatrices signifièrent inexorablement qu'un coup de barre devait être donné si on voulait éviter le désastre. C'est alors qu'on pensa à l'abbé Germain. Ses qualités de publiciste et d'organisateur étaient reconnues dans tout le diocèse. On ne pouvait espérer plus efficace timonier. Le mot n'est pas une métaphore, à peine une exagération, mais il s'impose puisque c'est lui, l'abbé Germain, qui eut l'idée originale et déterminante d'organiser les processions sur l'eau. Monseigneur Lebon, dans la revue «Mon Village», consigna aussitôt les élans poétiques que lui inspira une si remarquable innovation.

> Je l'aperçois dans ton onde limpide
> La douce église où j'allais prier Dieu
> Et la chapelle où ma rame rapide
> Me dirigeait, le soir, par un ciel bleu.

Le ciel était-il bleu? Aucun témoin ne peut confirmer cette allégation étrange puisque personne n'observa la voûte céleste au soir de la première. Les assistants, médusés, regardaient silencieusement les chaloupes aller au fil de l'eau dans le miroitement de la lueur des flambeaux pendant que les refrains pieux s'amplifiaient capricieusement dans l'humidité onctueuse. Ce fut un succès qui n'alla plus qu'en augmentant avec les années, le nombre des embarcations et le luxe de leur décoration. Les chaloupes furent remplacées par des pontons flottants supportés par des barils d'huile vidés de leur contenu ou par des barques attachées l'une à l'autre. La fête de la bonne sainte Anne devenait un événement d'une telle notoriété que le cardinal Villeneuve ne put résister à l'envie d'y participer. On eut ainsi, en 1933-34-35, un défilé de plus en plus important. Un ponton flottant portait la chorale, un autre la statue de la sainte dans un décor inspiré, quelques chaloupes allégoriques étaient des trésors d'imagination et plusieurs, plus traditionnelles, transportaient des «tableaux vivants». Une femme grisonnante et respectable posait une main altière et ten-

Processions sur la rivière Chaudière en 1933 (Fonds Fabrique de Sainte-Marie).

Processions en l'honneur de Sainte Anne sur la rivière Chaudière en 1947
(Fonds Fabrique de Sainte-Anne).

dre à la fois, sur l'épaule d'une jeune vierge Marie, blonde, timide et glorieuse. Le cardinal occupait le dernier chaland, paré de ses plus beaux ornements sacerdotaux. Il se tenait très droit, la tête relevée dans les faisceaux de lumière que projetait du rivage le photographe du village. Jets minces et vifs qui s'agitaient dans la lueur tremblotante des torches et flambeaux et la clarté diffuse des lanternes chinoises. L'émotion était si grande que la rivière se serait asséchée d'elle-même pour faciliter l'accostage des dignitaires à la chapelle Sainte-Anne que personne ne s'en serait étonné.

Il est universellement reconnu que les intentions les meilleures entraînent quelquefois des résultats imprévus. Il suffit souvent d'une inspiration malvenue, d'un geste impulsif ou d'un élan incontrôlable pour détraquer l'enchaînement logique des causes les plus nobles vers des effets désastreux. Les jeunes gens s'émerveillaient bien au passage de la procession, éprouvaient assurément une profonde piété mais la présence des jeunes filles venues des villages voisins transposait la ferveur de leur dévotion en de condamnables effusions. Ainsi durent en convenir les confesseurs des différentes paroisses quand ils compilèrent et analysèrent, entre eux, tous les péchés avoués dans les confessions post-pèlerinage. En conséquence les processions sur l'eau furent interrompues en 1936 au grand regret des organisateurs qui argumentèrent en vain que la somme des grâces obtenues dépassait largement le montant des peines encourues.

Pour la célébration de la semaine de sainte Anne de 1937, on revint donc aux cortèges traditionnels, lesquels facilitent une plus grande participation. Les nombreuses confréries paradant en corps constitués obligent ainsi les pèlerins à s'identifier à un groupe particulier. La Ligue du Sacré-Coeur précède les Dames de Sainte-Anne, le Tiers-Ordre côtoie les Enfants de Marie. Chacun rivalise avec l'autre pour la qualité du chant de ses cantiques ou la quantité de ses évocations, ce qui stimule la coopération et favorise l'élévation des esprits.

Tout alla bien durant quelques années mais le temps, c'est prouvé, éveille la nostalgie et patine les souvenirs heureux des plus précieux reflets. Le désir de revivre l'événement regretté, de retrouver l'ambiance féérique des processions sur l'eau devint bientôt irrésistible. La volonté populaire se fit si pressante que les autorités religieuses durent céder à ses exigences en 1947.

Chacun dans le secret de son inconscient avait prévu sa collaboration. Malheureusement sur les plus nobles desseins se greffent quelquefois de mercantiles intérêts ou des attitudes peu honorables. La fierté de certains participants tourna à la vanité, des industries trouvèrent l'occasion trop belle et ne purent résister à l'envie de mousser leur publicité. L'ambition tourna à la surenchère, les rivalités se traduisirent par des extravagances et les organisateurs de la procession devinrent présomptueux ou imprudents. Les pontons posés sur les chaloupes devinrent des plates-formes énormes. Quelques-unes avaient des superstructures, d'autres des voilures. Soixante-trois embarcations prirent le départ. On éteignit les lampadaires de rue pour que l'obscurité ambiante ajouta à la féérie des lueurs irradiantes et diversement colorées qui émanaient des lanternes, torches et flambeaux. Monseigneur Georges-Léon Pelletier, alors évêque-auxiliaire de Québec, était l'illustre invité et le principal officiant. On le pria donc de monter sur la plate-forme du dernier chaland. Les eaux de la rivière étaient très hautes. On put ainsi, sans risquer d'accrocher le fond plat de la Chaudière, doubler le nombre des dignitaires qui entourèrent le prélat. La procession était sublime. La plus petite embarcation rivalisait d'ingéniosité et de splendeur avec les plus grosses. Le défilé incomparable descendait lentement au fil de l'eau sous les regards ébahis de la foule exaltée quand se leva du sud-ouest un vent sournois qui augmenta subitement d'intensité. En un rien de temps il fut d'une impétuosité, d'une violence qui disloqua aussitôt le cortège. Quelques embarcations incontrôlables allèrent s'échouer dans les broussailles de la rive, celles qui avaient une voilure tanguèrent dangereusement et les superstructures s'inclinèrent de périlleuse façon. Et la foule bouleversée eut soudainement sous les yeux la perspective d'une catastrophe. Chacun se mit à courir en tout sens, le long de la rive, secourant les figurants désemparés qui se tenaient accrochés aux broussailles de la berge. Le projecteur du photographe énervé balayait la procession démantelée de faisceaux lumineux trépidants et précipités. À la hauteur de la dernière embarcation, on entendit, tout à coup, des voix histériques: «Pognez-les! pognez-les! Ils vont se néyer...» Le radeau ecclésiastique allait culbuter les dignitaires dans l'eau froide de la rivière sans que personne ne s'en soit aperçu, n'eut été l'étole de monseigneur Pelletier qui flottait déjà sur les flots. C'est la tache jaune lumineuse, accrochée de justesse par la lumière du projecteur qui fit découvrir l'ampleur du désastre qui se préparait à l'arrière-train de la procession. Et c'est ainsi, grâce à cette miraculeuse étole, que monseigneur Pelletier et tous ses acolytes furent rescapés.

La mort:
le réel et l'imaginaire
en Charlevoix

Yvan Fortier

Notre participation, à l'été 1975, au Projet d'analyse et d'inventaire des sites et arrondissements géographiques, nous a amené à préparer et à rendre à terme une enquête ethnographique auprès d'une cinquantaine d'informateurs du comté de Charlevoix. Couvrant la majeure partie des domaines de l'ethnographie, cette enquête de survol nous a permis de recueillir, entre autres données, des éléments relatifs à la pensée populaire autour de la mort.

Nous avons ainsi récolté les composantes du cycle coutumier entourant le phénomène thanatique. L'ampleur d'une telle enquête nous imposait évidemment une économie des techniques de cueillette. Aussi n'écrivions-nous que les données maîtresses, résumant les légendes, par exemple, à la succession de leur motifs.

Pour la commodité de la lecture, nous avons attribué un numéro à chaque informateur. Aussi le texte nous réfère-t-il, le cas échéant, à l'un ou l'autre informateur par le numéro qui lui correspond.

Liste des informateurs (et leur âge en 1975):

A. Saint-Fidèle[1]

1- Joseph Tremblay, 77 ans
2- Orias Carré, 70
3- Jean-Charles Savard, 66
4- Andrée Tremblay, 27
5- Alcide Dassylva, 71
6- Maria Tremblay, 84
7- Yvette Allaire, 45
8- Charles Bergeron, 53
9- Alcide Tremblay, 82
10- Marie Laprise, 77

11- Jacynthe Savard, 23
12- Judith Savard, 51
13- Alberta Lavoie, 70
14- Arthur Brisson, 77
15- Joseph Bergeron, 78
16- Cécile Desbiens, 26
17- Charles Lavoie, 68
18- Fidèle Savard, 54
19- Adjutor Dassylva, 54

B. Sainte-Agnès

20- Jean-Marie Lavoie, 37
21- Roger Ouellet, 59
22- Elzéar Tremblay, 77
23- Jean-Louis Rochefort, 33
24- Cécile Néron, 45
25- Thomas Tremblay, 70
26- Henri Murray, 53

27- Eddy Néron, 43
28- Agnès Tremblay, 69
29- René Murray, 49
30- Arthur Tremblay, 55
31- Roméo Tremblay, 75
32- Freddy Tremblay, 72
33- Wilbrod Harvey, 73

C. Saint-Urbain

34- Éléonore Tremblay, 72 ans
35- Joseph (Émile) Fortin, 86
36- Fernande Fortin, 41
37- Lorraine Labbé, 49
38- Aline Simard, 46
39- Eugène Simard, 64
40- Lise Tremblay, 30

41- Lucie Tremblay, 46
42- Joseph-Henri Girard, 70
43- Simone Bradet, 49
44- Jacques Fortin, 28
45- Claudine Labbé, 17
46- René Girard, 65
47- Ambroise Girard, 85

D. Petite Rivière Saint-François

48- Joseph Tremblay-Pierre, 66 ans
49- Ludger Bouchard, 71
50- Philippe Bouchard, 78
51- Benjamin Bluteau, 63

52- Wilhelmire Bouchard, 74
53- Hervé Côté, 40
54- Xavier Lavoie, 75

---

1. Nous tenons à souligner la participation de M. Robert Bouthillier à nos enquêtes dans les paroisses de Saint-Fidèle et de Sainte-Agnès. Il y a rencontré les informateurs 2, 3, 6, 7, 8, 11, 12, 13, 14, 18, 21, 22, 23, 27, 28, 31, 32.

— I —

L'homme et l'univers traditionnel

Le groupement humain présente cette particularité de situer son implantation dans le milieu naturel en termes de position du «moi», ou du «nous» collectif, vis-à-vis la nature ambiante, d'une part, et en termes de durée, d'autre part. Cet individu, ou cette collectivité, envisage les moments de son existence comme autant de maillons consécutifs d'une suite temporelle allant du passé à l'avenir. Son existence, prise dans son entité, n'est elle-même qu'un segment de la durée des générations. Le savoir transmis et la capacité d'action organisée sur le milieu ambiant forment le noyau d'un univers culturel à l'image de son initiateur. Il s'agit d'un univers «réorganisé», nommé et discipliné par le discours mental de l'humain. Mais ce milieu «culturel» ne forme, en réalité, qu'une enclave au sein de la nature sauvage, dont les sursauts imprévisibles menacent l'existence de la sphère «culturelle». La société des hommes doit donc veiller à l'établissement et au maintien d'un équilibre constant entre la force brute de l'univers donné, c'est-à-dire la nature, et la fragilité relative de l'univers acquis et construit, à savoir le milieu de culture.

L'univers traditionnel se partage en fonction de deux pôles d'attraction. Le milieu vital du groupement humain propose sa transparence relative, sa clarté organisée issue de l'application des lois du groupe. C'est un cadre sécurisant et maîtrisé dont le côté «diurne» entre en contraste marqué avec le caractère «nocturne» et incontrôlé du milieu naturel global.

Cette opposition relative «culture-nature» résulte, il faut le préciser, du discours humain, donc d'une visée culturelle. La bipolarité que véhicule cette pensée trouve son modèle initial dans l'effet du sentiment intérieur que l'homme peut avoir de lui-même. Ne se perçoit-il pas comme être de volonté, d'une part, tout en étant remué par d'incontrôlables tensions, d'autre part? Ce tiraillement intérieur issu du jeu de la capacité volontaire et des propensions instinctuelles de l'homme soulève la question de la violence naturelle et son rapport à la survie du groupe.

L'univers du désir et de l'instinct accuse un fonctionnement à courte échéance en raison de la recherche d'une satisfaction, la plus immédiate possible, à un besoin ressenti. Tout ce qui fait obstacle au processus de satisfaction entre dans un rapport d'adversité avec l'être de désir. Une situation de violence s'ensuit. Or, ce type de montée passionnelle peut mettre en péril l'existence du groupement. La communauté dispose alors d'interdits et de lois visant à canaliser et contrôler cette portion de l'individu qui le rattache à la nature par son côté imprévisible et méconnu.

Dire que la survie du groupe est conditionnelle au règne de la volonté, c'est inscrire toute cette problématique à l'enseigne d'une notion clef, celle du temps, de la durée. Les pulsions instinctives visent à la conservation ponctuelle de la vie, mais la volonté trouve son champ d'exercice dans la durée, dans l'épaisseur temporelle et par delà même, dans l'infini. Théoriquement toute puissante, la volonté faillit pourtant dans la réalisation de ses arrêts à cause de l'intime proximité de l'instinctuel contrecarrant, à tous moments, le projet fixé par l'être de raison. Cette antinomie de principe est à la base de la distinction de l'âme et du corps.

La distinction âme-corps

Comme le souligne, à juste titre, Jean Ziegler dans *Les vivants et la mort*, la conscience et son support physiologique, le corps, ne partagent pas un commun destin. Le corps est irrémédiablement engagé dans un processus de vieillissement qui le conduit, tôt ou tard, à l'anéantissement, tandis que la conscience ne se trouve en rien diminuée par le passage du temps:

> Tout se passe au contraire comme si la conscience était destinée à être éternelle, mais encore son activité irait croissant avec les années, en ampleur et en intensité. En d'autres termes, il semble que la défaillance du corps entraîne la conscience comme malgré elle dans une aventure qui ne la concerne pas[2].

Cette dichotomie profondément inscrite dans l'humain confine le corps à demeurer sous l'empire du temps, alors qu'un au-delà de la durée s'ouvre à cette portion de l'homme qui échappe au ponctuel. Or, les deux destins s'accomplissent au moment de la mort, lorsque le corps perd les attributs et les manifestations rattachés à l'exercice de la vie.

Lorsque l'être de conscience, l'être de volonté, le principe régulateur se sépare du corps, tombant aussitôt à l'état de cada-

---

2.   Jean Ziegler, *Les vivants et la mort*, Paris, Seuil, 1975, p. 270.

vre, il s'ouvre «une brèche dans le système de protection élevé contre la nature et la sauvagerie[3]».

Le corps, laissé à lui-même, peut devenir une «chose» violente et agressive. C'est alors le caractère nocturne de l'être humain qui se manifeste. En fait foi ce récit rapporté par Anatole Le Braz, dans *La légende de la mort*[4], et qui met en scène une jeune fille commettant la maladresse de ravir à un mort son linceul. La vengeance de celui-ci est terrible puisqu'on retrouve le corps de la jeune fille déchiqueté.

Par ailleurs, le corps sans âme ne fait pas toujours montre d'une propension aussi sanguinaire. Il demeure, cependant, sensible à l'état de frustration qui est le sien, car il ne peut satisfaire cette partie de l'être humain qui, au cours de la vie active, est le siège des désirs et des instincts:

> Mort singulière, qui maintient les êtres sur place et les transforme en avides spectateurs! Ainsi la mort est une sorte de paralysie du corps, dont l'âme, privée de tout instrument physique, ne s'écarte pourtant que bien peu: elle est, dès lors, en peine[5].

Le corps est donc amené, à travers la mort, sur la pente d'une sorte de sommeil inquiétant au sein duquel la pensée populaire se refuse à ne voir que la mort brute:

> Il y a ceux qui croient à la continuation dans le cadavre d'une certaine forme de vie et de sensibilité, au moins tant que les chairs sont conservées et que le corps n'est pas réduit à l'état de squelette desséché. Ceux-là reconnaissent implicitement une composition de l'être qui ne se réduit pas à l'union du corps et de l'âme. Le peuple a d'ailleurs longtemps répugné à admettre que la perte de l'âme privait le corps de toute vie[6].

Ariès souligne, à ce sujet, la curieuse demande d'un veuf aux fossoyeurs de porter doucement le corps de son épouse défunte, afin de ne lui faire aucun mal. De semblables remarques pourraient être relevées à l'époque actuelle.

---

3. Philippe Ariès, *L'homme devant la mort*, Paris, Seuil, p. 598.

4. Anatole Le Braz, *La Légende de la mort*, Paris, Honoré Champion, 1945, t.I., pp. 277-285.

5. André Varagnac, *Civilisation traditionnelle et genres de vie*, Paris, Albin Michel, 1948, p. 220.

6. Ariès, *op. cit.*, p. 349.

Le discours populaire sur la mort intègre donc diverses données. Après la mort, le corps vit toujours; il vit à la façon de la nature, aux prises avec certains besoins fondamentaux que comblent des satisfactions élémentaires. Le linceul, par exemple, protège le cadavre du froid. L'âme, la puissance volitive, accède à un au-delà de la temporalité qui convient à sa propre envergure, après avoir été associée à un corps appelé au dépérissement inéluctable, conséquence de la durée. Mais la mort marque-t-elle réellement la fin de cette union de l'âme et du corps?

Le corps «spiritualisé» par la mort

Suite au départ de l'âme, le cadavre n'en garde pas moins un certain niveau d'existence grâce à ce qui pourrait s'identifier comme un principe animal ou «naturel» de vitalité. Le discours collectif autour de l'événement thanatique soulève l'importance de l'ensevelissement en tant que marque de respect à l'égard du défunt. Les vivants tentent de procurer au mort tous les éléments nécessaires à sa satisfaction. Les prières et les messes visent à ménager à l'âme un au-delà qui lui soit, sinon agréable, du moins acceptable.

Il importe de donner des soins au cadavre. Le Braz rapporte cette légende, selon laquelle un mort qui avait été déposé dans son cercueil, en ayant un bras replié sous lui, se manifeste sous sa forme corporelle à son ensevelisseur. Le revenant lui demande de recommencer son travail, ce qui fut fait[7].

C'est là un exemple de manifestation corporelle au sens plein du terme. Elle suit de près la mort de l'individu.

Le discours légendaire s'attache à d'autres types de manifestations, à mesure qu'on s'éloigne de l'instant du trépas. La présence du revenant se signale aux vivants par l'intermédiaire de bruits, de perceptions tactiles ou visuelles. Les manifestations corporelles, lorsqu'elles se produisent encore à cette étape, perdent souvent de leur intensité. Tantôt ce sont des parties de corps (bras, jambe, tête...) qui s'offrent au regard du vivant, tantôt c'est le corps qui s'évanouit graduellement dans un mirage fantômatique. L'on serait presque tenté d'affirmer que le discours légendaire traditionnel traite de la corporéité du trépassé suivant

7.   Le Braz, *op. cit.*, pp. 217-218.

l'expérience intime des vivants qui, au fil du temps, oublient quantité de détails rattachés à l'apparence des disparus.

Le discours populaire sur la mort n'exclut pourtant pas de son idée d'âme, tout rappel corporel. Ariès signale la persistance de cette notion du «repos» des morts, comme si le corps continuait à partager le sort de l'âme. L'idée de purgatoire viendra, au XVIIe siècle, relayer celle de repos et les âmes confinées en ce lieu auront à subir des souffrances corporelles. Mais le corps dont il est question est aspiré dans l'univers de l'au-delà, celui de l'âme, à l'inverse du monde des vivants où l'âme est incarnée et soumise aux pressions de son support physiologique.

La notion populaire de l'âme se construit donc à travers une représentation imaginaire de sa réalité. Le monde traditionnel se fonde sur une représentation concrète pour penser l'âme. Cette enveloppe corporelle que la pensée populaire donne à l'âme est, en réalité, un corps spiritualisé par la mort. C'est ce qui explique, qu'au soir de la Toussaint, les âmes viennent prendre la nourriture qu'on leur a laissée sur la table de chaque demeure[8].

Le dilemme de l'intégration au monde des trépassés

La pensée populaire tient un discours qui s'efforce, manifestement, de présenter la mort comme un événement qui touche l'appareil social dans son ensemble. Le mourant n'est donc pas abandonné dans la mort, mais accompagné jusqu'à l'extrême limite séparant l'en-deçà de l'au-delà. La collectivité s'impose même l'accomplissement de certains devoirs pour assurer au trépassé une tranquilité relative, suffisante pour le détourner de la jouissance de la vie «corporelle» des vivants.

La société des vivants veille à éviter tout état de frustration dans lequel pourrait se trouver un trépassé. En effet, les morts réclament leur dû «en faisant peser sur les vivants la menace de sanctions redoutables, parmi lesquelles la maladie et la mort[9]». C'est ce qui fait dire à un informateur du comté de Charlevoix qu'il faut prier pour les morts et payer des messes à leur intention afin de «s'en préserver» (inf. 3). L'agression des morts envers les

8. *Ibid.*, t. II, p. 118.

9. Varagnac, *op. cit.*, p. 219.

vivants ne prend forme que dans les cas où des âmes subissent une quelconque souffrance dans cet univers parallèle auquel, à cause d'une faute non réparée, elles ne peuvent s'intégrer pleinement. C'est en accédant aux demandes des morts que les vivants aident ceux-ci dans leur processus d'intégration à leur nouveau groupe.

La dialectique vivants-trépassés

Le réseau d'échanges qui unit les participants, morts ou vifs, de la collectivité des humains traduit une bipolarité fondamentale exprimée en termes de «Bien» et de «Mal». Relèvent du premier pôle le rituel mortuaire, accompli par les vivants, pour installer le défunt dans un nouvel univers, ainsi que leurs réponses positives aux demandes des trépassés. L'aide qu'apportent les morts aux vivants sous forme de support physique et moral, d'avertissement ou de services divers — comme l'explique P. Jacob dans *Les revenants de la Beauce*[10] — appartient à cette sphère du «Bien».

Au contraire, le manque de respect du vivant envers le trépassé, le trouble qu'il peut jeter dans le repos des morts et l'agression des vivants par les âmes en peine, se rassemblent sous le principe du «Mal». Cela coïncide, en réalité, avec un bris des liens d'une communauté à l'autre créant, entre les deux, un rapport chaotique d'opposition.

L'ensemble des relations bénéfiques à l'un et à l'autre groupe repose sur la particularité de chacun et sur le type d'aide que ces deux milieux différents peuvent s'accorder. Mais la puissance des uns, celle des morts, dépasse de beaucoup celle des autres. Si les vivants peuvent aider les trépassés à la suite des demandes que ceux-ci formulent, par le biais de manifestations diverses, ils n'en sont pas moins «obligés» d'accorder leur secours. Les morts peuvent, en effet, assortir leurs demandes d'un réseau de «peurs» et de menaces que n'osent contrecarrer les vivants. Sous ce rapport de l'échange dialectique entre les vivants et les trépassés, le discours explicatif des humains reproduit, en exemplaires multiples, le modèle du «stimulus-réponse».

---

10. Paul Jacob, *Les revenants de la Beauce*, Montréal, Le Boréal Express, 1977, pp. 66-71.

L'enjeu: l'exercice de la vie

Les morts, ces spectateurs forcés devant le déroulement de la vie, en viennent à contester aux vivants l'exercice même de la vie, lorsque ces derniers se refusent à accorder leur aide aux âmes en difficulté.

La perte de la vie est un événement frustrant pour l'être affecté, puisque la jouissance des biens matériels devient impossible quand bien même le désir demeure. Malgré le réseau d'avertissements qui préviennent les humains de l'imminence de la mort, une question fondamentale demeure. Les avertissements annoncent la proximité du trépas, tout en soulignant son caractère inéluctable, mais n'expliquent jamais pourquoi tel individu, plutôt que tel autre, doit subir ce phénomène.

Le discours populaire sur la mort envisage l'événement thanatique, sous le rapport de la *nécessité*, comme une loi de l'espèce. Mais cette pensée ne réussit pas à évacuer du champ de questionnement, à moins de s'en remettre à la décision indiscutable d'un quelconque principe général, le problème du *hasard*. Elle le dissimule plutôt par son effort monumental d'explication.

Cette question irrésolue — pourquoi tel individu meurt-il? et pourquoi à ce moment? — marque la limite de l'univers «culturel» des hommes organisés en société. C'est la brèche ouverte sur la nature inconnue et arbitraire, car ni la mort ni la nature ne sont contrôlées par le groupement humain. Le malaise que laisse cette question transparaît en filigrane dans le discours populaire. Ce pouvoir de vengeance des morts sur les vivants qui n'acquiescent à leurs demandes, n'est-il pas le signe d'un sentiment confus de l'injustice de la mort? Et partant, les vivants ne se sentent-ils pas cette obligation de tout faire pour réduire l'état de frustration provoqué par le trépas? Ne doivent-ils pas garantir, autant que faire se peut, l'accès des trépassés au monde matériel?

Le compromis et l'équilibre

Le droit d'être visible, de parler, de jouir, de sentir, en un mot le droit de vivre et de participer entièrement au monde corporel, n'entraîne-t-il pas pour les vivants l'obligation de payer un certain tribut aux trépassés? Il semble que l'équilibre précaire entre la communauté des vivants et celle des disparus, dont la puissance est redoutable et même tyrannique dans certains cas, passe par une formule de compromis. Elle consiste à accepter de bon gré ces retours inévitables des morts, en prenant soin de les inscrire à l'intérieur de l'univers organisé et systématique des êtres d'en-deça. La mort, pas plus d'ailleurs que la nature incontrôlée, ne peut être admise d'emblée dans le cercle restreint du monde «culturel» de l'homme vivant. En serait-il autrement que la mort, devenue sauvage, cesserait de prévenir et relèverait d'un pur hasard. Phénomène imprévisible à impact individuel, la mort cesserait de s'intégrer à un destin planifié pour devenir la brisure ou la cassure d'un projet de vie. Elle serait une violence pure justifiant toutes les violences[11]. Et par là même, se trouverait détruite la notion de société qui implique l'abandon de la violence instinctive au profit de la coopération des parties pour le bien de leur union et, plus simplement, pour leur survie.

Le discours traditionnel sur la mort indique clairement les moments où peuvent avoir lieu les retours des trépassés. La Toussaint et le carnaval appartiennent à ces instants. Les morts peuvent alors accéder au monde d'en-deça et en partager, pour quelque temps, la jouissance avec les vivants. Les échanges dialectiques des deux groupes visent donc à perpétuer une société au sein de laquelle les rapports de violence sont interdits et associés, finalement, à la notion du «Mal».

---

11. Il serait intéressant de voir jusqu'à quel point les classes dominantes occidentales perçoivent la mort comme un ennemi violent de leurs projets économiques. Aussi peut-on comprendre que celles-ci perpétuent la violence par l'exploitation systématique du monde ambiant, hommes et choses. Dès lors, les notions de «culturel» et de «naturel» cèdent le pas à celles de «travail» et de «profit».

II

Le temps a son épaisseur et ses strates que nous découvre progressivement l'enquête ethnographique en un lieu donné, ici, Charlevoix. «Le mourir» a changé, là comme ailleurs — quoique dans de moindres proportions — et la communauté locale tend à s'éloigner du processus de la mort qui relève, désormais, du ressort privé. Les hôpitaux y tiennent le rôle de «boîte à mourir» et la mort n'est-elle pas aussitôt arrivée que l'industrie postmortuaire dispose du cadavre avec efficacité, submergeant cet événement traumatisant sous les allures d'une beauté consolatrice.

Charlevoix vit à l'heure des grands modes urbains de l'activité thanatique; un questionnement sociologique nous révélerait, sans doute, des éléments de persistance d'un passé relativement récent. La structure de cette collectivité non atomisée lui permet encore de percevoir le vide social qu'entraîne la mort d'un individu. La mort qui survient ne se limite pas à la disparition d'un travailleur — consommateur, au sein d'un engrenage économique; c'est aussi la brisure d'un segment du tissu social restreint qui l'environne. La mortalité ne se range pas, semble-t-il du moins, sous la rubrique du fait divers...

La société traditionnelle avait pourtant hissé la mort au-delà de la banalité d'une opération bancaire de retrait. Le phénomène thanatique s'intégrait à l'ensemble de la fonction active de l'humain, c'est-à-dire la vie. Aussi tendait-on à se familiariser avec sa réalité, non seulement par le biais de l'orchestration des éléments entourant la mortalité, mais aussi au moyen des prévisions émises au sujet de son avènement et par la constatation des manifestations postmortuaires. Les choses se passaient comme si la mort n'était qu'un différent mode de vie relié, par l'instant du mourir, à la continuité temporelle du vivre terrestre. Le clivage d'un état à l'autre était certain — la rupture de la vie étant une donnée empirique — cependant que cette certitude se renforçait d'un réseau d'avertissement signalant à l'individu l'imminence de son trépas. L'étrangeté de la mort se trouvait, par là, surmontée.

La mort et la prémonition

La mentalité traditionnelle présente la mort sous un jour où celle-ci ne peut demeurer imprévue; on essaie d'en extirper la notion de *hasard*, en unifiant l'univers connu sous le pôle de la *nécessité*.

Comme dans le reste de l'univers mental traditionnel, la *finesse* du héros de conte auquel tout homme s'identifie secrètement, vise à intuitionner, anticiper et découvrir les intentions de l'autre (en tant qu'être humain) et de l'Autre (en tant que force générale de la nature, intelligence ou divinité).

1.   La communication et l'avertissement

— Alors qu'il est éloigné, «x» apprend que son père agonise. Le fils promet de payer une messe afin que son père puisse mourir sans souffrir; il apprendra que le mourant a perdu connaissance au même moment. À l'instant de la mort du père, «x» est réveillé par une «claque». Il souffre de difficultés respiratoires momentanées, réveille la maisonnée pour la récitation du chapelet, et revient aussitôt à un état normal (23).

— Un homme part en voyage. Un soir, il est tiré de son sommeil par le bruit de trois coups frappés. Quelques instants après, trois taches de sang apparaissent sur le drap. Un quart d'heure plus tard, il apprend, par le téléphone, le décès de son épouse (29).

— L'informateur signale qu'une parente de son épouse avait deviné la mort d'une de ses sœurs au moment où une chaise s'était mise à bercer d'elle-même (51).

— La même personne révèle qu'on entendit une porte s'ouvrir et se refermer de façon mystérieuse, à la mort du père de son épouse (51).

Il appert que la personne qui décède manifeste à ses proches l'événement qu'elle subit comme s'il s'agissait d'obtenir leur participation.

2.   Le signe avant-coureur

Le milieu ambiant exprime par divers signaux l'imminence du passage de la mort. La mort ne surprend que celui qui n'a su remarquer et comprendre le message non-verbal transmis par le contexte. Le signe avant-coureur peut se manifester dans des circonstances variées, à l'occasion d'événements de toutes sortes.

a. Le monde du rêve

— Rêver que l'on manipule du tissu, des vêtements: signe de mort (7).

— Rêver à la mort d'une personne (25).

b. Le monde du travail

— On oublie d'ensemencer une «planche» de terrain: une mort dans la famille (30); durant l'année (22, 28).

— La formation d'un noeud dans la chaîne qui sert au «halage» du bois entraîne la mortalité (32).

c. Les objets usuels

— On dresse le couvert; si un couteau croise une fourchette, il y a un décès dans l'année qui suit (11).

— On découvre un long fil blanc sur un habit noir. C'est là un signe de deuil à court terme (28).

— Casser un miroir est un signe de mortalité (4, 9, 15, 25, 26, 45, 50):
- lorsque brisé un vendredi (23),
- mortalité dans la famille (12, 29, 38, 54),
- risque de mort pour la personne elle-même (30),
- mortalité dans l'année (5, 53),
- si le miroir se brise en gros morceaux, c'est l'annonce d'une maladie, mais s'il éclate en petites portions, il préfigure une mort (36).

d. Les animaux
— (sauvages)

Ces animaux laissés à l'état libre, et appartenant au milieu naturel, intriguent au plus haut point l'homme de la société traditionnelle. Leur incursion dans la zone «culturelle» — celle de l'habitation principalement — indique l'approche de cette autre donnée naturelle: la mort. Les parents, gardiens du foyer — ils prolongent, en réalité, le statut du *pater familias* du monde romain — deviennent, en quelque sorte, des augures capables de tirer un présage à partir de l'observation du comportement des animaux. Divers événements signifient une mort prochaine:

— Une corneille qui croasse au-dessus de la maison (7).

— Une perdrix dans l'église (13).

— Une perdrix qui se frappe à une fenêtre ou pénètre dans un bâtiment (30) (Lorsqu'un petit oiseau est impliqué, les conséquences demeurent moindres).

— Une perdrix s'approche des bâtiments (34).

— Un hibou qui s'approche des maisons (41).

— Un oiseau qui se cogne à la fenêtre (7, 13, 25)
• et se tue (14, 20, 39, 40, 43, 51).

— Un oiseau qui entre dans la maison (21, 34)
• et ne se tue pas (22)
• et se tue (31 — à partir d'un fait réel —, 39)
• mort dans l'année (42).

— Un oiseau qui se pose sur l'épaule d'une personne augure sa mort (42).

— (domestiques)

— Un chien qui hurle (5, 11, 26, 33, 41, 53):
• mortalité chez le voisin (15)
• mort au courant de l'année (21)
• il «traîne une mortalité» du côté où il regarde (50).

— Un chien qui hurle demande sa mort (20).

— Lorsqu'un grand malade est alité et qu'un chien hurle à deux reprises, la personne meurt (44).

— Si un chat noir nous passe entre les jambes et saute, une personne meurt dans les 24 heures (44).

e. Les morts successives

Les événements qui se produisent autour d'une mortalité peuvent constituer autant de signes révélateurs de la direction ultérieure du destin:

— Compter les voitures d'un convoi funèbre risque d'attirer la mort (14).

— Un enterrement le vendredi en précède d'autres les trois vendredis suivants (20, 51, 52):
• un vendredi le 13 (37),
• une mort un vendredi en entraîne une autre le vendredi suivant (54),
• l'exposition d'un cadavre le vendredi ou le dimanche amène un autre décès (5).

— Un corps sur les planches le dimanche signifie qu'il y en aura un autre pendant la semaine (38).

— Lorsqu'on découvre à un défunt un pied plus court que l'autre, il y aura une autre mortalité dans l'année (32).

f. La rencontre fortuite

— Quand 13 convives se trouvent à la même table, l'un d'eux meurt pendant l'année (37).

— Croiser une personne qui ressemble à quelqu'un que l'on connaît préfigure la mort de celui-ci (25).

g. Le moment d'un passage

— Le soir des noces, le conjoint qui se couche le premier meurt le premier (5, 49).

La mort réelle

L'arrivée de la mort rompt le rythme quotidien et marque profondément la famille immédiate tout en semant, en quelque sorte, l'alarme au sein de la collectivité restreinte. Tous les membres de la collectivité se sentent concernés et il est de leur devoir de poser un dernier geste envers celui qui *est en état de passage* pendant une certaine période de temps. La maison du défunt porte les signes indiquant la gravité de la situation. La séparation du mort et des vivants s'effectue inéluctablement, au rythme de la dégénérescence du cadavre.

1. Le passage à la vieillesse

Dans le cadre agricole, ce passage se marquait par la donation de la terre à l'un des enfants. Cette donation se chargeait de sens secondaires: le père quittait la sphère des responsabilités pour s'adonner à des travaux moins pénibles qu'auparavant. On lui demandait parfois ses conseils.

2. La préparation à la mort

La société traditionnelle tente de cerner le plus possible la réalité de la mort. On la prévoit, par des signes divers, dans des limites temporelles souvent précises. S'il est une certitude que chacun partage, c'est bien celle qu'il mourra un jour. On s'y prépare de longue haleine.

— Qui célèbre 9 premiers vendredis du mois consécutifs ne peut mourir sans les derniers sacrements (51).

Mais la préparation ultime réside dans les derniers sacrements, car on ne manque pas de faire venir le curé au moment de l'agonie.

3. L'heure de la mort

Au moment du trépas commence une phase de bouleversement de la vie domestique. On enregistre un temps d'arrêt *imposé*, d'une part, mais aussi *voulu* par tous ceux qui entourent le défunt, comme si les proches du mort désiraient assister le disparu dans le parcours de son passage à un monde tout autre.

a. L'arrêt du temps

— On arrête l'horloge (47) pour la remettre en mouvement après le service funèbre (44).

— On garde l'appareil de radio silencieux pendant tout le temps de l'exposition du corps (48).

— On dissimule les instruments de musique sous des draps noirs (43).

b) L'ensevelissement et la chambre mortuaire

— Période d'attente depuis le moment de la mort jusqu'à celui de l'ensevelissement
  • 1 heure (50)
  • 3 ou 4 heures (49).

— On vérifie l'absence d'expiration de l'air au moyen d'un miroir (44).

— La toilette du défunt est assurée par
  • des gens de la paroisse qui en font une spécialité (25, 34, 38),
  • des voisins (54),
  • la parenté (36, 49, 50, 54).

— On revêt le défunt en noir (4) grâce à son «habit de dimanche» (30, 32, 37, 38, 49, 50).

— La pièce où gît le cadavre fait l'objet d'un arrangement particulier:
  • on la divise au moyen de draps blancs (6),
  • on tend les murs de draps blancs (7, 9, 13, 15, 19, 24, 25, 28, 30, 33, 34, 35, 36, 37, 39, 40, 42, 43, 44, 46, 47, 48, 49, 50, 51, 54),

- le plafond en est même recouvert (26),
- des draps blancs pendent aux fenêtres (10),
- on cache le mur d'un long rideau (22),
- des draps noirs dissimulent les murs (41).

— Le cadavre est lui-même voilé par un drap blanc (13, 25, 54).

— Des pièces de monnaie servent à clore les paupières du mort (15).

— On garde des cierges allumés en permanence (7, 13, 19, 21, 25, 26, 34, 35, 36, 37, 38, 39, 40, 41, 42, 46):
- deux cierges (10, 15),
- trois cierges (43).

— Une petite table porte:
- une croix (19, 25, 35, 38),
- de l'eau bénite (19, 33, 34, 35)
  et une branche de sapin (29).

— Il arrive qu'on laisse une lampe à l'huile allumée près de la tête du défunt (28).

— Certains ornent la chambre d'une image pieuse (38).

c. *La veille*

La communauté des vivants interrompt son rythme ordinaire d'activité pour accompagner le mort pendant les quelques heures de présence visible qui lui restent encore. Cette longue veille n'a de cesse pendant les deux jours que dure l'exposition de la dépouille.

— La récitation du chapelet jalonne régulièrement cette période de garde:
- à toutes les demi-heures (10, 11),
- à toutes les heures (9, 12, 14, 22, 24, 25, 28, 30, 35, 39, 41, 42, 43, 46, 51, 52, 53).

Le corps repose sur quelques planches juxtaposées flanc à flanc. Il se produit, parfois, que le cadavre secrète des matières liquides nauséabondes que l'on recueille dans des plats (23), et dont on combat la senteur en faisant brûler de la résine (13, 15, 35).

La mise au cercueil survient au matin de l'enterrement (29, 32, 35, 39, 41, 42, 43, 51) et, plus rarement, la veille des funérailles (13, 24). Certaines personnes en profitent, alors, pour déposer aux côtés du défunt:
- des lettres (29, 30) demandant des guérisons et des faveurs (15); on les enroule à l'intérieur d'une bouteille (39);

- des objets personnels (montre, jonc, chapelet, argent...) auxquels la personne manifestait le plus d'attachement de son vivant (15, 29);
- de l'argent (15, 44) parfois contenu dans une bouteille (39).

Le cercueil se recouvre, quelquefois, d'un tissu noir lorsqu'il contient le corps d'un adulte, tandis que celui d'un enfant se distingue par sa couleur blanche (9).

d. Les funérailles

Tous les participants aux funérailles se rassemblent à la maison du défunt. De là, on se rend à l'église.

— Les participants se regroupent en un cortège et effectuent le trajet à pied (3, 26):
- à la suite des porteurs qui amènent le cercueil à la force de leurs bras (35, 48) ou sur leurs épaules (34, 45);
- à la suite d'un corbillard tiré par des chevaux (23, 25, 30, 36, 37, 38, 39, 41, 43);
- derrière une simple voiture à quatre roues (35, 40, 47, 48, 49, 50, 52, 53), alors qu'un tissu noir est tendu entre les rais des roues (50);
- le transport s'effectue aussi en «berlot» pendant l'hiver (35, 40, 47, 52).

— Lorsqu'il vient à passer devant une croix de chemin, le cortège s'arrête pour la récitation d'une dizaine de chapelet (28).

— Une grande croix, portée à bout de bras, précède le cortège (37).

— Les porteurs sont choisis dans la parenté (13, 30, 37, 38, 42, 49, 52, 53)
- et parmi les amis (30).

— L'église présente une ornementation spéciale:
- elle est tendue en noir (7, 10, 12, 16, 19, 20, 24, 26, 30, 33, 36, 38, 46, 47, 49, 50, 51, 52) ou en violet (5, 7);
- des tentures noires obstruent les fenêtres (7, 12, 16, 20);
- les statues se dissimulent sous des draps noirs (16, 20);
- l'autel porte une décoration noire (20);
- les ornements sacerdotaux sont de même couleur (20).

— On amène le cercueil à l'avant de la nef:
- il est recouvert d'un drap noir (12, 16, 28, 50, 52),
- six grands cierges l'entourent (52).

— La messe de service est célébrée à l'autel central (3, 6, 8, 14, 28, 40):

- la présence des chantres est conditionnelle à la somme payée (6);
- des messes basses peuvent être célébrées aux autels latéraux, moyennant paiement (22);
- on récite un libera à l'arrière de l'église pour ceux qui n'ont pas d'argent (21).

— Au moment de l'enterrement, chaque membre de la parenté jette une poignée de terre dans la fosse (20, 24, 25, 26, 36, 37, 38, 45, 46, 47, 48, 49, 51, 52, 54):

- on garde la croix du cercueil (16, 29, 36, 53),
- on récupère les poignées du cercueil (25, 29, 53).

e. Le deuil et les manifestations de respect

— On connaît le deuil sous deux appellations. Le «grand deuil» exige de la personne qu'elle se vête tout de noir; un homme porte alors une boucle noire au bras, le «brassard» (5, 9, 10, 15, 21, 35, 39, 46), tandis qu'une femme se dissimule le visage sous un voile noir (28). Le «demi-deuil» tolère la présence de vêtements sobrement colorés (28).

— Les périodes de deuil peuvent varier:

- certains le portent pendant trois ans, la dernière année se passant en demi-deuil (29);
- pour la majorité, le deuil s'étale sur deux années consécutives, la première année étant réservée au «grand deuil» (5, 7, 8, 15, 20, 21, 22, 25, 26, 28, 32, 33, 37, 41, 42, 46);
- d'autres l'écourtent à une année et demie, alors que les six derniers mois sont consacrés au demi-deuil (20, 40, 43, 48);
- la période de deuil s'abrège parfois à une année (10, 11, 12, 19, 21, 22, 24, 25, 26, 28, 33, 36, 42, 44, 49, 50);
- six mois de deuil suffisent à certaines occasions (21, 24).

— Lorsque le défunt est l'un des parents ou l'un des conjoints, le deuil dure:

- trois ans (29),
- deux ans (5, 21, 22, 25, 26, 28, 32, 33, 34, 37, 41, 42),
- une année et demie (43),
- une année (24, 42).

— On marque le décès des grands-parents par un deuil d'une année (22, 28, 33).

— Au décès d'une soeur ou d'un frère, le deuil s'impose sur une pédiode de:

- une année, dont six mois de «grand deuil» (21, 25, 26, 33);
- six mois (24).

— À l'occasion de la mort d'un cousin, six mois suffisent (21).

— La mort d'une tante ou d'un oncle n'est marquée d'aucune période de deuil (28).

La période postmortuaire est ponctuée de plusieurs manifestations de respect envers le défunt:

— On commémore la cérémonie des funérailles par une messe le cinquième jour (14).

— Des prières sont récitées à l'intention du disparu (38).

— La famille fait célébrer des messes (14, 38).

— On dresse une épitaphe (52).

— Des cartes mortuaires sont adressées à tous ceux qui sont venus rendre un dernier hommage au trépassé (52).

Certaines marques de respect se prolongent sur un plus long temps:

— On maintient une atmosphère de silence et de tranquillité dans la maison (6, 8).

— La musique est prohibée pendant quelques années, parfois (7).

— On évite de danser (8, 32)
  • pour une année entière (11, 12, 28).

— La chanson est pareillement interdite (32).

— L'appareil de radio demeure muet (50).

— Au cours de l'année suivant le décès, la Noël et le Jour de l'An ne sont pas fêtés (4).
  • Au Jour de l'an, cependant, un couvert est déposé à la place laissée libre par la mort de celui qui l'occupait (44).

Transparence de l'au-delà

La frontière séparant l'univers des vivants de celui, parallèle, des morts ne décrit, peu s'en faut, une trajectoire rigoureusement rectiligne. Elle obéit, au contraire, aux incursions d'un monde dans l'autre, témoignant de l'harmonie ou des tiraillements qui marquent la communication entre les membres vivants et les membres trépassés d'une même société humaine.

1. Attentions réciproques des vivants et des morts les uns envers les autres

Les deux branches de cette même société tissent entre elles des rapports bienveillants qui se ramènent, en réalité, à de l'entraide.

a. Des vivants envers les morts

— Il s'agit de compter un certain nombre d'étoiles pour sauver une âme du purgatoire (12).

— On récite des prières et l'on paie des messes à l'intention des trépassés, surtout lors du mois des morts (donnée uniformément signalée par tous nos informateurs).

b. Des morts envers les vivants

— Le trépassé peut faire disparaître la peur que les vivants manifestent envers les morts. À cette fin, il faut toucher le cadavre en lui demandant d'enlever notre peur (12, 14, 28, 52).

— Le mort «amène» les difficultés de qui le touche en le lui demandant (50).

— Après la mort de son époux, une femme convole en secondes noces. Lorsqu'elle se rend à des veillées, laissant ses enfants seuls à la maison, son premier époux se manifeste en chauffant le poêle et en berçant les enfants (19).

2. La mort revendicatrice

— Un homme entretient l'habitude de se moquer des morts. Un soir qu'il retourne chez lui, il passe à proximité du cimetière. Un mort s'agrippe sur son dos pendant tout le trajet de retour (15).

— Un homme qui n'a pas tenu sa promesse de payer une messe pour un défunt est empêché dans ses travaux de labours par une pluie de roches et de souches (15).

— Il arrive qu'un mort, se manifestant sous une forme blanche, suive une voiture le soir (20).

— À la suite de la mort d'un membre de la famille, des bruits percutants sont entendus sur les murs de la maison (bruits de poêlon se heurtant aux cloisons). On n'avait pas donné suite à une promesse relative au défunt (23).

— La propriétaire d'une maison entend du bruit au grenier. Après vérification, elle s'aperçoit que ce sont des verres de lampions qui s'entrechoquent dans une boîte de carton. Elle paie un lampion à l'église. Par la suite, le bruit ne s'est plus jamais reproduit (24).

— Un mort qui a besoin de messes et de prières vient réveiller ceux qui peuvent l'aider en secouant le pied du lit (36).

— Pour cesser d'être suivi par une boule de feu, un homme paie une messe. C'est la manifestation d'un ami décédé quelque temps auparavant (42):

• on croit, en effet, que le feu follet est une âme expiant son purgatoire sur terre (21, 25).

— Un homme reçoit une «claque» d'un revenant avec lequel il avait eu des démêlés autour de la vente d'un cheval (13).

— Il était, autrefois, de notoriété publique que l'oubli de réciter des prières promises pour les âmes entraînait des manifestations diverses: la brusque levée d'une toile de fenêtre, l'ouverture et la fermeture d'une porte, des bruits sur les murs... (44).

— Voilà une cinquantaine d'années, un enfant se perd en forêt. Plus tard, on en retrouve la cervelle que ses parents conservent dans un buffet. À partir de ce moment les meubles se déplacent dans la chambre. Ce phénomène dure tant et aussi longtemps qu'on ne procède à l'enterrement de la cervelle d'enfant dans le cimetière (5, 19).

— Un cultivateur est témoin de bruits de chaînes tout autour de son étable, pour avoir oublié de payer une messe promise à l'intention des âmes du purgatoire (51).

— Deux cultivateurs s'opposent dans un procès. Celui que le verdict défavorise refuse de remettre à son adversaire la somme d'argent qu'il lui doit, suite à cette échéance. Or, le vainqueur du procès meurt sur l'entrefaite. Le survivant se voit sollicité par une boule lumineuse qui décrit sa trajectoire autour de la maison (21).

3. Le «modus vivendi» entre les trépassés et les vivants

À la Toussaint, les morts «reviennent sur la terre» et les vivants doivent marquer cet événement de façon évidente. Ces retrouvailles des deux portions d'une même société ne peuvent être signalées que collectivement.

— Pour certains, la Toussaint s'explique de la manière suivante: c'est un «congé» que Dieu donne aux âmes du purgatoire (31).

— Cette journée se distingue par ses activités religieuses: prières, messe et visite au cimetière.

— Les activités récréatives sont interdites:
• on ne tient pas de veillées (20, 27, 29, 31, 33, 34, 36, 37, 39, 40, 41, 46, 48, 52, 54),
• la danse est prohibée (34, 35),
• on omet d'organiser des soirées de cartes (29).

— Le travail de l'habitant se restreint à sa plus simple expression: le «ménage» de l'étable (14, 20, 26, 29).

— Les fréquentations sont, évidemment, interdites ce jour-là (29, 34, 35, 37, 44, 47, 48);
   • d'ailleurs, aucun mariage n'a lieu durant le mois des morts (20).

— Il y a, curieusement, de forts risques de blessures pour qui va à la chasse ou tire du fusil un jour de Toussaint (10, 22).

Le monde légendaire vient à la rescousse de ce réseau d'interdits, en donnant un exemple de ce qui s'est passé dans un cas de trangression. Faisant fi de la recommandation de ne pas travailler ce jour-là, un habitant entreprend de labourer son champ. Il s'aperçoit bientôt, avec stupéfaction, que le coutre, le soc et le versoir de sa charrue sont ensanglantées (42).

Conclusion

En Charlevoix, la mort traditionnelle nous livre un discours global qui se rattache au grand courant de pensée populaire ayant formé, pendant des siècles, la physionomie des sociétés occidentales.

La mort se fait pressentir, de sorte que le plus petit nombre possible d'humains se laissent surprendre par son arrivée. Et cette annonce qui la précède ne touche pas seulement la personne impliquée, elle remue l'ensemble social. Cela donne à la mort un impact groupal que souhaite la société traditionnelle. Par là, le destin personnel inscrit sa trajectoire dans celle du destin de la collectivité. La pensée populaire présente la mort de telle façon qu'elle ne puisse se transformer en élément de destruction de la communauté, mais devienne, plutôt, une occasion de réaffirmer la cohésion du groupe.

Tout le processus funéraire traduit concrètement cette préoccupation de la pensée populaire. C'est la communauté qui assiste le mort dans son état de passage, qui le détache de la faction «corporelle» de la société pour l'intégrer à son nouvel univers de l'au-delà. Mais le trépassé n'est pas chassé et abandonné dans cet univers parallèle. De multiples marques de respect témoignent de cette volonté d'entretenir des relations positives et bénéfiques avec le disparu.

Devant les tensions que provoque la mort revendicatrice, le discours populaire propose un «modus vivendi» assurant la coexistence pacifique de la communauté d'en-deçà et de la communauté d'au-delà.

La mort devient, en dernier ressort, une donnée positive grâce à l'action des trépassés. On voudra en voir un exemple dans la cueillette annuelle de l'eau de Pâques, qu'en Charlevoix on appelle «l'eau rajeunissante» (37, 39). Elle se conserve longtemps, en plus de guérir les maux les plus divers. La raison de ce fait est que «Notre Seigneur» s'est lavé dans cette eau pendant la nuit (31). La symbolique est évidente: la mort se prolonge en vie. Mais il y a un facteur plus surprenant encore. C'est que le Christ, ce revenant de l'au-delà qui a accepté sa mort pour le destin collectif de l'humanité, devient aussi ce trépassé qui entre en relation bénéfique avec les vivants, sans exercer de pouvoir coercitif et sans le langage de la peur. À la différence des autres revenants, le Christ ne présente aucune agressivité envers les humains d'en-deçà. Aussi, est-il troublant de constater que le discours chrétien, à la différence de la pensée populaire relative aux trépassés, attribue au Christ éternel son corps réel. Voilà pourquoi les trépassés du discours traditionnel occidental doivent être gardés dans les limites du compromis avec les vivants jusqu'au jour de la résurrection promise par l'imaginaire chrétien.

Le comté de Stanstead: approche ethnologique

Bernard Genest
Service du patrimoine,
ministère des Affaires culturelles

Les objectifs

Dans le but de se doter d'un instrument de planification rapide et efficace pour l'élaboration des politiques et des méthodes d'intervention, la Direction générale du patrimoine s'engageait en 1977 dans un vaste projet d'inventaire global des richesses patrimoniales du Québec.

Le macro-inventaire* se définit comme un «exercice de durée limitée, portant sur l'ensemble du Québec, visant à rassembler et à hiérarchiser régionalement toutes les connaissances facilement accessibles concernant les paysages, l'habitat, les traditions, l'archéologie et le patrimoine immobilier». Il ne s'agit pas d'identifier chacun des éléments de ce patrimoine, mais plutôt de faire ressortir les particularités régionales, les traits qui caractérisent le dynamisme culturel d'un groupe social ou d'une région donnée. La connaissance approfondie passe au second plan au profit d'une connaissance plus superficielle portant sur des ensembles. C'est une étape préliminaire qui doit cependant conduire ultérieurement à des études spécifiques en profondeur.

---

* Depuis la rédaction de ce texte, le macro-inventaire a fait l'objet de multiples expériences et de divers ajustements au point de vue méthodologique. Le lecteur désireux d'obtenir à ce sujet des informations plus complètes pourra se référer au *Guide explicatif* du macro-inventaire publié par le ministère des Affaires culturelles en 1983.

Des équipes de spécialistes ont été, selon les secteurs d'activités, mises sur pied pour remplir le mandat. Si l'assemblage final des données d'enquêtes fait l'objet d'une interprétation globale, la recherche sur le terrain, par ailleurs, s'inscrit dans une démarche sectorielle: architecture rurale, architecture urbaine, patrimoine artistique et ethnographique. L'objet de cet article n'est pas d'exposer chacune des approches (synthèse historique, photographie aérienne, analyse du paysage architectural) qui ont été développées par les historiens, architectes, géographes, etc., pour remplir ce mandat, mais de présenter uniquement la démarche propre aux ethnographes.

Rassembler et hiérarchiser régionalement dans un délai minimum tous les éléments relatifs au patrimoine ethnographique représente, compte tenu de la multiplicité des phénomènes rencontrés, un défi de taille.

Parce qu'elle privilégie plus que toute autre l'observation directe de faits vivants, l'enquête sur le terrain — qui constitue comme on le sait le fondement même de la méthode ethnographique — a été retenue comme approche principale. Jusqu'à maintenant nos recherches étaient plutôt orientées vers un thème bien précis, ne nécessitant pas d'autres méthodes que l'enquête classique établie sur un questionnaire élaboré à partir d'un modèle type. Pour le macro-inventaire, il aura fallu une réflexion longuement mûrie et des essais parfois insatisfaisants avant d'en arriver à une formule qui, loin d'être parfaite, a quand même donné quelques résultats.

Les grandes étapes de la démarche

La préparation: elle débute par la recherche exploratoire. Il s'agit de regrouper les connaissances déjà accumulées dans les fonds de recherche, de consulter les sources historiques, de dégager le contexte global.

La mise en route: c'est la découverte sensible du milieu par l'enquête directe. Elle comprend la prise de contact avec les informateurs, la cueillette et la mise en ordre des renseignements compilés.

La production des rapports: après avoir organisé et classifié le matériel en cahiers de municipalité, il faut ensuite l'analyser en dégageant les constantes et en faisant ressortir les inter-relations des phénomènes observés. C'est ici qu'intervient le choix des éléments à mettre en valeur. L'interprétation des éléments jugés pertinents apparaît dans un rapport de comté.

Le cadre

La méthode utilisée repose donc essentiellement sur la connaissance sensible du terrain d'étude. Toutefois, pour éviter de ramener la recherche à une simple nomenclature de faits, basée sur la seule observation, nous avons cherché à circonscrire le milieu d'étude en fonction d'une hypothèse de départ découlant d'une recherche préliminaire extensive. Ce procédé nous permet d'opérer des choix parmi les phénomènes observés et entre les différents aspects d'un même phénomène, tout en faisant l'effort de les relier entre eux pour en découvrir le sens.

À l'aide du matériel déjà disponible (études historiques ou monographies paroissiales, données d'inventaire, cartes et photographies) et d'une grille conçue à partir de critères prédéterminés reliés à nos objectifs, une certaine orientation de la recherche en fonction du territoire à couvrir peut se dessiner. L'enquête sur le terrain permet de toute façon de vérifier l'hypothèse de départ tout en ouvrant la voie à de nouvelles possibilités d'investigation.

L'objet

Tous les faits ou toutes les manifestations de la culture populaire, dans la mesure où ils s'inscrivent dans une perspective d'ensemble, font l'objet de ce projet. En fait il s'agit de cerner les inter-relations de phénomènes pouvant expliquer le mode de vie (comportements, us et coutumes), les conditions matérielles (costume, alimentation, habitation, transport), les techniques (procédés de cueillette, de chasse, de pêche, agriculture, élevage, transformation et production) et les croyances (vie spirituelle) d'un groupe social circonscrit dans une grille spatiale et temporelle.

Les critères pré-déterminés

De toute évidence le dynamisme d'un groupe social s'exprime souvent en dehors des cadres conceptuels établis pour les besoins d'une recherche. Nous n'avons pas la prétention ni l'intention de tout couvrir. Le maximum d'objectivité possible et une grande disponibilité doivent guider l'enquêteur dans sa collecte des faits. Cependant, pour éviter l'éparpillement et aussi pour se rapprocher des objectifs, nous avons convenu de critères de base susceptibles de jalonner la recherche sur le terrain.

Ce sont les faits vivants qui sont recherchés et non pas les survivances folkloriques, qu'ils appartiennent au domaine matériel ou spirituel. Il ne s'agit pas de rassembler sous forme de corpus des éléments statiques qui n'auraient plus d'influence sur le milieu d'étude.

Ces principaux critères portent sur:

1. l'identification d'activités à caractère traditionnel régional et rattachées au monde de la technologie: procédés de cueillette, de chasse, de pêche, agriculture, élevage, métiers artisanaux, etc.;

2. l'identification de phénomènes reliés à des formes de comportements (habitudes de vie) typiques du milieu;

3. la recherche des éléments culturels appartenant au monde de la littérature orale (récits, contes, légendes, chansons);

4. l'identification d'éléments architecturaux appartenant à des ensembles domestiques (bâtiments de ferme, hangars, fournils, glacières, laiteries) ou caractéristiques d'activités traditionnelles (forges, menuiseries, cordonneries, moulins, scieries, etc.);

5. la recherche de modèles d'aménagement intérieur et des objets mobiliers qui les composent: ustensiles divers, meubles, couvertures et tapis, éléments décoratifs, etc.

Commentaires

Sur le premier point: même si les changements sociaux ont le plus souvent fait régresser la pratique des activités à caractère traditionnel, la couverture du terrain nous a appris que beaucoup de gens à travers le Québec vivent encore de la pratique de métiers qu'on considérait *a priori* comme disparus. L'identification de ces activités est d'autant plus importante qu'après avoir largement influencé l'organisation de la vie communautaire traditionnelle, elles contribuent encore, et dans certains cas pleinement, à son dynamisme. D'autres activités ont influencé le développement des sociétés rurales et l'aménagement de l'espace traditionnel: l'agriculture, la forêt, la pêche, la chasse. Il importe d'identifier ces activités par rapport au milieu et d'en détailler les principales caractéristiques.

Sur le deuxième point: plus difficiles à cerner que les éléments culturels intégrés dans l'organisation physique de l'espace (donc facilement perceptibles), les croyances et les coutumes s'actualisent parfois dans des formes matérielles comme, par exemple, celle des croix de chemins. Exceptions faites de ces manifestations tangibles qui serviront de repères lors d'études ultérieures, ce domaine se prête mal à une enquête aussi rapide.

Sur le troisième point: compte tenu de l'important fonds des Archives de Folklore de l'université Laval en culture spirituelle, la littérature orale ne fait pas vraiment partie de nos préoccupations au moment des recherches sur le terrain, sauf dans de rares cas où une chanson, un conte, une légende, particularise une personne, un groupe ou un lieu.

Sur le quatrième point: certaines régions du Québec, soit parce qu'elles sont plus éloignées des zones d'influence, soit parce qu'elles sont plus conservatrices, présentent encore sur le plan de l'organisation du paysage architectural un visage qui rappelle le caractère autarcique des sociétés rurales traditionnelles. Il importe de repérer ces ensembles parce qu'ils témoignent de fonctions et de tâches inhérentes à un mode d'exploitation (agriculture, pêche, chasse, bois, etc.) et aussi d'une forme d'adaptation au milieu naturel. Toutefois, comme ces bâtiments font déjà l'objet de relevés par l'équipe chargée de l'inventaire architectural, notre intervention se limite à choisir quelques exemples représentatifs, susceptibles de nous aider à cerner l'image culturelle qui se dégage d'une région.

Sur le cinquième point: l'aménagement et l'occupation de l'espace domestique sont en étroit rapport avec le genre de vie et l'environnement socio-économique du milieu étudié. À ce titre, les objets usuels et le mobilier sont parfois évocateurs d'activités quotidiennes et peuvent être le reflet d'une mentalité. Dans la plupart des régions du Québec cependant, il est extrêmement rare de trouver des intérieurs traditionnels. Nous voulons tout au moins signaler les cas d'exception quand cela est possible.

Ce sont ces critères qui ont prévalu dans la préparation d'une grille aide-mémoire qui facilite la mise en ordre des données au fur et à mesure de la cueillette. Tous sont importants, mais aucun n'est systématiquement retenu. C'est le milieu d'investigation qui en détermine les modalités.

Les outils

L'interview, l'enregistrement sonore, la fiche d'inventaire, le calepin de dessin, sont parmi les techniques employées par l'enquêteur, mais la plus essentielle demeure l'usage de l'appareil de photos; les objets observés sont toujours photographiés. Sur le terrain même on leur donne une cote qu'on inscrit dans le calepin avec une description sommaire et qu'on reporte sur une carte municipale. La carte a une double utilité: présenter de façon synthétique les données et nous faire prendre conscience de l'existence d'ensembles pouvant faire rebondir la problématique. La carte peut également fournir des éléments d'explication concernant le groupe social étudié sous différents aspects d'ordre géographique, historique, économique ou culturel.

Le calepin d'enquête est l'outil qui nous permet de consigner nos informations jusqu'à ce qu'elles soient regroupées par thèmes dans une espèce de catalogue: le cahier de municipalité.

Le cahier de municipalité contient les données brutes, non traitées, non interprétées. La question de la pertinence ou de la non pertinence de ces données se pose lors d'une étape ultérieure.

*   *   *

C'est dans le but d'illustrer cette démarche que nous présentons ici le rapport du comté de Stanstead. Le rapport-synthèse devant faire ressortir les caractères généraux d'une région en situant les éléments particuliers dans leurs ensembles, toutes les unités relevées au cours de l'enquête (effectuée avec la collaboration de Jean-Pierre Asselin au cours de l'été 1978) n'y apparaissent donc pas. Pour celles-ci il faut retourner aux douze cahiers de municipalité.

LE COMTÉ DE STANSTEAD

Approche générale

Vers la fin du XVIIIe siècle, quelques aventuriers originaires de la Nouvelle-Angleterre quittèrent leur pays pour venir s'installer en squatters dans la partie sud-est du Québec jusqu'alors inhabitée. À partir de 1793, quelques familles se fixèrent du côté est du lac Memphremagog et formèrent les villages de Georgeville, Barnston, East Hatley, Stanstead et Rock Island. Au début, ces personnes vivaient sans aucun contact avec les autorités gouvernementales, qui en fait ignoraient leur présence. Vers 1800, les premières concessions furent octroyées par le gouvernement, parfois au détriment des premiers occupants qui durent ou bien racheter la terre qu'ils venaient de défricher ou bien quitter la province.

Le comté de Stanstead est borné au nord par le comté de Sherbrooke, à l'est par le comté de Compton, au sud par le Vermont (É.-U.) et à l'ouest par le lac Memphremagog et le comté de Brome. Grossièrement, c'est à peu près la même région qu'occupèrent fermiers et loyalistes venus de la Nouvelle-Angleterre, les uns à la recherche de nouvelles terres à exploiter, les autres pour échapper à la révolution américaine. La région se révéla riche, fertile et productive. L'agriculture constitua longtemps la principale ressource de la population, mais vers le milieu du XIXe siècle on découvrit les richesses minières du comté (le granit, la pierre à chaux, la pierre à savon) et on commença à les exploiter.

Dans les Cantons de l'Est, le peuplement ne s'est pas fait de la même façon que dans le reste de la Province. Au lieu du système seigneurial dans lequel les lots sont découpés en bandes étroites et parallèles, où les habitations sont disposées sur une même ligne frontale, donc rapprochées les unes des autres, les pionniers du sud du Québec adoptèrent plutôt le système anglais des townships. Le townships est un morceau de terre d'environ dix milles carrés découpé en cent morceaux d'un mille carré et contenant soixante-quatre mille acres divisés en trois cent quatre lots d'environ deux cent dix acres. Ce système ne favorise pas le rapprochement des colons. Au contraire ceux-ci se trouvaient souvent éloignés de quelques milles de leurs voisins les plus près. Cet éloignement et les difficultés rencontrées au cours des premières tentatives de colonisation n'empêchèrent cependant pas les individus de se regrouper autour d'activités religieuses et éducatives et de se créer une vie sociale.

Quelques familles ayant bénéficié en Nouvelle-Angleterre d'une bonne éducation anglaise, il ne fut pas trop difficile de trouver les instituteurs nécessaires à la formation des premières écoles. C'est ainsi que dès 1818 deux écoles étaient ouvertes, l'une à Hatley et l'autre à Stanstead. Cinquante ans plus tard, on trouvait à Stanstead vingt-neuf écoles élémentaires et trente à Hatley, pour ne mentionner que ces deux localités.

De la même manière s'organisa la vie religieuse, souvent d'ailleurs autour des écoles. Les pratiques et les croyances étant extrêmement diversifiées chez ces gens, c'est surtout sur l'enseignement et l'observance des préceptes de la Bible que se structura, au début, la vie religieuse.

D'autres associations apparurent. La plus importante est certainement le franc-maçonnerie. Un peu partout dans le comté des loges étaient créées.

Malgré les difficultés de transport des premières années, ces nouveaux Canadiens continuèrent à entretenir des rapports fréquents et étroits avec les parents et les amis de l'autre côté de la frontière. Il en résultait des échanges de bons procédés dont découlaient souvent des rapports commerciaux. La ligne tracée entre les deux pays était davantage une source de bénéfices que d'ennuis pour les résidents frontaliers. D'ailleurs, au début, cette ligne était si imprécise que certains ne savaient pas vraiment s'ils habitaient au Canada ou aux États-Unis.

Enfin, toujours sous la rubrique de la vie sociale, mentionnons que dès 1845 le comté possédait son propre journal, le *Stanstead Journal*, édité à Rock Island par LeRoy Robinson. Le plus étonnant est que ce journal existe toujours.

Dans une petite brochure préparée par Zadock Thompson et publiée en 1835, deux villages sont cités comme étant les deux plus importants du comté: ce sont Stanstead Plain et Georgeville. Nous ne possédons pas de statistiques précises sur ces deux localités pour 1835, mais dans son histoire du comté de Stanstead, publiée en 1874, B.F. Hubbard apporte plusieurs données qui reflètent le type d'organisation sociale et économique qui prévalait dans la région il y a plus de cent ans. À cette époque donc, on trouvait à Stanstead Plain:

4 églises, dont une catholique
1 hôtel de ville
1 collège
1 école régionale
2 hôtels
4 magasins
2 épiceries
1 boutique d'apothicaire
1 orfèvre
1 tailleur
3 forgerons
1 voiturier
2 selliers
1 cordonnier
1 banque
1 bureau d'enregistrement
1 bureau de poste
1 bureau télégraphique
1 bureau des douanes
1 loge maçonnique
1 ferblantier

Le village comptait également:

4 médecins
6 avocats
6 membres du clergé
… et 100 maisons pour une population de 800 habitants.

Quant à Georgeville, son développement économique se trouva freiné par l'ouverture d'autres villages dans le comté. En 1874, son état était stationnaire. On comptait à peu près:

40 maisons
2 églises
2 hôtels
2 magasins
1 bureau de poste
1 relais (pour les diligences)
1 bateau à vapeur
1 bureau des messageries
1 forgeron
1 tanneur
1 manufacture de bottes et de souliers.

Ces données nous révèlent deux villages bien organisés et suggèrent des activités, sans doute intenses, au cours du XIXe siècle. Dans l'ensemble, on constate qu'ils regroupent les services essentiels à la population agricole du comté. Dès cette époque, on soulignait le côté pittoresque d'un village comme Georgeville, situé en bordure du lac Memphremagog, mais les beautés de la nature influençaient encore peu l'économie de la région. On comptait davantage sur les richesses naturelles du pays: agriculture, forêt, minéraux.

Aujourd'hui on peut dire que l'apport touristique est un facteur important de l'économie de certaines municipalités. La polarisation des services se faisant autour d'un ou deux centres, stratégiques par leur situation et par les ressources de l'environnement (Stanstead, principal accès aux Cantons de l'Est en provenance du Vermont, à proximité des importantes carrières de granit de Beebe et de Graniteville; Magog, sur la rivière du même nom, source d'énergie hydraulique, centre du textile), certaines municipalités sont demeurées stationnaires ou même ont régressé. Dans quelques cas, des villages considérés comme dynamiques vers le milieu du XIXe siècle sont presque disparus. Parfois, seul le patrimoine bâti témoigne encore des activités qui s'y sont déroulées par le passé. D'autres se sont transformés en centres de villégiature, comme c'est le cas par exemple pour North Hatley.

Dans l'ensemble, le comté conserve son caractère proprement rural. L'agriculture y joue encore un rôle prépondérant (la production laitière y est très importante) et les terres n'ont pas encore été touchées par la spéculation immobilière.

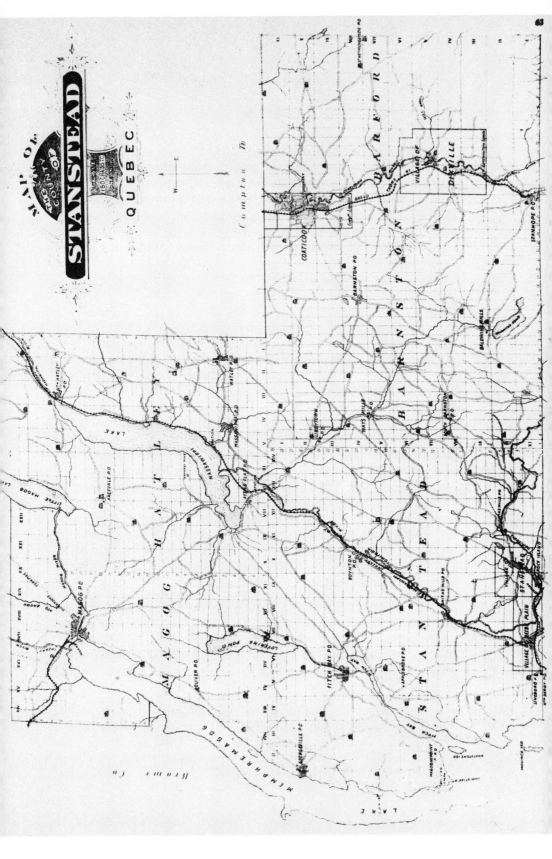

63

MAP OF
THE COUNTY OF
STANSTEAD

QUEBEC

SCALE
1.50 CHAINS TO
ONE INCH

I- L'économie

Comme pour bien des régions du Québec, le sol joue un rôle primordial dans l'économie du comté. L'agriculture se pratique partout et occupe une place de première importance. La forêt alimente quelques scieries et assure un revenu d'appoint à quelques agriculteurs. Les richesses minières sont importantes et alimentent tout un secteur d'activités. Enfin les attraits du paysage, riche en lacs et en rivières, constituent une autre source de revenus pour la population.

L'agriculture

Les principales productions de la région touchent les secteurs suivants: l'élevage des porcins, des bovins de boucherie, des ovins et des volailles, la production laitière, les cultures fourragère, céréalière et légumière. De ces secteurs, c'est cependant celui de la production laitière qui caractérise le plus le comté. Les municipalités productrices sont Hereford, Saint-Herménégilde, Saint-Mathieu-de-Dixville, Barford, Barnston et Coaticook. À elles seules, les municipalités de Barford et de Barnston produisent annuellement 10 824 402 et 44 190 223 livres de lait respectivement. Ce lait est entreposé à la sous-station de Coaticook pour être transporté ensuite à Granby. Le bassin de lait de la région de Coaticook est un des plus productifs de la Province, sinon le plus considérable. En fait la région de Coaticook compte 522 producteurs laitiers (dont certains sont cependant situés dans le comté voisin de Compton) et le nombre de vaches s'élève à environ 19 600. Les races qui ont la préférence des producteurs semblent être la Ayrshire, la Holstein et la Jersey.

Les différents groupes ou associations impliqués dans la production du lait ont organisé un festival du lait dans la plus pure tradition des foires agricoles de jadis: défilé, parade d'animaux, concours, vente à l'encan, etc. L'événement a pour principal objectif de promouvoir ce secteur de l'économie dans la région.

Le patrimoine immobilier agricole existe donc partout dans le comté. Localisées surtout le long des routes secondaires ou aux abords des villages — parfois même dans le village —, les fermes sont le plus souvent bien organisées. Les modèles sont assez diversifiés et même si la spécialisation dans l'industrie du lait entraîne

IBC c. 78.0222.2A (35)

IBC c. 78.0222.5A (35)

IBC c.78.0219.16A (35)

IBC c.78.0220.35 (35)

IBC c.78.0223.19 (35)

IBC c.78.0081.4A (35)

des modifications dans le paysage architectural, on retrouve encore de nombreux exemples de fermes familiales traditionnelles avec grange-étable, écurie, porcherie, bergerie, poulailler et laiterie. Les granges circulaires constituent un phénomène important dans le comté. Il s'agit là d'une originalité typique de la région, car nulle part ailleurs au Québec on ne trouve de granges parfaitement rondes. Or dans Stanstead on en compte six, alors qu'il n'y en aurait que neuf pour l'ensemble des Cantons de l'Est.

Certains détails de l'aménagement du paysage rural sont aussi à mentionner, parce que très représentatifs du milieu. Les clôtures de perches, en bordure des routes ou dans la ligne de séparation des champs ou même autour des arbres, rappellent l'influence qu'à pu avoir la Nouvelle-Angleterre, le Vermont surtout, dans l'organisation du territoire. De nombreux bâtiments de ferme, granges-étables ou écuries, sont surmontés d'imposantes girouettes en ronde-bosse, de fer-blanc ou de cuivre, et prenant la forme de vaches ou de chevaux — l'une d'entre elles ne

IBC c.78.0071.20 (35)

fait pas moins de 1,40 m. Les enseignes affichant la spécialisation des fermiers sont parfois très colorées. On en trouve assez fréquemment peintes à la main, directement sur un bâtiment, ou sur un panneau de bois suspendu à une potence. La cabane à sucre, souvent éloignée de la route, à demi-cachée par un boisé, témoigne de cette autre activité reconnue comme importante dans les Cantons de l'Est: la production du sirop d'érable.

Enfin il existe tout un mode d'organisation de l'espace particulier à la région, difficile à cerner comme à décrire — que rendra peut-être beaucoup mieux que les mots la photographie aérienne. On pourrait dire que les fermes du comté ont souvent un aspect «paysagé», c'est-à-dire que ceux des générations précédentes ont respecté les richesses naturelles du milieu dans l'organisation de leur territoire. Un terme un peu vieillot, un peu lyrique, rend assez bien le sentiment qu'on peut avoir devant le paysage rural de Stanstead; c'est le mot «bucolique». C'est un aspect du patrimoine qui n'est pas à négliger dans le comté.

IBC c.78.0071.21 (35)

IBC c.78.0060.28A (35)   IBC c.78.0057.37 (35)
IBC c.78.0077.28 (35)

Les industries

Les métiers traditionnels sont peu représentés. Des données historiques fournies par quelques volumes d'histoire locale nous présentent les villages comme étant très bien organisés sur le plan des métiers au siècle dernier. Surtout concentrés dans la zone commerciale — le plus souvent la rue principale — des artisans forgerons, tanneurs, cordonniers-selliers, tailleurs, voituriers, orfèvres, ferblantiers desservaient une population composée de quelques notables (médecins, notaires, banquiers, membres du clergé), de commerçants et de commis de bureau sans oublier évidemment les agriculteurs. Aujourd'hui, il ne reste presque plus trace de toutes ces activités. La modernisation des techniques agricoles a amené la disparition de plusieurs d'entre eux. Souvent, même les boutiques n'existent plus.

Monsieur Marcel Lemieux, forgeron

L'atelier de monsieur Marcel Lemieux ne manque pas d'intérêt. La boutique a près de soixante-quinze ans et a été construite et aménagée par le grand-père de monsieur Lemieux. Marcel Lemieux a conservé tous les outils de son grand-père qui exerçait en même temps les métiers de forgeron, maréchal, maquignon, charron-voiturier. À cette époque, il pouvait y avoir jusqu'à huit aides dans cette boutique sise sur la rue Main en plein centre-ville à Coaticook.

IBC c.78.0226.17 (35)

Monsieur Lionel Dolbec, forgeron

C'est chez le forgeron Denis Lemieux — le père de Marcel — que monsieur Dolbec a appris le métier qu'il exerce à Saint-Herménégilde. Âgé d'une quarantaine d'années, monsieur Dolbec est aussi maire de son village.

IBC c.78.0110.23A (35)

IBC c.78.0110.24A (35)

IBC c.78.0110.17A (35)

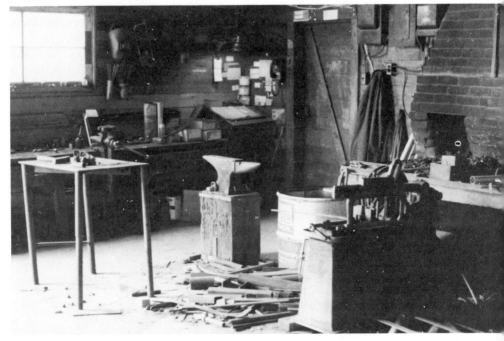

L'industrie du granit est très importante dans l'économie du comté. C'est peut-être cette industrie qui aujourd'hui le caractérise le plus, Beebe étant un des grands centres du granit au monde.

Très tôt on s'était aperçu des richesses minières de la région, mais ce n'est que dans le dernier quart du XIXe siècle que commença le travail dans les carrières. La «Stanstead Granite Quarries Co. Ltd» a commencé ses opérations à Beebe en 1898. Les dirigeants de la Compagnie se sont plus tard associés avec la «Brodie Quarries» de Graniteville, constituant ainsi un approvisionnement de granit quasiment inépuisable.

Plusieurs autres petites compagnies de granit ont vu le jour à Beebe. En voici quelques-unes: «Adru Granite Inc.», «Eastern Granite Co. Ltd.», «Dominion Granite Ltd.», «Beebe Granite Ltd.», «Haselton (White) Granite Quarries», «Lepitre Granite Works», «Border Granite Co.» et «Rosa Granit».

Les Compagnies agissent comme grossistes. On y fait généralement l'extraction, la coupe, la taille et le polissage de la pierre qui est ensuite vendue aux détaillants. Le détail de la taille se fait à la main par des artisans qui travaillent avec le ciseau, le maillet et les bouchardes. Des tailleurs et des sculpteurs de pierre sont venus de l'Écosse, de l'Angleterre et de l'Italie et ont mis leur talent à contribution pour construire des monuments comme la «Sun Life Building», le «Monumental Montreal Civic Library», le bureau de poste de Sherbrooke, le monastère de Saint-Benoît-du-Lac, etc. Ces dernières années cependant, le granit extrait des carrières de la région est surtout utilisé pour la fabrication de monuments funéraires.

IBC c.78.0081.19A (35)

La Compagnie Adru
Beebe

Cette Compagnie opère sous ce vocable depuis 1945.

Le granit extrait de cette carrière est gris, comme la majeure partie du granit de la région. Il est principalement utilisé pour la fabrication des monuments funéraires.

IBC   78.2172.25 (35)

IBC   78.2172.34 (35)

IBC   78.2172.17 (35)

IBC   78.2172.18 (35)

Monsieur Oscar Ouellet, tailleur de pierre
Beebe

Monsieur Ouellet est un détaillant dans la vente des monuments funéraires. Ils sont onze à Beebe à exercer ce métier.

Le travail consiste à préparer le monument en fonction des exigences du client, puis à l'installer dans le cimetière.

L'atelier de monsieur Ouellet est bien outillé. Le travail se fait selon des techniques modernes: les inscriptions et les dessins qui apparaissent sur les pierres sont creusés à l'aide de fusils à air comprimé (jet de sable) dans des chambres spéciales.

IBC c.78.0079.24 (35)

Atelier Riendeau
Coaticook

Monsieur Riendeau a commencé à travailler la pierre dans une carrière à Barry, Vermont, à l'âge de dix-sept ou dix-huit ans, vers 1920. Ensuite il a travaillé à Beebe avant de s'installer à Coaticook.

Son installation est sommaire et rappelle une époque maintenant presque révolue dans le métier, celle où la pierre se taillait à l'aide de ciseaux et de maillets. Monsieur Riendeau a vécu cette époque. Aujourd'hui cependant, il place ses ciseaux dans un fusil à air comprimé. À l'occasion, lorsqu'il se rend au cimetière inscrire des noms sur des monuments déjà installés, il fait le travail à la main.

IBC c.78.0226.28 (35)

IBC c.78.0226.28 (35)

L'industrie du bois continue d'avoir une certaine importance dans le comté puisque sept scieries encore en opération ont été répertoriées. Une à Ways Mills, une à Hereford, une à Dixville, une autre à Coaticook et trois à Stanstead, dont l'une, la «L.G. Rustic Fence Inc.», se spécialise dans la préparation du bois pour la fabrication des clôtures.

Les commerces

Comme partout ailleurs, les villages du comté regroupent, souvent dans une même zone, — celle de la rue principale habituellement —, des petits commerces (épiceries, quincailleries, restaurants-tabagies, etc.) où l'on peut se procurer les produits de consommation courante. La plupart de ces établissements ont peu d'intérêt sur le plan patrimonial. Il existe des exceptions cependant, tels les anciens magasins généraux dont certains ont encore une fonction économique: ceux de North Hatley, de Georgeville et de Stanhope (à cheval sur la frontière) par exemple.

IBC c.78.0107.31 (35)

Dans quelques villages, on trouve des meuneries encore en opération. Leur survivance est directement liée à la vocation agricole de la région.

Enfin d'autres bâtiments témoignent à l'occasion de secteurs d'activités maintenant périmées. La fromagerie d'Ayer's Cliff, fermée seulement depuis 1874, en est un exemple.

Bâtiments publics liés à l'économie

Le chemin de fer jouait autrefois un rôle important — beaucoup plus qu'aujourd'hui — dans le développement économique d'une région. Comme l'indique une plaque commémorative à Stanstead, ce village servait autrefois de principal relais entre Boston, Montréal et Québec. Dès 1862, la Compagnie «Massawipi Valley Railway» devant relier la «Passumpic road» en provenance de New-York et de Boston à la route du Grand Tronc, vers Québec, était formée. Sans doute modestes, les gares de cette époque de colonisation ont disparu. Il en est une cependant, de construction plus récente, — début du XXe siècle —, qui mérite d'être signalée, c'est celle de Coaticook. Il y en a bien une autre

IBC c.78.0073.5 (35)

dans la municipalité de Stanstead-Est, mais elle a été déménagée de son lieu d'origine (Compton) à cet endroit.

Dans le même ordre d'idées — les communications —, mentionnons l'importance des ponts pour les échanges entre villages. Dans un comté traversé par plusieurs cours d'eau, le pont était une nécessité. Trois ponts couverts, deux à Coaticook et un à Sainte-Catherine-de-Hatley, ont résisté aux assauts du temps.

En plein centre de la municipalité d'Ayer's Cliff, sur une ancienne place publique qui sert aujourd'hui de terrain de stationnement, on remarque un kiosque à musique qui abritait jadis les musiciens des concerts publics tenus en plein air à l'occasion de la foire annuelle. Ayer's Cliff était autrefois un centre important pour le commerce des chevaux. À l'époque où le transport se faisait surtout par des voitures à traction animale et où le cheval jouait un rôle primordial dans l'agriculture, le village servait de lieu de rencontre pour les maquignons venus des deux côtés de la frontière. Ces échanges (achats, ventes) donnaient lieu à de véritables fêtes populaires avec orchestres. C'est cette particularité économique d'Ayer's Cliff qui explique l'importance du centre équestre (pistes et écuries). Le village a conservé en partie cette vocation et il s'y déroule encore à chaque année une foire agricole.

IBC c.78.0227.21A (35)

IBC c.78.0073.7 (35)

IBC c.78.0107.4 (35)

Les centres de villégiature

Deux ou trois villages ont maintenu leur importance sur le plan économique en se donnant, depuis le début du siècle, une vocation de place d'été.

North Hatley en est un exemple. Ce petit village situé dans un environnement agricole, sur le lac Massawipi (côte nord), témoigne encore de l'opulence que lui ont apportée les riches estivants américains venus y construire de somptueuses résidences d'été pendant la période de la prohibition. Le patrimoine architectural y est assez spécial et ne s'explique que par ces circonstances exceptionnelles. Devant cette affluence soudaine, des hôtels se sont élevés et n'ont jamais cessé d'être fréquentés. Les beautés du paysage montagneux et accidenté, la proximité du lac et les plaisirs de la table constituent des garanties certaines pour le touriste de passage dans les Cantons de l'Est.

Autour des activités purement récréatives se sont greffées des activités artisanales et artistiques. Le village est devenu une véritable colonie d'artistes. Le domaine de la poterie est certainement le mieux représenté depuis que Gaétan Beaudin y a créé son école, il y a une vingtaine d'années. Mais on y rencontre aussi des peintres, des artisans du verre, des ébénistes et des sculpteurs.

Monsieur Maurice Biron, miniaturiste
North Hatley

Natif de Sherbrooke, monsieur Biron occupe ses moments de loisir à la sculpture sur bois depuis qu'il s'est retiré du monde des affaires. Il a surtout recréé en miniature les transports d'autrefois, ceux de son enfance à Sherbrooke.

Le commerce des antiquités est particulièrement florissant à North Hatley. La région, c'est bien connu, est riche en objets anciens. Depuis plusieurs années, les Américains le savent et ne manquent pas de venir s'y approvisionner.

Madame Emely LeBaron, 72 ans, est la doyenne des antiquaires du village. Elle possède aussi sa propre collection.

Signalons d'ailleurs l'existence de plusieurs collections privées dans la région. Madame A. Virgin, de la «Clementis Farm», aurait rassemblé dans sa maison d'été une grande quantité d'objets anciens.

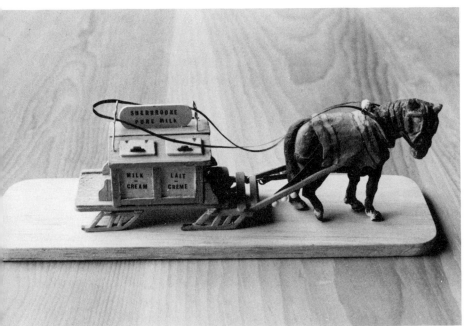

À l'autre extrémité du lac, le village d'Ayer's Cliff, centre de concours équestres, compte également de nombreux villégiateurs pendant l'été. De même Georgeville, avec ses deux églises, son ancienne école, son magasin général, ses vieilles maisons coloniales, ne pourrait avoir si fière allure sans l'apport des estivants.

II- La vie sociale

C'est principalement autour des écoles et des églises que s'organisa la vie sociale.

Très tôt les pionniers des Cantons de l'Est sentirent le besoin d'assurer l'instruction de leurs enfants. Isolés du reste du Québec par leur appartenance culturelle et par leur situation géographique, coupés de leurs origines par leur choix politique, les premiers colons en vinrent à considérer la vie communautaire et les préoccupations sociales comme des nécessités.

Les écoles

Plus encore que l'église, les pratiques et les croyances religieuses étant trop diversifiées, l'école devait servir de fondement à la nouvelle société. On en construisait plusieurs par municipalité, dans les villages ou dans les rangs, là où une vingtaine d'enfants pouvaient être rassemblés. Un rapport de Henry Hubbard, inspecteur des écoles pour le district de Saint-François, cité dans *The History of Stanstead County* de B.F. Hubbard, publié en 1874, nous donne les statistiques suivantes pour l'année 1867:

> For the Scholastic Year ending July 1, 1867, there have been in operation within the limits of Stanstead County, seven High Schools or Academies receiving Government aid — three in Stanstead, viz., Stanstead Seminary, at Stanstead Plain, and the High Schools at Cassville and Georgeville; one at Barnston, one at Coaticook, one at Hatley, and a Model School at Magog. These schools report an aggregate attendance for the year, of about four hundred and twenty pupils. There has been in addition to these an independent School in connexion with the Episcopal Church at Coaticook.
>
> Of English Elementary or district schools, there have been seventy-six in operation: twenty-nine in Stanstead, twenty in Barnston, one in Coaticook, five in Barford, thirteen in Hatley, and eight in Magog. The total attendance at the schools in Stanstead was 976, in Barnston, 555; in Coaticook 45; in Barford, 139;

in Hatley 425, and in Magog, 213; total, 2 353; this making the whole number of schools (of all kinds), 84; total attendance, 2 833. The number of schools in operation and the attendance vary a small per cent from year to year.

Mis à part les collèges ou les «academies», les écoles des Cantons de l'Est étaient généralement de petites dimensions, le plus souvent faites de bois, mais quelquefois aussi de brique ou de pierre. Dans le comté, il reste de très beaux exemples de ces écoles.

IBC c.78.0107.25 (35)

Les églises

Dans les villages canadiens-français du Québec, la situation de l'église a toujours compté énormément dans l'organisation spatiale. On ne peut dire la même chose des églises des Cantons de l'Est. Leur place est moins significative, d'abord parce qu'il n'y a pas qu'une seule église mais plusieurs et que leur construction est souvent bien postérieure à la formation des villages.

Pendant plusieurs années, ce sont les écoles qui ont servi de lieu de rencontre pour les fidèles des différentes communautés du comté: méthodistes, anglicanes, universalistes, baptistes, adventistes. Puis, à mesure que les conditions de vie de la population s'amélioraient, les membres des différentes communautés se donnaient des églises.

Sur le plan de l'organisation spatiale, il est étonnant de trouver dans un même village parfois deux, trois ou même quatre églises, comme à Beebe Plain par exemple. Ce patrimoine bâti témoigne d'une mentalité religieuse qui n'est pas comparable à celle des Québécois francophones pour qui l'Église catholique a été pendant longtemps le corps social le plus structuré, le plus influent. La pluriconfessionnalité des anglophones des Cantons de l'Est ne les prédisposait pas à faire un consensus en matière de religion.

IBC c.78.0063.3A (35)

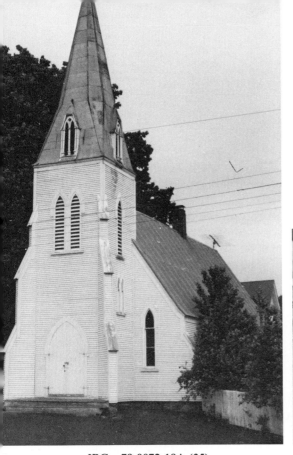

IBC c.78.0072.18A (35)

IBC c.78.0177.2 (35)

IBC c.78.0063.1A (35)

Les cimetières

Le très grand nombre de cimetières qu'on trouve partout, dans les villages comme sur les routes les moins fréquentées, est évidemment relié au phénomène du pluralisme religieux. Ces cimetières, les plus souvent bien situés, près des églises dans les villages, sur une colline ou un monticule ou encore près d'une étendue d'eau dans la campagne, témoignent des origines parfois lointaines (Angleterre, Écosse) et des difficultés que les premières familles qui vinrent s'établir dans le comté durent surmonter pour prendre racine: éloignement, carence de soins médicaux (parfois les inscriptions rappellent que des familles entières moururent en l'espace de quelques heures), accidents (noyades au cours des déplacements sur les lacs ou les rivières).

Les monuments les plus anciens sont presque toujours grossièrement taillés dans des plaques d'ardoise. Les inscriptions y sont creusées au ciseau. Vers le milieu du XIXe siècle, on commence à utiliser le «soft marble», un granit blanc très friable. Puis vers 1875, les monuments de granit gris, noir ou rose, taillés, ouvragés, ornés de véritables sculptures parfois, commencent à apparaître dans les cimetières. Symbole de l'aisance nouvelle, de la réussite matérielle des défunts, ils rappellent aussi, par leur nombre, la proximité des carrières de Beebe et de Graniteville.

De toute évidence, ces cimetières font partie des richesses patrimoniales du comté.

Les loges maçonniques

Dans quelques villages, en général à proximité des bâtiments religieux, on rencontre des édifices assez austères, parfois très simples, affichant au-dessus du portail les emblèmes maçonniques qui sont, en définitive, les outils du tailleur de pierre et du maçon: équerre, compas et marteau. Ces loges servent de local à l'Association des francs-maçons. La franc-maçonnerie est une association de personnes qui professent des principes de fraternité et se divisent en groupes appelés «loges». Le franc-maçonnerie recommande à ses membres la plus grande solidarité. Afin d'assurer à ses seuls adeptes les avantages de l'association, elle recrute ses membres par un mode d'initiation qui comporte des épreuves physiques et morales. Dans les Cantons de l'Est, la croyance populaire est que les francs-maçons s'opposaient à l'Église catholique et luttaient contre l'avancement social de ses membres, particulièrement dans certains secteurs de l'économie ou des affaires publiques (chemins de fer et Postes).

IBC c.78.0301.6A (35)

III- Le milieu

Il existe probablement dans chacune des régions du Québec des particularités culturelles qui sont inhérentes au milieu: situation géographique, origines de la population, croyance ou usages directement liés à des événements locaux, etc., autant de facteurs qui agissent sur la mentalité populaire et qui finissent par faire partie du quotidien.

Dans le comté de Stanstead, la situation frontalière de quelques villages (Hereford, Rock Island, Stanhope, Beebe) a marqué le mode de vie des gens qui ont su profiter d'une situation qui s'est révélée être à leur avantage.

En 1800, un certain monsieur Pomroy, de Rock Island, se faisait construire une maison directement sur la ligne qui sépare le Québec du Vermont. Cette maison devint rapidement un lieu de rencontre et d'échange pour les habitants de Rock Island et de Derby line (É.-U.). Cette initiative fut souvent répétée par des gens qui surent tirer des avantages commerciaux de cette situation stratégique. Par exemple les Tremblay d'Hereford, propriétaires d'un magasin général, tirèrent d'importants profits du rationnement de la viande du côté américain pendant la deuxième guerre.

Détail amusant, une bande noire peinte sur le plancher du magasin le séparait en deux parties distinctes: le côté canadien et le côté américain. On imagine facilement que cette barrière plus mentale que physique n'était pas toujours respectée par les clients. Ailleurs, plus précisément à Stanhope, ce sont deux petits drapeaux (canadien et américain évidemment) suspendus au plafond, en plein milieu du magasin général et juste au-dessus de la caisse enregistreuse, qui marquent la ligne de démarcation.

À Rock Island, ville jumelée à Derby line, le passant doit se montrer attentif car il peut facilement passer la frontière sans même s'en rendre compte. Une grande enseigne de caractère impératif le fera cependant sursauter: «Avoid penalty, Report immediately».

Ce contexte particulier n'est pas sans avoir créé toutes sortes d'habitudes de contrebande ou simplement de tolérance qui ont donné lieu à un folklore local, sans doute assez riche mais encore mal connu. Quand, dans une même maison, on dort aux États-Unis et que l'on prend son petit déjeuner au Canada, on a sans doute beaucoup de choses à raconter sur ses concitoyens et ses voisins du sud.

Le contrebandier du lac Memphremagog

Le plus notable escroc de l'histoire des Cantons de l'Est aurait été Uriah Skinner, dont viendrait la mystérieuse expression «Skinner's Cave».

Le récit remonte aux années 1812-1815, soit à l'époque de la guerre américaine. D'un physique repoussant, toujours attifé d'un énorme poignard entouré de cinq ou six pistolets, le bandit se déplaçait avec un sac volumineux contenant d'abondants produits de contrebande. Pourchassé par les gendarmes sur le lac, il réussissait toujours à s'échapper, son canot étant aussi rapide que celui d'un Indien. Un jour, on croit le tenir. On le presse de près, de très près, on le touche... puis plus rien, il a déjà disparu. La police fouille la région, visite les îles, mais rien. Longtemps plus tard, un pêcheur trouve refuge sur l'une de ces îles pendant une tempête. Il pénètre à l'intérieur d'une caverne. Le calme revenu, il explore les lieux et trouve un crâne, des ossements et des bras! La colonne vertébrale est de grande dimension. On présume qu'Uriah aurait réussi à échapper à la justice mais que, cerné de toutes parts, il n'aurait pu quitter son île pour refaire ses provisions. Il serait mort dans son repaire parmi les objets volés et le fruit de sa contrebande. Depuis, la caverne porte le nom de «Skinner's Cave»: «Taillée dans un récif de granite de soixante pieds de profondeur, de huit pieds de largeur et de hauteur égale, elle occupe un des points les plus intéressants du lac; mais à cause de son caractère d'histoire d'autre monde, cet endroit a perdu toute son attraction».

La légende du rocher de Donda

C'était au temps où la forêt encerclait le lac Massawipi, bien avant la venue des Blancs dans la région. Un chef de tribu s'était installé avec ses guerriers sur la rive du lac. Ce chef avait pour fille la belle Leeliwa, fiancée à un brave guerrier nommé Donda. Le coeur de la jeune fille cependant lui préférait O-ne-Ka, jeune, habile et souple, bon nageur, capable de défier toutes les tempêtes. Les deux amants se retrouvaient souvent pour de secrètes balades. Donda finit par découvrir la complicité de la jeune fille et du jeune homme et se mit à les épier avec perfidie. Un soir, possédé par un esprit de vengeance, il aurait provoqué avec l'aide des mauvais esprits une terrible tempête. Un fort coup de vent s'élança en trombe sur le lac et renversa le canot des amants. Leeliwa et O-ne-Ka luttèrent contre ce destin qui les entraînait dans la mort. Tous deux plongèrent et replongèrent dans les eaux. Le fourbe Donda vit disparaître sa fiancée sous les tourbillons. Soudain il ne put résister à la tentation de lui porter secours et se lança lui-même dans les eaux tumultueuses. Il en ressortit épuisé, le coeur déchiré en constatant l'inutilité de son geste.

Dans un moment de folie, l'Indien crut apercevoir Leeliwa qui, après avoir atteint la plage, disparut dans les bouleaux blancs «par un vent qui chante les accords d'un Requiem».

En désespoir de cause, il s'élança à nouveau vers le lac.

Le sorcier de la tribu usa de sa magie pour découvrir la triple tragédie et en aviser le père de la jeune fille. Consterné, le chef décida alors que le rocher ayant servi de guet au fiancé jaloux devait être sculpté à l'effigie du perfide Donda, en y ajoutant un serpent autour du cou.

Le temps et les vents ont effacé l'image du roc, mais le récit est toujours vivant.

Conclusion

Est-il nécessaire de préciser que le comté de Stanstead est riche en éléments patrimoniaux et que la plupart de ces éléments font encore partie intégrante du paysage traditionnel? Ils constituent en quelque sorte une illustration vivante de l'héritage socio-culturel des anglophones dans le sud du Québec.

Pour l'instant, le comté a conservé son caractère proprement rural, mais la nouvelle autoroute 55 qui conduit aux États-Unis a provoqué dans ce paysage une brèche susceptible d'accélérer le processus — encore lent — de détérioration du patrimoine.

BIBLIOGRAPHIE

ANONYME. *Souvenir of Old Home Week Coaticook,* August 1914, s.p. (seulement des illustrations).

ANONYME. *Eastern Townships Gazetteer and Business Directory*, St. John, Smith, 1867, 133 p. (Réimpression: Sherbrooke, Page-Sangster, 1967).

ANONYME. *Centenaire de Beebe*, P.Q., 1873-1973, s.l., 1973, 60 p.

BRENT, Haily Carrington. *The North Hatley Story*, B.C.H.S., 1961, 159 p.

BRITISH AMERICAN LAND CO. *Information respecting the Eastern Townships of Lower Canada... etc.* London, W.J. Ruffy, 1833, 26 p. (Réimpression: Sherbrooke, Page-Sangster, 1962).

CHARTIER, abbé. *La colonisation dans les cantons de l'est*, St-Hyacinthe, 1871, Presses du courrier de St-Hyacinthe, 96 p., 21 cm.

DAY, Catherine Mathilda. *Pioneers of the Eastern Townships, a work cont. ... settlements, early history, adventures, perils...* Montréal, John Lovell, 1863, 171 p.

ANONYME. *History of the Eastern Townships...* Montréal, John Lowell, 1869, 475 p.

GRAVEL, abbé Albert. *Histoire de Coaticook*. Sherbrooke, La Tribune typ., 1925, 222 p.

ANONYME. *Les origines du mot Coaticook et l'expédition de Rogers en 1759*, dans «Le Canada français», vol. XII, pp. 187-193.

GROUPE DE RECHERCHE EN HISTOIRE RÉGIONALE. *Bibliographie d'Histoire des Cantons de l'Est*, Département d'histoire, Université de Sherbrooke, 1975, 120 p.

HAYES, John. *Essai de bibliographie sur les écrivains originaires des Cantons de l'Est ou auteurs de travaux se rapportant à notre petite province*. Sherbrooke, La Tribune, 29 nov. 1930, 30 p.

HUBBARD, Benjamin, F. *Forest and Clearings. The history of Stanstead county*. Montréal, Lovell, 1874, 364 p. (Réimpression: Sherbrooke, Page-Sangster, 1963).

HUNTER, W.S. *Hunter's Eastern Townships Scenery, Canada East*. Montréal, John Lovell. (Réimpression: Sherbrooke, Page-Sangster, 1966).

LAVOIE, André, et collaborateurs. *Coaticook, 1864-1964*. Coaticook, s. éd., 194 p.

MERCIER, Jean. *L'Estrie*. Sherbrooke, Apostolat de la presse, 1964, 262 p.

PELLERIN, Maude Gage. *The Story of Hatley*. s.d., B.C.H.S., 84 p.

STANSTEAD HISTORICAL SOCIETY. *Journal*. Vol. 1 à 7. Stanstead, Stanstead Historical Society, ed., (-?) à 1977.

Archives familiales
en Bellechasse

Benoît Lacroix
Institut d'études médiévales,
Université de Montréal

Les études et les recherches d'ethnographie québécoise se multiplient en même temps que se dégagent peu à peu les grands axes de la culture rurale: le goût de vivre, le culte de l'héritage, l'amour du travail, le besoin de discourir, l'épargne à courte durée, le sédentarisme et une tendance à moraliser qui vient d'une religion encore perçue comme un devoir familial.

Quant à la plaine côtière de Bellechasse[1], dont il sera davantage question dans cet essai, elle est déjà une terre inespérée pour ethnologues, géographes, linguistes et historiens[2]. Sans doute que celui que ces pages veulent honorer a déjà entrevu les surprises et les beautés de cette région variée au possible. En effet, le

---

1. Rapide et heureuse initiation à la vie dans Bellechasse, *La plaine côtière de Belle-chasse. Guide d'introduction à son patrimoine passé et présent*. Québec, Affaires culturelles, juin 1978, 34 p. (Collection «Les Retrouvailles», numéro 7).

2. V.g. Études en cours au département d'anthropologie de l'université Laval, sous la direction du professeur Yvan Breton, lui-même originaire de Ladurantaye et par alliance de la famille des Lamontagne; Pierre Anctil, «Saint-Vallier de Bellechasse au tournant du siècle dernier; la pénétration du capitalisme», dans *Anthropologie et Sociétés* I, 2 (1977), pp. 37-50; Marcel Juneau, «Glanures lexicales dans Bellechasse et dans Lévis», dans *Travaux de linguistique québécoise*, éd. M. Juneau et G. Straka, Québec, aux Presses de l'université Laval, 1975, pp. 141-191; Jacques Nadeau, «La médecine populaire dans quatre paroisses du comté de Bellechasse», dans *Revue d'ethnologie du Québec* 3 (1976), pp. 51-104; Marc Filteau, «Les villa-ges du comté de Bellechasse», Institut de géographie, université Laval, 1966, 213 p.; Jean Raveneau, *La cartographie du peuplement rural. Quelques méthodes appli-quées au comté de Bellechasse*, Strasbourg, 1966. Thèse de troisième cycle.

comté traditionnel de Bellechasse dont la vie fut tour à tour maritime, forestière, rurale et maintenant un peu plus industrielle, touche à la fois à la mer et à la grande forêt. Les grandes seigneuries du Bord de l'Eau ont longtemps annexé les paroisses les plus anciennes de Nouvelle-France: Beaumont date de 1672, Saint-Michel est de 1678. Les Hauts de Saint-Nérée et de Saint-Lazare, et jusqu'à Saint-Gervais, ont jadis abrité deux tribus d'indigènes, chasseurs descendus du Maine. On dit encore, en leur souvenir: Lac *Etchemin*, Lac des *Abénaquis*. Pour leur part, les Acadiens ont apporté au comté des récits, des légendes et des contes de toutes sortes. Bellechasse est la patrie de la Corriveau ressuscitée à trois reprises par le concitoyen Luc Lacourcière, de Beaumont[3]. Les paroisses riveraines ont toutes leurs récits épiques; c'est le château hanté des Hearns à Beaumont, le cimetière des patriotes au 4e Rang de Ladurantaye (1775), la pendaison du meunier Nadeau le 30 mai 1760, la Roche à Fraser à Beaumont encore, les déraillements du train en 1914, en 1935, sans compter tous les éboulis et les noyades. Au moment où nous rédigeons, madame Maria Fradette-Lacroix à Ladurantaye peut vous raconter, encore à 78 ans, des contes à faire peur ou à faire rire, d'une durée qui peut varier de 30 à 90 minutes.

Dans ces lieux déjà chargés de souvenirs et d'histoire, tant et plus fréquentés par des marchands en quête d'*antiquités*, nous retrouvons au fin fond du Troisième Rang Ouest de Saint-Michel, allant vers le Rang de l'Hêtrière de Saint-Charles de Bellechasse, la maison «retravaillée», mais à «l'encadrage» deux fois centenaire, de monsieur Ernest et de madame Émilie Lamontagne. Les deux sont nés des vieilles familles Lamontagne de Saint-Michel, «baptisés ici», «communiés ici», «mariés ici», à la même église le 1er septembre 1926: ils sont à bien des égards la suite et le résumé de l'histoire de leur paroisse dont le troisième centenaire a été célébré en juillet 1978[4].

Ethnographe, mais sans le savoir, Émilie Lamontagne est née le 28 octobre 1906 au Deuxième Rang de Saint-Michel. Ernest est de 1903 et du Troisième Rang. Elle reste, pour sa part, une des femmes des campagnes québécoises les plus cultivées que nous ayons rencontrées à date. Sa «sagesse» vient de ce qu'elle sait

---

3.   Cf. *Cahiers des Dix*, 1968, 1969 et 1973.

4.   Cf. *Saint-Michel de Bellechasse, 300 ans d'histoire. 1678-1978.* Éditions Etchemin, Québec, 1978, 230 p.

écouter, lire, causer et, à son tour, raconter. Surtout qu'elle est sans prétention. Éveillée à tout ce qui arrive et à tout ce qui se dit depuis son enfance, elle se souvient bien qu'elle a étudié d'abord à l'École du Rang, puis chez les soeurs Jésus-Marie au village, pour se retrouver dès ses 17 ans et jusqu'à 20 ans (1923-1926) institutrice de rang. Elle garde d'ailleurs de son école «à la deuxième» un souvenir amusé. Quelle mémoire elle a! Chaque fait a sa date, son récit. Son époux, plus silencieux mais tout aussi précis, intervient pour compléter le récit circonstancié de son Émilie: il est évident qu'il l'admire beaucoup, tout heureux de revivre tout ce que lui rappellent à lui des «choses» si bien conservées par elle.

Il dirait même qu'elle se souvient de tout. Aussitôt interrogée, la mémoire fuse, s'enrichit et se nourrit à mesure, comme d'elle-même. Vu, entendu: pas de secrets pour elle. «C'est de famille», m'explique-t-elle.

Forte de son héritage oral autant que de ses propres souvenirs visuels, Émilie Lamontagne a perçu comme d'instinct, «il y a au moins cinquante ans de cela», qu'il fallait toujours se souvenir et garder, et ne pas vendre aux passants, ni détruire aucun mobilier. Un jour, raconte-t-elle, le notaire de la place, aujourd'hui décédé, lui a emprunté ses contrats de mariage, et il y en avait qui remontaient aux débuts de la Nouvelle-France. «Je ne les ai jamais revus».

Monsieur Ernest et madame Émilie Lamontagne, à leur maison de Saint-Michel de Bellechasse, le 1er janvier 1979. Photo Nicole Lamontagne.

Les *archives* des Lamontagne doivent donc être entendues ici au sens large du mot, dans un contexte oral et visuel, signifiant tous les objets possibles, tout ce qu'on garde pour garder, tout ce qui sert encore depuis les grands-parents. Inépuisables en un sens. Chaque visite apporte des découvertes. «Je ne sais plus trop ce que j'ai, mais je sais que j'en ai partout...». «Et si vous alliez aussi en haut dans les chambres, au grenier, à la cave, chez Clément, chez Patrice»... «Il y a toujours quelque chose à trouver», promet-elle.

C'est cet ensemble de documents, «collection» de culture matérielle inespérée en son genre, et sûrement pas unique au Québec, — les multiples travaux de R.-L. Séguin le démontrent assez — que nous présentons plutôt globalement, convaincu à l'avance que ni la courtoisie infatigable des époux Lamontagne, ni l'appui de leur fils Clément et de leur petite-fille Nicole, ne nous permettent d'épuiser pour le moment même une simple énumération des pièces qui s'y trouvent. Notre but est moins l'énoncé que la perspective, avec l'idée d'expliquer à nos lecteurs ce que la culture populaire paysanne signifie pour ceux qui la vivent en profondeur. Précisons que la correction du langage de nos informateurs — car tous les deux parlent une langue juste mais sans prétention — est significative d'une certaine noblesse de la vie rurale, sur laquelle il faudrait sûrement revenir un jour.

— I —

Énumération brève

Notre énumération veut ici respecter autant la manière que le vocabulaire de nos informateurs. Tout en offrant à notre lecteur un aperçu que nous espérons significatif des intentions et des perceptions des Lamontagne, il nous faudra bien nommer un peu à la suite, selon la chronologie de nos découvertes, quitte à explorer plus loin leurs justifications culturelles.

1. «Ne parlons plus des contrats de mariage». Plusieurs remontaient au début de la Nouvelle-France. «Perdus, vendus, je ne sais pas». Il reste, cependant, un nombre imposant de contrats d'achats et de ventes. Certains remontant jusqu'à 1766, jusqu'aux Becquet dit Lamontagne, premières familles venues de

Montoye du diocèse français de Bordeaux au XVIIe siècle. «J'ai sûrement beaucoup de vieux papiers... mais où les ai-je mis?»

2. D'autres autographes? A-t-elle gardé ses lettres? Elle a préféré les détruire. Discrétion? Peut-être. «D'ailleurs on s'écrivait pas, on aimait mieux se parler... On en dit plus». Parmi toutes sortes d'autographes, plus ou moins signifiants, nous retrouvons tout à coup à l'intérieur d'un livre, sur l'envers d'une couverture, des remarques et des annotations rapides sur les événements. Elles sont d'Émilie. Ajoutons quelques transcriptions de poèmes lus ici et là.

3. Dans un spicilège où se retrouvent en vrac des coupures de journaux et une centaine de poèmes imprimés (v.g. Coppée, Hugo, P. Lemay, A. Lozeau), É.L. a transcrit à la main deux versions des *dix commandements du bon Enfant de Choeur* ainsi qu'une prière, sur le même thème, d'une religieuse de la Congrégation «Jésus-Marie». C'est à lire, je vous assure.

4. *«Allons voir nos boîtes à livres»*. Une dizaine de boîtes en carton pour plus de 300 livres de toutes sortes dont certains du XIXe siècle, sont là par héritage plutôt que par recherche consciente du livre plus ancien. La plupart sont du milieu du XXe siècle. La grande majorité, imprimée en France. Parfois à la main, sur un carton volant, É.L. a dressé la liste provisoire sans ordre des titres que telle ou telle boîte contient. Question de se retrouver et d'en savoir le nombre exact. En «vidant» chacun de ces cartons nous avons tenté d'établir les catégories qui suivent, révélatrices des goûts simplifiés du temps: livres *utiles* à l'école et à l'église, quelques livres de cuisine, mais surtout des livres-souvenirs et des livres de récompense.

A. *Une série de manuels scolaires.*

Ils ont appartenu à la famille, aux enfants, aux oncles et tantes. Livres de géographie, d'*Histoire sainte*, d'*Histoire du Canada*, d'*Arithmétique*, etc. Quelques numéros (5-10) de l'*Enseignement primaire* de l'année 1900, imprimés à Québec. On y retrouve *Mon premier livre* (Québec, 1900, 105 p.) tellement significatif de cette époque où éducation religieuse et instruction ne font qu'un. *Les leçons de la nature* aurait appartenu déjà à Louis Jean Charles Fiset, principal du Collège Saint-Michel en 1870, puis en 1874, à Pierre Gagnon du même Collège, puis à une grand'mère qui l'a donné à sa fille... Ainsi de suite!

B. La série des principaux catéchismes en usage alors au Québec (de 1900 à 1960) dont celui du Curé Salluste Bélanger à Saint-Michel de Bellechasse de 1922 à 1932. Non seulement leur contenu mais surtout l'état usagé de ces textes montrent l'importance concrète de l'enseignement religieux oral traditionnel.

C. L'importance capitale donnée à l'instruction religieuse apparaît aussi par la liste plus grande encore de livres pieux, hagiographiques, livrets des fidèles, formules et formulaires de prières, *paroissiens romains, missels des victoires chrétiennes*. Nous avons compté jusqu'à *22 livres de messe* dont un date de 1887. Usagé surtout, il a appartenu à sa grand'mère. Le *Livre d'or des âmes pieuses* aurait appartenu à Alphonse Gosselin, sacristain à Saint-Michel jusqu'en 1920, et qui le donna ensuite à Émilie.

D. Une cinquantaine de «livres de prix», livres neufs souvent, à couverture rouge pour la plupart, imprimés en France et distribués au Québec à la fin de l'année scolaire. Une jeune ethnologue française de passage nous indique que les mêmes livres, ou près, étaient à la même époque distribués en Normandie pour les mêmes raisons éducatives et pieuses.

E. Une centaine de livres divers, allant des *leçons de choses* aux romans de Pierre l'Ermite, ainsi qu'une première édition des *Rapaillages* de Lionel Groulx en 1916, un manuel moderne de sexologie et quelques «perles plus rares» ou plus étonnantes en milieu rural: par exemple l'édition à cinq francs, chez Fayard, avec 29 bois originaux de J. Lebedeff, de *Maria Chapdelaine*; en feuilleton, découpé du journal *L'Action Catholique, Menaud Maître-Draveur*.

F. Une grande boîte de coupures de journaux locaux. Sur tous les thèmes possibles, allant de l'actualité religieuse aux avis de décès. Feuilles volantes. Deux ou trois spicilèges inachevés. Près de 75 avis de décès, 55 extraits portent sur des personnes centenaires. On y retrouve encore les textes imprimés détachés du journal local (v.g. *L'Action Catholique, L'Événement*), des poèmes sur les fêtes et saisons, surtout poèmes du terroir et du monde quotidien. En tout 2036 feuilles détachées. C'est la religion, la politique, l'histoire qui apparaissent comme les principales préoccupations culturelles de É. Lamontagne depuis 1935, date des premières «découpures» de journal.

G. Des livres de recettes? «Si j'en ai!» Les enfants se rappellent du tiroir plein de secrets empruntés à la famille, aux «connaissances», aux voisins, aux journaux.

H. Cinquante-cinq faire-parts et souvenirs.

I. Des livres de médecine populaire? Son fils Clément se souvient «comme si c'était aujourd'hui» qu'elle avait ses «potions magiques», ses herbages, ses tisanes, ses écorces de bois à faire bouillir, etc.

J. Nous avons en outre compté 78 images pieuses dont 7 relatives à la Communion solennelle.

5. «*Impossible de m'en séparer*». Il y a en plus les souvenirs qui font penser. L'album de famille, une collection de photographies. Il y en aurait en tout 351 et la plupart ont trait à la parenté. Sans oublier les cadres, les images pieuses distribuées ici et là, les statues, les statuettes. La série des cartes mortuaires? J'ai vu celle de Sieur Irénée Gagnon décédé à Saint-Michel le 14 juin 1897 à l'âge de 73 ans et 6 mois, et sur la même carte Dame Marguerite Couture, son épouse, décédée le 1er novembre 1880 à l'âge de 54 ans et 11 mois. Aussi typique de l'époque avec ses rubriques et son encadrement de circonstance, celle de Marie Sarah-Gagnon, épouse de Majorie Mercier, décédée à Saint-Michel le 25 avril 1891, à l'âge de 58 ans et 8 mois. La plus récente est celle d'un parent par alliance: L.-P. Prévost († 1976). En tout, 96 cartes mortuaires retrouvées, comptées.

Les mèches de cheveux? «Je les ai brûlées l'an dernier. Je n'aurais pas dû...» «J'ai aussi des chapeaux de circonstances, des calendriers en quantité, 13 cartes du Québec (1950-75) et une grande carte au mur, du Canada, de 1900». Elle a gardé ses vieux fers à repasser, une jaquette de nuit, des couvre-lits, une «peau de mouton» pour l'hiver, les broderies faites au temps de son adolescence, les tissus de sa robe de mariée, le même bassin à linge avec pilons de bois. «Pourquoi s'en séparer si ça marche bien?».

Nous avons compté huit chapelets, dont «celui du père de mon mari, celui de ma mère, celui de ma soeur Marguerite qui me l'a laissé à son entrée au Couvent en 1927». Un chapelet lui rappelle la naissance de son fils Clément le 3 juin 1933. Un autre est venu de Jérusalem, celui-ci de Lourdes. Elle a des «Agnus Dei» aussi. «On les portait sur nous». Les religieuses et les prêtres nous en faisaient cadeau.

6. Comment énumérer tous ces objets familiers avec lesquels elle vit et travaille toujours, depuis ce couteau à peler les pommes de terre, bien usé par les années, «au moins 50 ans d'épluchage», jusqu'au vaisselier, les plats, les soucoupes, les chaudrons d'époque?

Elle collectionne même les boutons. Si bien qu'elle en avait plus de cinq kilos jusqu'au jour où, en 1975, elle a commencé à les distribuer. Des boutons de toutes sortes, tout ce qui peut rendre service, «tout ce qui rappelle des souvenirs aussi».

Au moment où nous écrivons cet hommage à la culture rurale québécoise, il nous est strictement impossible d'être exhaustif: chaque visite aux Lamontagne nous apporte de nouvelles «révélations» d'autant signifiantes que parfois le mobilier et l'objet qu'on voudrait isoler sert encore à ses possesseurs.

7. C'est peut-être à l'annexe, le grenier de Clément, son fils, qui hérite du flair et de la culture de ses parents, que se trouve, à notre avis, la plus importante collection d'objets familiers capables de nous rappeler à tous les innombrables trésors de R.-L. Séguin et l'importance de ses enquêtes sur la *civilisation traditionnelle* de l'habitant aux XVIIe et XVIIIe siècles.

Nous avons vu entre autres objets familiers et mobiliers, un moulin centrifuge abandonné, un chaudron de fer, une petite fournaise à gaz, deux barattes, un porte-pipe et même une pipe de plâtre, une pipe en écume de mer, un dévidoir, deux écheveaux de lin, l'un filé et l'autre pas, un ourdissoir, une tournette, quelques casseroles, des catalognes, des vieilles lampes à brûleurs ou *burners*, un ber, un coffre en pin, une vieille commode, une armoire en pin, une vieille horloge, un étau d'établi en bois des années 1900, une bonne douzaine de formes de souliers, des formes à sécher les chaussettes, des varloppes en bois, une pièce de ros à lattes de roseau, une balance à peser les oeufs, une pioche, des pelles, un pilon à patates-à-cochons, des palettes-à-cochons, des bouvets pour moulure et «embouffetage», un porte-poussière en bois, une béquille artisanale, un cadrage en bois pour travaux de tissage et crochetage, une châsse pour fendre le bois, des scies à bois, des pioches en fer, une jambière, une cage à oeufs et enfin, et qui daterait peut-être de 200 ans, un saloir creusé dans un tronc d'arbre, deux vieux lits, sans oublier «notre trésor», le violon du quêteux.

Revenez visiter les Lamontagne après quinze jours; autres
«révélations», et la visite recommence: «Vous n'avez sûrement
pas tout vu l'autre jour... Il y a qu'on a prêté aussi pour les fêtes
du Tricentenaire»: le *set* de chambre, la berçante, la vieille
machine à coudre Singer, un coffre de bois, le «vieux secrétaire»,
la baratte, le moule et la presse à beurre, une sciotte, une chausse
pour faire des planches, une sorbetière, une valise à courroie, le
semoir à graine, un carcan de veau, des clefs, un porte brosse-à-
dents, une paire de guêtres, deux statues, un plumeau de poule,
une pince de cordonnier au ligneul, une serre-fouette, une pompe
à eau, du linge de toile, une paillasse, une lampe en cuivre mèche-
ronde, un pot à l'eau, un bassin, un porte-savon, etc.

En parlant avec les Lamontagne, nous nous sommes vite
convaincus qu'ils étaient «chez eux» dans leur vocabulaire
d'«objets familiers de nos ancêtres»[5]: aiguières, armoires de
coin, bahuts, bassin, boîtes à ustensiles, boudinières, bouilloires,
cordes, couchette, cruches, fariniers, lit à colonnes basses,
métier, pendule, pentures, plats, porte-ordures, rouleau à pâte,
table à pliant, tisonnier, etc. Autant de mots qui signifient pour
eux du «su, vu, connu».

— II —

Les questions que se pose l'historien de la culture populaire
devant ce dossier forcément inachevé sont nombreuses: comment
caractériser ces «archives»? À quel univers mental renvoient-
elles? À quelle sorte de mémoire individuelle et collective avons-
nous affaire? Les motivations des Lamontagne répondent-elles
aux données habituelles de la culture populaire rurale?

1. Comment caractériser ces archives?

Archives FAMILIALES avant tout: autant à cause de leur
histoire, de leur contenu, de leur sens de l'appartenance que de la
fierté qu'elles véhiculent. Tel ustensile, il appartenait à Grand-
Mère Lamontagne. Tel meuble à l'oncle Alphonse. Tous les
objets n'ont d'autre raison d'être là que parce que la famille les a
utilisés un jour ou l'autre. Or la famille, c'est toute la famille

5.   N. Genêt, L. Décarie-Audet, L. Vermette, *Les objets familiers de nos ancêtres*,
      Montréal, éd. de l'Homme, 1974, 305 p.

depuis les ancêtres jusqu'au dernier petit-fils. Solidarité d'adultes racés. Rien ne se trouve dans cette maison et ses dépendances qui ne soit relié d'une façon ou d'une autre aux travaux saisonniers et aux exigences de la vie rurale. Bien sûr, quelques livres sont venus de la ville, et même des vieux pays; des objets ont été achetés ailleurs, mais utile ou décorative, chaque pièce représente le vécu traditionnel de la campagne québécoise. Sans ce contexte immédiat, sans références à l'ordre social du rang et de la paysannerie québécoise des années'50, tous ces objets perdraient vite leur signification.

Ce sont «Archives d'AMATEUR» aussi, mais au sens heureux du mot. Les Lamontagne n'ont jamais consulté les dictionnaires et les manuels d'antiquités; ils n'ont rien à vendre, ils savent se défier des marchands et des *pedleurs*. Leur projet s'est improvisé lui-même, il a pris la forme domestique du bénévolat, de l'initiative privée et de l'improvisation. Le plaisir augmente à mesure qu'ils retrouvent et revoient ce qu'ils avaient autrefois simplement rangé par fidélité. Jamais, par exemple, il ne viendra à l'idée des Lamontagne, à moins de l'utiliser aussitôt, de faire réparer une pièce pour la rendre plus solvable, ou plus «parfaite». La cassure, la brisure, voire la rouille rappellent l'usage qui fait surgir les souvenirs. Réparer serait presque trahir.

2. À quel univers mental renvoient tous ces documents et objets familiers?

Au premier abord, il semble que la curiosité de madame Lamontagne soit illimitée et éparpillée. Tout ce qui est événement et jugement sur l'événement la passionne. Une immense générosité de coeur et d'esprit transparaît, à travers ses «ramasseries», pour le monde, la géographie, les hommes, les réalités les plus quotidiennes.

Mais à l'examen attentif des deux mille et plus des coupures de journaux sur tous les sujets possibles, il devient vite évident que la religion est ce qui les préoccupe le plus. Ensuite, c'est la politique et ses gouvernements, l'histoire, le tourisme, les arts, la littérature. La médecine aussi. Ce besoin de sacré correspond d'ailleurs à la mentalité de l'époque et du milieu: É. L. aime vérifier les divers aspects de sa croyance. Du plus petit pèlerinage local aux derniers voyages du pape, sans oublier les «excursions du célèbre Mgr Lefebvre de France qui tient tête à Rome», rien ne lui est étranger. L'avis de décès, l'annonce d'un baptême, le récit d'une funéraille paroissiale, tel incident international, l'éditorial du journal local, le poème, le reportage, tout est pêle-mêle peut-être à nos yeux, mais elle sait, elle, ce qui l'anime: la religion, sa religion. Elle aime son église, ses prêtres, ses religieux, le culte et ses belles cérémonies. Même s'il s'agit d'une religion-héritage, les souvenirs bien gardés l'aident à vivre à l'unisson avec les autres catholiques du monde. D'ailleurs, tout ce qu'elle a amassé de médailles, statues, chapelets, bénitiers, niches, croix et crucifix, cartes mortuaires, et autres objets du genre, prouve amplement la profondeur de sa propre vie intérieure et du besoin qu'elle éprouve d'avoir des signes. «Moi, je prie toujours... et pour tout le monde».

Notons encore le caractère franchement ENCYCLOPÉDIQUE et hétérogène de cet ensemble. Rien au premier abord ne semble exclu par madame Lamontagne. Elle en sourit d'ailleurs. «Tout m'intéresse, je garde tout». Aucune idéologie avouée ne la porte à garder ou à jeter. L'usage domine. Le décoratif prend peu de place, à moins qu'il ne soit déjà relié à une fonction pratique. Rien de sériel, ou presque. La «collection», témoignage du vécu quotidien, exprime plutôt les diverses facettes de la vie rurale quotidienne.

Il s'agit, enfin, d'une collection toujours EN COURS, inachevée, improvisée même. On ne sait pas trop si elle aura un jour une fin. Toujours ouvert aux autres, dans le respect des êtres et des choses, le domaine Lamontagne ne ressemble en rien à un musée. Aucun classement prémédité. Tout est disposé comme à peu près, selon les espaces possibles et les requêtes les plus élémentaires des besoins domestiques. Les Lamontagne restent des pionniers à leur manière de la conservation continue du patrimoine.

3. De quelle mémoire s'agit-il?

Aussitôt Bergson parlerait de *mémoire vraie* et *vivante* plutôt que d'une simple habitude du souvenir. Chaque «document» est là pour prolonger le présent. Les Lamontagne accumulent les «signes», v.g. photos, objets, qui leur permettent aujourd'hui de revoir les personnes et de réviser les souvenirs. «Ça me rappelle mon père, ma tante...» Douée d'un sens naturel de l'appartenance et de la continuité, il ne viendrait pas à l'idée d'Émilie Lamontagne de jouer aux antiquités, ou à la maison restaurée, ni de vouloir reconstituer un lieu et même un moment historique. Le présent lui suffit. Sa grande espérance vient justement de ce que le passé déjà débouche sur le présent qui à l'instant même s'annexe l'avenir. Si l'histoire sous toutes ses formes matérielles occupe une si grande part de ses «archives», c'est qu'elle est la dimension *naturelle* de la vie: on naît, on vit, on travaille, on a des enfants, on donne sa terre, et son règne s'en va; on naît, on vit...

Mémoire active et vivante. Chaque objet leur rappelle un nom, un fait, une date, une anecdote. L'authenticité va de soi. La mémoire intègre à mesure l'information et provoque les souvenirs avec le «p'tit brin d'exagération» des honnêtes gens qui ne mentent jamais à leurs hôtes. Il s'y mêle souvent beaucoup de reconnaissance envers les parents et les ancêtres: «Grand-papa utilisait cette faux, grand-maman avait mis ce chapeau...»

Mémoire merveilleuse, science magique des souvenirs chez des gens dont la fonction critique, réduite à son minimum, consiste plutôt à grandir la vérité qu'à la cacher!

4. Quelles seraient finalement les grandes MOTIVATIONS de cette aventure familiale à longue durée?

Il y a, bien sûr, le plaisir de connaître et surtout de reconnaître, la joie du souvenir, l'instinct du patrimoine et de l'héritage. «Je me souviens» garde son sens primitif. S'ajoute à ces raisons, le besoin de valoriser le passé. Mais la suprême raison, elle enveloppe peut-être toutes les autres, madame Émilie Lamontagne l'a avouée un jour à sa petite-fille de Lévis: «Au fond, je ramasse pour ceux qui en voudraient plus tard». Ce qu'elle range dans les tiroirs, les boîtes de carton, au grenier, au hangar, dans les dépendances, ce sont déjà *leurs* choses à eux, leurs biens, un bien de la terre aussi vivant que le champ qui les ancre tous au sud de la rivière Boyer.

Concluons. En fin de compte, l'intérêt de cette courte enquête sur le terrain est peut-être de rappeler à nos lecteurs québécois quelques traits de leur culture traditionnelle mais encore plus de leur rappeler l'immense dette que nous avons tous envers R.-L. Séguin qui a donné littéralement sa vie à la promotion du folklore matériel. Le contexte souvent imprécis dans lequel il a dû oeuvrer, vrai chercheur de trésors, improvisant autant que fixant ses objectifs à mesure, nous rappelle sans cesse ce vaste milieu rural qui fut son inspiration continuelle et qui tout à coup, comme malgré lui, se trouve soumis aux changements techniques les plus radicaux.

Mais, justement, l'étude de la culture rurale populaire, ne progressera vraiment que si les pionniers demeurent eux-mêmes, aussi près que possible de la vie quotidienne des habitants, attentifs à leur créativité, à leurs usages comme à leurs objets les plus familiers.

Avant les grandes théories importées sur la culture populaire et le monde rural, avant la recherche fondamentale spécialisée en bureau, il convient de suivre encore plusieurs années les sentiers du pionnier Séguin, c'est-à-dire d'identifier d'abord les êtres et les objets, d'inventorier par région si possible, tout en rêvant au jour d'une vaste enquête gouvernementale sur le mobilier rural traditionnel[6].

Si jamais s'écrit une histoire scientifique du Québec rural, nous aurons à citer souvent M. Séguin: nous aurons surtout appris par faits, listes et dates, que cette culture populaire paysanne, elle existait déjà, et elle aussi, avant notre culture savante, tout comme chez nous, et en Acadie, la littérature orale a précédé l'écrit. Non, il ne s'agit pas de les opposer l'une à l'autre, l'une aux dépens de l'autre, mais plutôt de les reconnaître toutes les deux comme on reconnaît dans un même fleuve et la source et ses affluents.

Quant aux septuagénaires Ernest et Émilie Lamontagne, ils ont encore la force de travailler sur la ferme, à la grange, au jardin. Seuls des accidents de santé... ou la visite pourraient les en empêcher. Pour sa part, Émilie continue à cuire son pain. Du vrai

---

6. Le Musée des arts et traditions populaires de Paris a présidé de 1941 à 1946 à une vaste enquête nationale sur le mobilier traditionnel, qui a donné lieu à 13 784 dossiers et par la suite à plusieurs publications et identifications de grande importance pour l'histoire de la culture rurale au Canada français. Voir Suzanne Tardieu, *Le mobilier rural traditionnel français*, Paris, Aubier-Flammarion, 1976, 220 p.

pain de maison! Et Ernest[7], son mari, m'a dit que le pain d'Émélie est aussi bon aujourd'hui qu'il l'était il y a cinquante-trois ans, la première année de leur mariage. Fidélité admirable.

_____

7.   Décédé depuis.

La fontaine Éclair

Carmen Roy
Musée national de l'Homme,
Ottawa

Introduction

Il ne fait pas de doute que depuis sa découverte le Canada a donné l'image d'une région, plus tard d'un pays, où la vie consumait les énergies de ses habitants sur tous les plans. Plusieurs écrivains ont voulu tantôt magnifier ces impressions, et d'autres, distiller les faits en racontant l'histoire du Canada français de façon dite objective.

À notre connaissance cependant, personne n'a eu le courage de Robert-Lionel Séguin lorsqu'il a écrit, pour une de ses thèses de doctorat, *La vie libertine en Nouvelle-France au dix-septième siècle*. Il nous en a parlé maintes fois de ce passé, par comparaison à notre culture contemporaine; mais nous ne pouvions imaginer alors qu'il nous présenterait, avec documents sérieux à l'appui, ce qu'il racontait avec autant d'humour.

Bien sûr que «La vie libertine...» est allée loin dans ses considérations, mais il serait difficile, sinon impossible, de nier cette vaste séquence de vie des habitants de la Nouvelle-France. Et c'est en hommage à cette oeuvre de Robert-Lionel Séguin que nous présentons un fabliau recueilli de monsieur Léon Collin[1], à Saint-Joachim-de-Tourelle, en Gaspésie, en l'année 1950.

---

1. COLLIN (Léon), 67 ans, La Tourelle, Gaspé-Nord, est pêcheur, et de même que tous les pêcheurs de la Gaspésie, il a travaillé, pendant l'hiver, comme bûcheron. Depuis quelques années, il ne va plus en forêt que pour couper son bois et chasser la

Ce fabliau, qui va suivre, ne veut pas être une contradiction de la traditionnelle image du passé québécois; il s'accroche plutôt à une phrase de «La vie libertine...» extrêmement importante: «Il importe que la vérité prime la légende. Ce rejet d'anciens clichés ne doit pas être interprété comme une contestation, mais plutôt comme un souci de ramener l'individu à sa véritable dimension et de le replacer dans son véritable contexte. L'ancêtre n'apparaîtra que plus saisissable, plus humain».

La fontaine Éclair [2]

Il y avait un jour un cultivateur qui était puisamment riche. Il employait une vingtaine d'hommes à l'année. Il passait tout son temps à se promener avec sa femme qui était la plus belle du pays. Quand il était à la maison, il buvait du vin à son loisir, il faisait une vie charmante et heureuse.

La femme du cultivateur, qui était aussi bonne que belle, allait à confesse à tous les mois. Mais à toutes les fois, le curé l'examinait, puis il la trouvait belle. Tout ce qu'elle faisait, il disait toujours que c'était bien. Ça se passe de même une certaine escousse... Mais un bon jour, elle va à confesse comme de coutume. Il dit:

— Madame, seriez-vous capable de me recevoir?

— Quoi (est-)ce que vous dites là, mon père?

— Je vous demande si vous seriez capable de me recevoir.

— C'est impossible. Je peux pas vous recevoir, c'est impossible. Mon mari est toujours à la maison, puis quand il sort, faut que je soye avec lui.

— Bien écoute. Si tu veux consentir à me recevoir, je vas arranger ça de manière à envoyer ton mari ailleurs.

---

perdrix. Il nous a déjà dit 70 contes, — qui, selon lui, représentent environ la moitié de son répertoire —, et nous a chanté 320 chansons. M. Collin est pour nous à la fois un informateur et un collaborateur. Il a fréquenté l'école primaire pendant deux ans, mais sa science populaire est inépuisable (Il ne parle que le français) (Carmen Roy, *La littérature orale en Gaspésie*, Bulletin no 134, no 36 de la série anthropologique, Ottawa, ministère du Nord canadien et des Ressources naturelles, 1962, p. 212). Monsieur Collin est aujourd'hui décédé.

2.   Conte-type 1360 C. Voir Antti Aarne's et Stith Thompson, *The Types of the Folktale*, Second Revision, Helsinki, 1961, pp. 404-405.

— Bien faites comme vous voudrez, je vous recevrai.

— Tu vas t'en retourner, puis quand tu seras rendue chez vous, tu tomberas malade d'une maladie grave. Ça fait qu'il sera obligé de venir me chercher. Quand je serai rendu chez vous, c'est moi qui arrangera(i) les choses.

— C'est correct.

Toujours que la femme va faire sa pénitence, puis elle retourne à la maison comme de coutume. Rendue chez eux, au bout d'une heure, il lui prend une maladie terrible. Tout de suite, rien de plus pressé, le cultivateur qui aimait sa femme plus que lui-même, attelle les chevaux, part au galop pour aller chercher le curé. En arrivant à la maison, le curé se met à examiner la femme. Il dit en penchant la tête:

— Ah! elle est bien chétive, bien chétive. Il y a seulement qu'une chose pour la réchapper de la mort.

Le cultivateur qui aurait donné sa vie pour guérir sa femme, demande:

— Quoi (est-)ce que c'est, monsieur le curé, qu'on pourrait bien faire pour la remettre à la vie?

Il faudrait avoir de l'eau de la fontaine Éclair! Mais la fontaine est assez loin d'icitte. Il paraît qu'elle est à trois jours de marche, par le chemin de la grand'ligne. Puis va falloir que vous alliez là vous-même.

— Quand même ça prendrait quinze jours, monsieur le curé!... Mais j'ai personne pour rester avec ma femme!... Je peux pas l'abandonner de même... On a une fille à gage, mais je peux pas me fier à elle.

Je m'en vas rester avec elle, moi. Soyez sans occupation.

— En tous les cas, monsieur le curé, puisque vous me dites que vous allez rester icitte, faut que ça soye certain. Je m'en vas aller chercher de l'eau moi-même pour être certain que c'est bien de l'eau de la fontaine Éclair.

Toujours que le cultivateur prend une cruche, se passe le doigt dans l'anse, puis prend la forêt. Mais après qu'il est parti, sa femme revient tout de suite. Elle met sa fille à fricoter, puis elle, elle s'habille sur une belle robe en dentelle. Elle s'en va se promener sur la galerie, bras dessus, bras dessous avec le curé.

Mais on va revenir au pauvre cultivateur qui était rendu dans la forêt à se faire manger par les mouches. Il y avait ni chemin, ni chemine dans la forêt. Tout d'un coup, en marchant, il débouche à un petit chemin de pieds. Il voit venir un homme à sa rencontre, avec un grand panier crocheté dans le bras.

— Bonjour, monsieur.

— Bonjour, monsieur.

— Dites-moi donc où (est-)ce que vous allez avec cette cruche-là?

— Où (est-)ce que je vas? Je m'en vas à la fontaine Éclair chercher de l'eau pour ramener ma femme à la vie. Comme c'est là, elle est à la dernière extrémité.

— Ah! bien, c'est bien curieux.

— Puis vous, de quoi (est-)ce que vous faites?

— Moi? je suis un quêteux. Je quête de porte en porte. Là je me suis égaré dans la forêt. J'ai trouvé ce petit chemin de pieds-là, puis j'essaie à sortir.

— Bien vous allez sortir certain au village, pas bien loin de chez nous, sur ma terre. Moi je suis un cultivateur.

— Puis de même vous allez à la fontaine Éclair? Où (est-)ce qu'elle est, la fontaine Éclair?

— Bien je sais pas au juste, mais c'est par là.

— Pauvre ami! vous en trouverez pas de fontaine Éclair, il y en a pas.

— Mais êtes-vous fou?

— Non, non, je suis pas fou. Tiens, on va gager tous les deux. Votre femme est pas plus malade que vous puis moi.

— Quoi (est-)ce que vous dites là?

— Croyez-moi. Votre femme est pas malade, puis il y a un homme avec elle, là. Si vous voulez, on va faire une gageure. J'ai cent piastres de quêtées. Puis vous, vous avez de l'avoine? Je vas gager cent piastres contre cent minots d'avoine. Si votre femme est malade, je vous donnerai mon cent piastres. S'il y a un homme avec elle, puis qu'elle est en bonne santé, vous me donnerez cent minots d'avoine.

— Oui, mai il y a le curé qui la garde...

— Le curé? Êtes-vous bien sûr que c'est comme curé qu'il la garde?

— C'est bien, on va gager.

Jette la cruche dans le bois, puis revire de bord avec le quêteux. Mais rendu au bord du bois, le cultivateur voit sa femme qui se promène avec le curé par dessour le bras sur la galerie. Puis elle est habillée sur ce qu'il y a de plus beau: une belle robe en dentelle...

— Puis, quoi (est-)ce que c'est ça?

— Bien... ça a de l'air à ça...

— Vous allez vous coucher dans mon panier. Je vas vous couvrir avec ma nappe, je suis encore capable de vous porter, vous êtes pas absolument gros. Je m'en vas vous porter à votre maison. Vous allez voir de quoi (est-)ce qui se passe.

Le panier était assez long pour coucher un homme dedans, un peu raboudiné vous allez me dire, mais en tous les cas, un homme pouvait s'abrier dans le panier du quêteux. Le cultivateur se couche dans le panier. Le quêteux s'accroche l'anse dans la saignée du bras, puis il le porte assez aisément. Puis il a son bâton qui l'aide. Il était autour de midi. Le curé puis la femme voient venir le quêteux. Ils se disent:

— Tiens, on va le faire rentrer pour dîner, puis on va rire avec.

Ça bon. Mais quand le quêteux vient au bas de l'escalier de la galerie, il leur demande la charité pour l'amour du bon Dieu.

— Oui, on vous fera la charité, si vous voulez rentrer dîner avec nous autres.

— Je vous remercie. Je suis un peu gêné où (est-)ce qu'il y a du monde qui ont le moyen. J'aime mieux manger sur le pauvre monde, parce que je suis un quêteux.

— Rentrez, ça sera sans cérémonie.

Mais il se fait pas prier. Il vient à bout de monter son panier dans l'escalier, puis il l'emmène dans la cuisine. Il le place derrière la porte, avec sa nappe dessus. Le dîner est prêt, ils se mettent à table, puis ils commencent à manger. Ils sont gais, ils tirent des ripostes, puis de temps en temps, bien le curé donne un bec à la femme... Toujours que quand ils ont fini de manger, — vous savez que c'est l'habitude de chanter des chansons à la table quand on a des invités — le curé dit à la femme:

— Madame, vous allez nous faire un petit couplet de chanson. Vous êtes capable de chanter d'abord.

— Bien je saurais pas quoi (est-)ce que je pourrais vous chanter pour convenir avec ce qu'on est pour faire. En tout cas... mon mari est parti... ça me fait penser de vous composer un petit couplet:

Mon mari est allé à la claire fontaine
Il ne reviendra pas du reste de la semaine
Mon mari est allé à la claire fontaine
Il ne reviendra pas du reste de la semaine.

Ah! elle dit, excusez mon couplet.

Ils se frappent dans les mains, puis le curé dit:

— Bien, madame, c'est un couplet de chanson qui adonne.

— Monsieur le curé, elle dit, vous êtes un beau chanteur, vous, vous allez en composer un.

— Bien, puisque vous voulez absolument, je m'en vas continuer pour que ça adonne avec le vôtre:

Si ton mari est allé à la claire fontaine
Je vas coucher avec toi tout le reste de la semaine
Si ton mari est allé à la claire fontaine
Je vas coucher avec toi tout le reste de la semaine.

Excusez-la.

Ah! ça se frappe dans les mains, puis ça rit.

— À cette heure, c'est à votre tour, quêteux.

— Ah! je vous assure que moi je chante pas beaucoup bien. Puis mon couplet adonnera peut-être bien pas avec les vôtres...

— Chantez ce que vous voudrez.

Le quêteux se lève, s'appuie sur son bâton, puis il se revire vers son panier. Il dit:

— Moi, je chante toujours pour mon panier.

— Chantez pour qui (est-)ce que vous voudrez.

Il commence:

Entends-tu, mon panier, oh! ce qu'a dit le moine
Tu as perdu, j'ai gagné tes cent minots d'avoine
Entends-tu, mon panier, oh! ce qu'a dit le moine
Tu as perdu, j'ai gagné tes cents minots d'avoine.

Le curé puis la femme rient pas en toute de ça. Mais tout d'un coup, la nappe revole, puis le cultivateur se lève. Il dit:

— Tant qu'à avoir chanté tous les trois, le quatrième peut bien chanter lui aussi:

Si j'ai perdu mes cent minots d'avoine
Prête-moi ton bâton que je trémousse le moine
Si j'ai perdu mes cent minots d'avoine
Prête-moi ton bâton que je trémousse le moine.

Pour une protection sélective des croix de chemins du Québec

Jean Simard
CELAT, université Laval

Cet article reprend l'essentiel de l'introduction à un rapport que j'ai présenté en 1981* au ministère des Affaires culturelles du Québec, en vue de recommander de façon sélective la protection du corpus des croix de chemins. Afin de bien marquer le rôle d'instrument de ce rapport il m'est apparu utile, dans un premier temps, de présenter les grandes étapes de la formation de ce corpus et d'identifier les instruments de son élaboration, deuxièmement, d'expliciter la grille qui a servi à son analyse en même temps que la critériologie qui la justifie, puis finalement de présenter des recommandations générales qui auront pour rôle de prévenir contre une utilisation trop rigide et sans nuance des listes présentées dans le rapport.

1. La formation du corpus

La formation de ce corpus a nécessité deux grandes opérations qui correspondent aussi à deux étapes. La première a été celle de l'inventaire proprement dit, qui a nécessité cinq années d'enquêtes sur le terrain. Les dix ethnologues qui y ont travaillé, entre 1972 et 1977, ont parcouru toutes les routes du Québec

---

* *Corpus des croix de chemins du Québec. Rapport général d'inventaire.* Québec, ministère des Affaires culturelles, février 1981, 89 p.

habité, munis de leurs trois principaux instruments de travail: 1) les cartes topographiques du ministère de l'Énergie, des Mines et des Ressources du Canada (I: 250 000), grâce auxquelles ils ont pu ratisser le terrain rang par rang; 2) mon *Questionnaire de l'enquêteur*, au moyen duquel chaque croix a été décrite dans ses diverses composantes en même temps qu'y ont été consignés les renseignements reçus des informateurs, propriétaires ou voisins de chacune des croix; 3) l'appareil-photo qui a servi à garder au moins un cliché noir et blanc de chacune des croix.

La seconde opération, qui s'est surtout déroulée entre 1977 et 1979, bien qu'elle ait été amorcée dès le début du projet, a été celle de la documentation. Cette opération s'est subdivisée elle-même en deux sous-opérations: la documentation manuelle et la documentation automatisée. Chacun des 2 863 dossiers — bilan de l'inventaire et dimensions finales du corpus — a d'abord été classé hiérarchiquement dans l'ordre alphabétique des comtés municipaux ou administratifs du Québec, des municipalités de ces comtés, puis finalement des propriétaires de croix. Le *Répertoire des municipalités* (Québec, ministère de l'Industrie et du Commerce, Bureau de la Statistique du Québec, 1970), a donné le plan de ce classement. Chacun des dossiers a finalement reçu un numéro d'ordre séquentiel allant de 1 à 2 863, de la première croix du comté d'Abitibi à la dernière du comté d'Yamaska. C'est à partir de ce classement de base, manuel, que la documentation a été automatisée.

Avec le concours du Centre de traitement de l'information de l'université Laval qui a mis au point un plan de codification du *Questionnaire de l'enquêteur*, les données ont été standardisées puis codifiées en vue de créer une banque qui existe maintenant sous la forme de cartes perforées et d'une bande magnétique. Les données ont été traitées selon la structure d'un programme statistique couramment utilisé à Laval: le Statistical Package for the Social Sciences (SPSS).

2. Grille d'analyse

Autant pour respecter la logique du rapport que pour en faciliter la consultation, l'explication de la grille suivra l'ordre de présentation de chacune des fiches de comtés. Étant donné d'autre part la variété des cas qui s'y présentent, la Beauce servira de comté de référence pour l'explication.

BEAUCE

Synthèse

Caractéristique linguistique: francophone
Inventaire des croix: 144; 141-284
Sélection minimum: 10
Sélection moyenne: 29
Sélection réelle: 27

Analyse

1. Élaboration (Calvaires: 18)

   156 (bois)
   158 (édicule, pierre)
   167 (bois)
   172 (édicule, bois)
   209 (bois)
   229 (bois)
   253 (bois)
   281 (bois)

2. Ancienneté

   2.1 Calvaire: (281)
   2.2 Symbolique: 171, 224, 227, 280
   2.3 Simple: 161

3. Figuration/motivation

   3.1 Calvaire: 144, (158), (253), 278
   3.2 Symbolique: 150, 163, 174, 192, 194, 198, 204, 233, 247, 260, 269, 276.

   Liste séquentielle: 144, 150, 156, 158, 161, 163, 167, 171, 172, 174, 192, 194, 198, 204, 209, 224, 227, 229, 233, 247, 253, 260, 269, 276, 278, 280, 281.

   La première partie de la fiche comprend tout à la fois la synthèse des connaissances acquises sur chacun des comtés, en terme de caractéristique linguistique et du nombre de croix qui s'y trouvent, de même que les normes de sélection qui en découlent. Cette partie précède l'analyse comme elle la règle. Elle lui donne dans une certaine mesure son cadre *a priori* qui est celui de la répartition dans l'espace des croix de chemins du Québec. Avant toute analyse, en effet, il a paru essentiel de définir des normes quantitatives de protection de croix par comté. Comment fallait-il traiter les croix du comté de Pontiac qui ne sont que 2 alors que le comté de Beauce en compte 144? Fallait-il définir des minima, des maxima, des moyennes, en terme relatif ou absolu? L'éclairage est venu d'un travail récent[1] dans lequel j'avais montré qu'une corrélation significative existait entre la répartition des croix de chemins par comté et la caractéristique linguistique de chacun des comtés et des groupes de comtés, selon qu'ils sont entièrement francophones (91% à 100% de francophones) ou bilingues (66% à 90% de francophones). Les premiers comptent en moyenne deux fois plus de croix que les seconds, peu importe le nombre d'habitants. C'est sur la base de ce constat qu'il a été décidé de recommander la protection d'un minimum de croix par comté; ce minimum devant être le double en nombre absolu dans les comtés entièrement francophones. Comme par ailleurs les comtés francophones comptent rarement moins de 10 croix et les comtés bilingues, moins de 5, il a semblé que ces nombres devaient correspondre aux minima recherchés.

Quant à la norme de sélection moyenne, elle correspond à 20% de l'inventaire. La proposition *a priori* de protéger 20% de l'inventaire, en considérant que cet échantillonnage représentait bien le tout, s'est avérée valide *a posteriori* puisque la sélection réelle totale atteint au grand maximum 25%, c'est-à-dire 709 croix.

On comprendra donc qu'en raison du fait que le comté de Beauce est entièrement francophone, un minimum de 10 croix doivent être protégées. Sachant d'autre part qu'il s'y trouve 144 croix, numérotées de 141 à 284, la sélection moyenne (20%) devrait osciller autour de 29. On apprendra finalement que l'analyse qui suit donne une sélection réelle de 27 croix.

La deuxième partie de la fiche analyse l'inventaire des croix de chaque comté à partir de quatre critères qui sont présentés en ordre hiérarchique. En premier lieu sont privilégiés les calvaires[2],

---

1.   «Croix de chemins et frontières culturelles des francophones au Québec et au Canada», *Mélanges en l'honneur de Luc Lacourcière*, Montréal, Leméac, 1978, pp. 393-412. Voir en particulier la carte de *Répartition des croix de chemins du Québec*.

2.   Monuments qui font fonction de croix de chemins mais qui se différencient de la plupart d'entre elles en ce qu'elles comportent une figuration historique: le corpus du Christ.

dans la mesure où ils sont élaborés au plan formel ou qu'ils sont fabriqués dans un matériau noble ou rare[3]. Apparaissent donc dans cette première sélection, les calvaires 1) qui sont abrités par un édicule, 2) qui sont en bois, en bronze, en fer, en étain ou en tôle, 3) qui comportent plus d'un personnage. Les calvaires de poussière de pierre, les plus nombreux dans l'inventaire, n'ont été retenus qu'à condition d'être sous édicule ou de comporter plus d'un personnage. C'est pourquoi les raisons énumérées entre parenthèses sont cumulatives sans être exhaustives. Ainsi, dans le comté de Beauce, on pourra apprendre que sur les 18 calvaires qui existent, 8 seulement ont été retenus en raison de leur élaboration formelle (158, 172) ou de la noblesse ou de la rareté de leur matériau (156, 167, 172, 209, 229, 253, 281), ou les deux à la fois (172).

En deuxième lieu sont sélectionnées les croix qui sont anciennes, peu importe qu'elles apparaissent déjà dans la première catégorie, auquel cas leur numéro est cette fois inscrit entre parenthèses. Ont été déclarées anciennes toutes les croix dont les relevés indiquent qu'elles ont été érigées avant 1920 inclusivement. Un cas fait exception, c'est celui du comté d'Abitibi dont les croix ont été jugées anciennes quand elles précédaient 1940 inclusivement[4]. Les raisons de cette prise de position tiennent au fait que 1920 marque la fin d'une époque; c'est le XIXe siècle qui achève brusquement son agonie avec la première guerre mondiale; c'est aussi l'époque d'une première prise de conscience scientifique du phénomène des croix de chemins au Québec[5]; c'est enfin que cette sélection représente à peine 10% de l'inventaire total du corpus, comme le montre le *Tableau décennal d'érection des croix de chemins du Québec*.

---

3. Pour l'identification du matériau des personnages, je suis entièrement redevable à Paul Carpentier, qui les a relevés manuellement à partir des dossiers.

4. Le développement de l'Abitibi est récent. D'après le recensement de 1911, il n'y a pas 100 personnes qui y habitent en permanence, mais déjà en 1921 on en dénombre 13 200, puis 22 300 en 1931. Ce sont surtout les plans de colonisation Gordon (1932) et Vautrin (1934) qui donnèrent à l'Abitibi 9 000 et 45 000 nouveaux habitants (Raoul Blanchard, *Le Canada français. Province de Québec*, Montréal, Librairie Arthème Fayard (Canada), 1960, pp. 100-103).

5. C'est entre 1920 et 1924 qu'Édouard-Zotique Massicotte fait une première série de relevés qui lui donne une manne de 226 croix provenant surtout de la plaine de Montréal et de la Mauricie. Il en publie des analyses sous le titre «Nos croix de chemins» qu'il fait paraître dans le *Bulletin des Recherches Historiques*, en 1923 et 1924.

Tableau décennal d'érection des croix de chemins du Québec

XVIIIe siècle: I	
XIXe siècle: 59	
1900-1909: 58	1940-1949: 431
1910-1919: 82	1950-1959: 586
1920-1929: 125	1960-1969: 342
1930-1939: 342	1970-1979: 202

Pour la première fois, l'analyse distingue ici les trois grands types de croix de chemins qui existent au Québec: le calvaire, la croix à figuration symbolique et la croix simple, qui ont déjà été décrits[6]. La distinction de ces trois types apparaît régulièrement dans cet ordre qui les hiérarchise.

Le troisième critère de sélection combine deux éléments qui manifestent tous deux une intention évidente de valorisation des croix de la part de leurs propriétaires d'origine: la figuration, qu'elle soit historique (calvaires) ou symbolique (instruments de la passion), et les motivations d'érection: commémorations, ex-voto, prises de possession ou talismans[7]. Cette analyse se présente également dans l'ordre hiérarchique des types formels. Le quatrième et dernier critère dans l'ordre d'importance a trait à la figuration seule, à l'exclusion des croix retenues dans la catégorie précédente. Encore ici les types formels sont hiérarchisés.

La dernière partie de la fiche donne la liste récapitulative, en ordre séquentiel, de l'échantillonnage des croix de chaque comté dont la protection est recommandée.

---

6. «Croix de chemins et frontières culturelles...»

7. Pour la typologie des motivations et la liste des croix qui s'y rapportent, je suis entièrement redevable au travail de doctorat en Arts et Traditions populaires que Paul Carpentier a présenté à la Faculté des lettres de l'université Laval, en 1980, et qu'il a depuis publiée sous le titre, *Les croix de chemins: au-delà du signe*. Ottawa, Musées nationaux du Canada, 1981, 476 p. (Musée national de l'homme, Collection Mercure, Centre canadien d'études sur la culture traditionnelle, dossier no 39).

3. Recommandations générales

La somme des listes de chacun des comtés donne 709 croix qui représentent un échantillonnage basé sur l'excellence autant que sur la représentativité. Il aurait été difficile de prétendre sélectionner un échantillonnage représentatif dans un corpus qui est lui-même jusqu'à un certain point un échantillonnage. Car même si l'objectif était de relever toutes les croix de chemins du Québec habité, nous n'avons jamais perdu de vue que ce corpus est vivant, qu'entre 1972 et 1980, des croix sont tombées et que de nouvelles sont apparues. Pour cette raison, il faut absolument considérer que la liste finale vaut pour un temps théorique et qu'elle sera de plus en plus sujette à caution. Aussi, les administrateurs de la protection du corpus devront-ils, à chaque fois que des cas nouveaux seront ajoutés, les soumettre à la grille d'analyse qui a une valeur permanente en autant qu'on en accepte le fond.

On devra considérer que les croix retenues dans les deux premières catégories — soit parce qu'il s'agissait de calvaires élaborés au plan formel ou fabriqués dans un matériau noble ou rare, soit parce qu'elles précédaient les années 1920 — ont été sélectionnées en grande priorité. Les deux autres catégories ont été utilisées, soit quand il fallait atteindre le minimum de 5 ou de 10 croix, soit aussi quand il fallait rapprocher la sélection réelle de la sélection moyenne de 20%. En d'autres termes, on devra considérer que l'écart hiérarchique est beaucoup plus important entre la deuxième et la troisième catégorie qu'entre toutes les autres et que, de ce fait, avant de retrancher dans la première ou la deuxième catégorie, on devra s'assurer que la troisième et la quatrième auront subi les premiers assauts.

Il serait souhaitable que l'échantillon des 709 croix fasse l'objet d'une protection spéciale parmi les 2 863 croix de l'inventaire. La connaissance devrait en être communiquée à des instances culturelles régionales, tels que les musées, les sociétés historiques, etc., en les invitant à soumettre des programmes de protection qui auraient pour objectif de conserver l'identité de l'échantillon. L'initiative et l'application de tels programmes au niveau régional auraient également pour effet d'assurer une plus grande protection à l'ensemble du corpus.

Des programmes de protection *bona fide* — tels qu'ils viennent d'être recommandés — suffiront à assurer la protection de l'identité de l'échantillon théorique de 709 croix. Il ne peut plus en être de même pour un groupe spécial de 69 croix (trésor), dont une partie au moins devrait être l'objet d'un classement en vertu de la loi. Deux critères ont servi à les sélectionner. Le premier combine l'ancienneté, telle qu'elle a été définie ci-dessus, et les calvaires en bois sculpté. Ces calvaires sont au nombre de 27 et les dates de leur construction s'échelonnent de 1748 à 1920. Le second retient les croix qui ont été érigées avant 1900. En vertu de ce critère, les deux autres types de croix ont été considérés séparément: 24 croix à figuration symbolique qui ont été érigées entre 1851 et 1897, et 18 croix simples datées de 1834 à 1895.

Deux croix du premier groupe sont déjà tombées mais peuvent encore être sauvées. Il s'agit, plus précisément, de deux calvaires situés à Saint-Augustin de Portneuf: le «Calvaire du lac» (1748) et le «Calvaire du rang des Mines» (1850). Le corpus du Calvaire du lac a déjà été classé en 1978, mais le calvaire lui-même n'a pas été rétabli. Quant à celui du rang des Mines, il s'est écroulé à l'automne 1979. Une action immédiate s'impose.

Le décor mural dans les intérieurs montréalais entre 1740 et 1760

Luce Vermette
Parc Canada, Ottawa

Si plusieurs études se sont appliquées à restituer aux inté-rieurs anciens les meubles et les objets qui les composaient, peu se sont intéressées à l'ornementation des murs de ces intérieurs. Garnis de meubles, peuplés d'une multitude d'objets, les inté-rieurs montréalais de la fin du régime français sont aussi habillés de plusieurs façons: tentures, rideaux, portières, illustrations, représentations du Christ, niches, miroirs, trumeaux et peut-être combien d'autres! Nous avons choisi de nous attarder spéciale-ment aux tentures, aux illustrations, aux représentations du Christ et aux niches, essayant de voir en quoi elles consistent, leur nombre, leur importance et qui les possèdent.

Pour les connaître, nous avons consulté les documents d'archives[1], des inventaires après décès, instruments précieux pour nous renseigner sur le contenu d'une maison. Plus de 176 résidences montréalaises, sises à l'intérieur des fortifications de la ville, ont été visitées par le truchement de ces actes. Les titulaires sont des professionnels (8 cas), des officiers et sous-officiers mili-taires, de plume et de justice (31 cas), des marchands (42 cas), des

---

1. Nos données ont été puisées à partir d'une collection d'inventaires après décès, rédi-gés à Montréal entre 1740 et 1760, déposés aux Archives nationales du Québec à Montréal. Le dépouillement a été effectué par Nicole Genêt, Louise Décarie-Audet et l'auteur de cet article pour une recherche dans le cadre du Groupe de recherche et de diffusion des arts anciens du Québec, dirigé par Pierre Mayrand, de l'Université du Québec à Montréal. La description de tous les objets relevés dans les inventaires a été codifiée et compilée à l'aide de l'ordinateur.

gens de métier de service (22 cas) ainsi que des gens de métier de transformation (46 cas)[2].

L'examen du décor des habitations, divulgé par l'intrusion du notaire, révèle que 79 intérieurs (44.9%) sont ornés à la fois de tentures, d'illustrations, de représentations du Christ et de niches. Elles participent à l'ornementation des murs des salles, des chambres et même des cabinets, principalement des demeures des administrateurs, des officiers et des marchands[3]. Empressons-nous de souligner le fait que ces oeuvres, mentionnées dans les documents, font partie d'une communauté de biens. Les biens personnels des héritiers, protégés par une clause du contrat de mariage ou exclus d'une communauté de biens, échappent à toute estimation. Ils sont alors tirés pour mémoire ou simplement omis; c'est le cas notamment des portraits de famille.

Les tentures

Une façon d'habiller les murs d'une pièce consiste à tendre une tapisserie. À l'agrément de l'ornementation, elle ajoute au confort de la pièce en garantissant de tout courant d'air froid qui pourrait pénétrer le mur de la maison. Un intérieur peut contenir d'une à neuf tentures de tapisserie pour orner les murs de ses pièces, soit en moyenne 2.5 tapisseries. Précisons que 27% des intérieurs n'en ont qu'une.

Les documents se sont montrés loquaces pour décrire toutes ces pièces murales, que ce soit en précisant les dimensions, le mode de fabrication, le lieu de provenance, le lieu où elles sont tendues ou l'estimation. Les tapisseries les plus fréquemment rencontrées sont celles de Bergame et de point d'Hongrie (68 et 63 mentions). Les premières doivent leur nom à la ville italienne de Bergame où les habitants auraient été les premiers à tisser ce genre de tapisserie. Par la suite, plusieurs villes françaises en ont exécuté, notamment la ville de Rouen[4], d'où venaient plusieurs de

---

2.   Une trentaine d'actes ont été éliminés à cause de leur état fragmentaire ou de l'impossibilité de les consulter vu leur traitement de restauration aux Archives nationales.

3.   Détenteurs de tentures et d'illustrations: 3 professionnels sur 8; 27 officiers militaires, de plume et de justice sur 31; 4 gens de métier de service sur 22; 8 gens de métier de transformation sur 46.

4.   Décarie-Audet, L., N. Genêt, L. Vermette, *Les objets familiers de nos ancêtres*, Montréal, Éd. de l'Homme, 1973, p. 242.

nos importations[5]. On les fabrique sur le métier avec toutes sortes de matières filées (bourre de soie, laine, coton, chanvre, poil de chèvre, de vache ou de boeuf) pour la trame et avec du chanvre pour la chaîne; cet ouvrage se tisse à l'instar de la toile[6]. Trente-huit mentions ont fourni des renseignements quant aux dimensions: elles mesurent de 2 à 12 aunes[7], soit en moyenne 6.6 aunes. C'est une tapisserie commune et relativement de peu de valeur, prisée entre 4L. et 40L. (15L.4s. en moyenne)[8]. De ce fait, il est peu étonnant que 56.9% des gens qui s'offrent l'apparat de tapisseries en détiennent une de Bergame et que 21.5% des gens qui n'en possèdent qu'une, aient celle-là. Parmi ces derniers, on note la majorité des gens de métier de transformation.

Une autre tapisserie très en vogue est celle de point d'Hongrie. Son motif imite la broderie à bâtons rompus sur le canevas. Article de fabrication très importante de la ville de Rouen, on l'importe en assez grand nombre en Nouvelle-France[9]. Ainsi on compte 63 mentions de tapisseries de point d'Hongrie mesurant de 2 à 9 aunes (5.8 aunes en moyenne), évaluées de 2L. à 90L. (21L.2s. en moyenne). Cette tapisserie s'avère donc un peu plus onéreuse que la tapisserie de Bergame.

Des tapisseries dites «de verdure» se méritent aussi les faveurs des gens mieux nantis. Ces pièces murales désignent des tapisseries de haute lice où le vert domine, où il y a surtout des fleurs, des arbres, des oiseaux et des paysages. Les tapisseries inventoriées mesurent 8 ou 9 aunes et sont faites de 3 ou 4 morceaux. Elles valent entre 37L. et 240L., soit en moyenne 140L. Parmi celles-ci, deux ont été fabriquées à la célèbre manufacture d'Aubusson. On sait pertinemment que des tapisseries de verdure d'Aubusson sont importées au Canada pour le prix de 18L. à 22L. l'aune[10]. Datant de la première moitié du XVIIIe siècle, elles

---

5. Archives publiques du Canada, MG1, C^{11}A, vol. 121, t.l, *Tarif des droits perçus à l'entrée et à la sortie des marchandises au Canada,* 1748, p. 322. Dorénavant, *Tarif des droits...*

6. Décarie-Audet, L. et al., *op. cit.,* p. 242.

7. 1 aune = 1.18 mètre.

8. *Tarif des droits...,* p. 332. Selon cet état, les tapisseries de Bergame valent de 9L. à 10L. la pièce de quatre aunes et demie.

9. *Tarif des droits...,* p. 321. Selon cet état, les tapisseries de point d'Hongrie valent de 20L. à 25L. la pièce de quatre aunes et demie.

10. *Tarif des droits...,* p. 322. Selon cet état, il y a en plus des importations de tapisseries de Felletin, d'Auvergne, valant le même prix.

«offrent des plantes à larges feuilles ou à fleurs épanouies, poussées dans des paysages parfois agrémentés de ponts et de maisons rustiques, d'un château aux tours crénelées, d'animaux, de volatiles, de hérons et de perroquets»[11].

On relève de plus trois mentions de tapisseries dites «à personnages», recréant des épisodes religieux, mythologiques ou historiques. L'une représente un sujet de l'histoire ancienne, soit «les batailles d'Alexandre et de Darius». Ce récit avait joui d'une faveur spéciale à la cour de France par les allusions que l'on associait aux principaux événements de la vie du Roi. Charles Le Brun, peintre, décorateur, directeur de la manufacture royale des Gobelins à partir de 1663, déploya ses dons dans la composition des batailles d'Alexandre. La popularité du sujet le fit reproduire dans nombre d'ateliers et de manufactures jusqu'au cours des années 1740[12]. Les deux autres tapisseries proviennent l'une d'une manufacture des Flandres et l'autre de celle d'Aubusson. Ces tentures à personnages sont fort onéreuses, valant respectivement 200L. et 300L., celle des Flandres ayant été tirée pour mémoire. On a également répertorié une autre tenture des Flandres et douze autres d'Aubusson, cette fois, de sujets inconnus et valant de 100L. à 300L. Ces tapisseries ne font pas l'objet d'un commerce important entre la métropole et la colonie; elles ne parviennent en Nouvelle-France qu'à la demande des particuliers[13].

Parallèlement à ces tapisseries de laine de haute lice, on retrouve aussi des tapisseries de toile peinte. Elles consistent en un dessin tracé au pinceau sur un canevas (de coutil ou d'autre toile) sur lequel on imite avec diverses couleurs les sujets, les personnages et les verdures de la haute lice[14]. Parmi celles que nous avons relevées, l'une représente un épisode de l'histoire sainte, «partie de l'histoire de saint Joseph», et une autre, un sujet de la mythologie grecque, «l'enlèvement d'Europe». Sans pouvoir l'expliquer, les notaires font une distinction entre les tapisseries de toile peinte et celles de coutil peint. On remarque cependant que les premières mesurent en moyenne 6 aunes et valent en moyenne 36L.12s., alors que les secondes sont un peu plus grandes, soit

---

11. Weigert, R.-A., *La tapisserie française*, Paris, Librairie Larousse, p. 152.

12. *Ibidem.*

13. *Tarifs des droits...*, p. 322. Tel était le cas également pour les tapisseries de Bruxelles et de Beauvais.

14. Décarie-Audet, L. et al,, *op. cit.*, p. 242.

ADORATION DES BERGERS

Oeuvre non signée et non datée. Gouache sur toile chevronnée (253 ×
284.5 cm). Carton de tapisserie. Collection du Musée du Monastère de
l'Hôtel-Dieu de Québec (# 115). Cette «adoration» des bergers, de même
que son pendant des rois mages, est un carton dont on ignore si le transfert
sur tapisserie eut vraiment lieu. Ces deux oeuvres restent cependant exceptionnelles, parce qu'elles sont probablement le résultat d'une commande
des religieuses. Photo Inventaire des biens culturels.

généralement de 7.2 aunes et sont prisées à une valeur bien supérieure, soit en moyenne 73L.8s. Fait intéressant, on relève deux tapisseries fabriquées en toile du pays: l'une vaut 9L. et l'autre, forte de ses sept aunes, estimée à 56L. Somme toute, ces tapisseries de toile peinte sont plus dispendieuses que les tapisseries de Bergame et de point d'Hongrie, mais beaucoup plus abordables que les luxueuses tapisseries de manufactures renommées, telles celles des Flandres et d'Aubusson.

Les illustrations

Au même titre que les tentures de tapisserie, les illustrations participent à l'ornementation des intérieurs: 119 tableaux, 23 images, 8 estampes, 25 «cadres», 5 cartes, auxquels on peut ajouter 9 représentations du Christ ainsi que 5 niches, ont été recensés sur les murs de 77 demeures montréalaises. À ce chapitre, une mise en garde s'impose envers le sens que véhicule ces mots, issus du langage populaire de l'époque et transmis par le notaire, son clerc ou les estimateurs. Ainsi on remarque d'abord la métonymie du mot «cadre». L'emploi de ce mot nous empêche de connaître la nature de l'oeuvre: est-ce une image, une huile ou une gravure? Toutefois, trois de ces «cadres» ne valent que de 5s. à 1L., estimation attribuée normalement à une image; deux d'entre eux sont prisés à 5L., valeur affectée le plus souvent à un tableau. De plus, le mot «image» comporte deux sens. Le premier se confond avec celui du mot «estampe», comme le prouve le dictionnaire de l'Académie de 1765 en définissant «image» comme «se dit (disant) aussi des estampes»[15]. Le dictionnaire Bescherelle, édition de 1858, témoigne de ce fait en précisant que le mot «image... a été employé dans le sens d'estampe» et que «le mot estampe a été autrefois synonyme d'image»[16]. Or, nous avons des exemples où images et estampes, enluminées ou pas, ont même valeur. Le mot «image» comporte également un deuxième sens où il est associé au culte religieux. Selon nos documents, elles sont effectivement reliées à des sujets religieux. Enfin, le mot «tableau» peut aussi porter à confusion: réfère-t-il à une huile ou à une gravure? Trois seuls exemples portent la mention «un tableau sur de la

---

15. *Dictionnaire de l'Académie*, Paris, chez les libraires associés, nouvelle édition, 1765, t.1.

16. Bescherelle, L.N., *Dictionnaire national de la langue française*, Paris, Garnier Frères, 1858, t.1.

ADORATION DES ROIS MAGES
Oeuvre non signée et non datée. Gouache sur toile chevronnée (253 ×
284.5 cm). Carton de tapisserie. Collection du Musée du Monastère de
l'Hôtel-Dieu de Québec (# 116). Photo Inventaire des biens culturels.

toile». Signifie-t-il par extension, comme dans notre langage populaire, une image encadrée? On ne saurait dire.

Dans quarante-un cas, les estimateurs se sont attardés à décrire les illustrations précisant la nature, le sujet, l'encadrement, l'état ou la valeur. Ainsi apprenons-nous que la majorité des oeuvres (94%) sont bordées d'un cadre, le plus souvent de bois doré, telle la mode au XVIIe et au début du XVIIIe siècles où l'emploi de l'or dans la décoration était importante, ou bien de bois verni ou argenté. En outre, cinq images et quatre cartes sont fixées sur des gorges[17] de bois, pouvant ainsi être roulées à l'occasion.

Les sujets de 165 oeuvres nous sont connus. Ils sont très variés et reflètent les goûts et les mentalités de l'époque. Le classement par thèmes fait apparaître trois groupes: les personnages (34.5%), les sujets religieux (33.9%) et les scènes de la nature (30.7%). Parmi les personnages, les mentions les plus fréquentes concernent les représentations du roi et de la reine (12.1%), en deux tableaux distincts, de même format et de même valeur. On compte aussi plusieurs tableaux de portraits de famille (8.3%)[18]. Considérés comme des biens personnels, ces tableaux sont cependant tirés pour mémoire. On peut certes supposer que, pour cette raison, plusieurs ont échappé à la plume notariale. On compte enfin les illustrations de divers personnages dont des dames de cour, un homme et une femme, un paysan et une paysanne, un berger et une bergère, un Espagnol, une Sauvagesse et des gens de métier comme un cuisinier et des barbiers qui se rasent. Appartenant à la mythologie, on relève la représentation d'une nymphe, d'une déesse et de Bacchus.

Les sujets religieux jouissent de la même faveur que le groupe précédent. Ils nous renseignent jusqu'à un certain point sur les dévotions de l'époque. La plus importante de celles-ci se rapporte à la personne du Christ et aux événements de sa vie: l'Enfant Jésus, le Christ, l'Ecce Homo, la nativité, le Christ portant sa croix, la crucifixion, la descente de croix et la résurrection.

---

17. gorge: «bâton ou morceau de bois tourné auquel on attache les estampes, les cartes de géographies, etc., pour pouvoir les rouler». Bescherelle, L.N., *op. cit.*, t.I.

18. Portraits de famille: l'épouse de Paul Guillet, marchand bourgeois; l'oncle et la grand-mère de Charles Nolan Lamarque, marchand bourgeois et l'oncle de sa dame; les aïeux de Louis Coulon, sieur de Villiers, capitaine d'infanterie; les parents de Charles Douaire, marchand bourgeois, et le sien.

LE ROI LOUIS XV
Oeuvre non signée et non datée;
huile sur toile
(76.3 cm × 57.6 cm).
Collection du Musée du Monastère de l'Hôtel-Dieu de Québec (# 106).
Photo Inventaire des biens culturels.

LA REINE MARIE LESCZYNKA
Oeuvre non signée et non datée;
huile sur toile
(75.8 cm × 58.4 cm).
Collection du Musée du Monastère de l'Hôtel-Dieu de Québec (# 107).
Photo Inventaire des biens culturels.

Ce culte est d'autant plus éminent si l'on considère les neuf représentations du Christ sur fond d'étoffe noire et les quatre niches
renfermant l'Enfant Jésus. Vient en second lieu la dévotion à la
Vierge, représentée seule, avec l'Enfant Jésus, parmi la Sainte
Famille ou bien entourée de deux jésuites à genoux. Cette dévotion à la Vierge peut s'expliquer en partie par le fait que les résidences de notre étude appartiennent à la paroisse Notre-Dame.
Le culte des saints est aussi à l'honneur mais aucun ne reçoit une
affection particulière: saint Joseph, sainte Anne, saint Pierre,
saint Jean, saint Louis, saint Michel, saint Ignace, sainte Jeanne
et sainte Suzanne. Enfin, on peut noter des épisodes de l'histoire
sainte: Bethsabée au bain ainsi qu'Hérodiade et la tête de saint
Jean-Baptiste.

Les scènes de la nature occupent aussi une place de choix
parmi les illustrations. Bien que les oeuvres soient nombreuses,
les informations qui s'y rapportent font preuve de parcimonie.
Paysages et scènes diverses sont les expressions courantes, sans
plus de détail. Font exception trois mentions de tableaux de
fleurs, de fruits et de pots de fleurs ainsi qu'un tableau offrant
une scène de chasse. Figurent également quatre estampes illus-
trant les quatre éléments de la nature. Si la nature incarne la campagne et si la campagne s'oppose à la ville, on ne pourrait passer
outre une allusion à cette dernière. Aussi doit-on souligner une
représentation de la ville de Louisbourg. Dernières mais non les
moindres, du moins en format, des cartes géographiques ou
autres sont aussi accrochées aux murs des intérieurs montréalais.
Deux d'entre elles illustrent le royaume de France ainsi que les
Pays d'en haut. Deux autres représentent une dynastie d'empe-
reurs et un tableau des différents papes à travers le temps. Leur
présentation sur les murs est quelque peu différente des autres
illustrations en ce qu'elles sont généralement collées sur une toile
et maintenues grâce à des gorges de bois.

Suite aux illustrations, les pièces murales ont aussi retenu
notre attention. Elles consistent en des représentations du Christ
en os ou en ivoire, posées sur un fond de velours, de panne ou de
soie de couleur noire et enjolivées d'un cadre de bois doré. Elles
sont populaires, nonobstant leur valeur moyenne de 14L., et
témoignent, encore une fois, de la dévotion à la personne du
Christ. Quelques pièces murales, bas-reliefs ou médaillons, faits
de divers matériaux, ont également été répertoriés. Il s'agit particulièrement de deux «cadres sur marbre» de l'Enfant Jésus et de

CHEVALIER JEAN-
LOUIS DE LA CORNE
Oeuvre non signée et non
datée; attribution à
Michel Dessaillant de
Richeterre,
vers 1710;
huile sur toile
(75 cm × 62.5 cm).
Collection du Musée du
Séminaire de Québec.
Photo Inventaire des
biens culturels.

PORTRAIT D'UNE
DAME
Oeuvre non signée et non
datée;
huile sur toile
(54.5 cm × 74.5 cm).
Collection du Musée his-
torique de Vaudreuil.
Photo Musée historique
de Vaudreuil.

la Vierge, ainsi que de deux «tableaux ovals de plâtre» représentant la Vierge et saint Joseph. Il ne reste plus qu'à citer les niches qui, à leur tour, contribuent au décor quotidien d'une pièce. Elles renferment généralement un Enfant Jésus en cire et, à l'occasion, une Vierge ou une Madeleine.

Les éléments décoratifs ont toujours été considérés comme les parents pauvres de la documentation. Ceci s'explique par la parcimonie ou l'absence des informations à leur sujet et également par la pauvreté du nombre des oeuvres qui ont échappé aux injures du temps. Cependant le désir d'embellir et d'agrémenter le cadre de vie est bien éminent comme nous le prouve ce coup d'oeil furtif dans quelques demeures, vivantes à nouveau par le truchement des documents anciens.

ECCE HOMO
Oeuvre non signée
et non datée;
attribution à Clau-
de François, dit le
Frère Luc;
gravure
(68.3 × 55.5 cm).
Collection du
Musée du Monas-
tère de l'Hôtel-
Dieu de Québec
(# 5).
Photo Inventaire
des biens culturels.

VIERGE À L'EN-
FANT
Oeuvre non signée et
non datée;
huile sur toile
(96.5 cm × 90.7 cm).
Collection du Musée
du Monastère de
l'Hôtel-Dieu de Qué-
bec (# 16).
Photo Inventaire des
biens culturels.

III

Culture matérielle et métiers artisanaux

La survie du costume traditionnel français en Acadie

Jeanne Arseneault
Curatrice des textiles,
Village historique acadien,
Caraquet, Nouveau-Brunswick

QUESTION:

Cherchez une île en Amérique du Nord où on a porté pendant deux cents ans un costume traditionnel français, et où, début XXe siècle, on le porte encore?

RÉPONSE:

L'Île-du-Prince-Édouard, autrefois l'île Saint-Jean, et le costume est celui des Acadiens.

Qui sont donc ces gens si attachés à leur vieilles coutumes qui ont conservé après toutes leurs pérégrinations le costume de leurs ancêtres? De quelle étoffe sont-ils faits? Nous pouvons nous le demander.

L'habillement d'un peuple, on le sait, est le reflet des conditions sociales, culturelles et économiques. Ici le groupe social est homogène avec peu de distinctions de classes, sa culture est française et son économie relativement fermée.

Les valeurs de base des Acadiens — la foi, la langue et la patrie — n'ont pu faire autrement que de se raffermir après le terrible choc que fut la Déportation de 1755. Quand des gens, et plus encore toute une collectivité, sont secoués, déracinés et perdent tous leurs biens matériels, que leur reste-t-il, à part leurs valeurs les plus profondes — la foi, la langue et la volonté de recommencer — accompagnées de cette intégrité qui permet de rester fort en dedans? Il s'ensuivit, on s'en doute, un repli sur soi, un isolement et une pauvreté considérables, conditions qui doivent rester présentes à notre esprit lorsque nous faisons l'étude du costume.

Quand on n'a rien et que le monde autour n'en a pas plus, on ne dit pas qu'on est pauvre, on dit qu'on est tous pareils

C'est cette pauvreté uniforme qui a contribué à garder le groupe distinct et homogène si longtemps, surtout à l'Île-du-Prince-Édouard. Et le costume en témoigne. Sinon, comment expliquer que les Acadiens vivaient à un rythme bien à eux pendant que le continent nord-américain connaissait l'époque victorienne et la belle époque?

> Les dimanches surtout, il y a une simplicité bienséante d'habillement et de manières, à la fois chez les jeunes et les vieux, extrêmement intéressante à cette époque de changements incessants. Ils maintiennent les coutumes et les costumes de leurs ancêtres français avec une ténacité quasi-religieuse [1].

Les Acadiens vivaient oubliés? Prenaient du retard? Chose certaine, petit train va loin. Et les *hardes* sont portées, transmises aux plus jeunes, usées jusqu'à la corde et puis finissent leurs vieux jours taillées en fines laizes pour la *jeture* (trame) des couvertures de guenilles (catalognes). Finalement, ce sont de bons vieux jours pour ces *hardes* qui retrouvent vie sous une autre forme. L'héritage, entre autres choses, n'était-ce pas de dormir sous une couverture faite au métier avec la cotte (jupe) de la vieille mémère, le frac de *'noncle* Pierre et le jupon de ma tante Euphémie? En Louisiane, on a appelé le trousseau que la mère *cajenne* tissait pour ses enfants: *l'amour de maman*.

Cette femme âgée venue en costume traditionnel à la convention de Caraquet ressemble pourtant plus à une religieuse qu'à l'Évangéline des tableaux inspirés par l'oeuvre de Longfellow.

Deux points sont ici à éclaircir. D'abord, ce n'est pas l'Acadienne qui ressemble à la religieuse, mais l'inverse. Les communautés n'ont en effet pas inventé de costume, mais ont pris celui

---

1.   Description donnée par un officier anglais, nommé Playfair, «The Acadians», dans *The Yarmouth Herald*, 6 avril 1846, p. 2. Traduction de l'auteur.

Couple acadien de l'Île-du-Prince-Édouard délégué à la cinquième Convention Nationale des Acadiens tenue à Caraquet en 1905. (Photo: Père Courtois, eudiste)

de l'époque au moment de leur fondation. On sait que ces costumes ont été maintenus rigoureusement jusqu'au dernier concile. Quant au costume de l'Évangéline de Longfellow, ces artistes américains seraient-ils venus en Acadie pour voir comment nos ancêtres étaient vêtus vers 1850? Non... et c'est pourquoi est né un mythe important. Toutefois, des voyageurs, des missionnaires et des envoyés britanniques avaient observé au cours du XVIIIe et XIXe siècles, et noté dans leurs carnets de voyage que les Acadiens avaient une façon particulière de se vêtir. Voici ce qu'en dit John McGregor dans *British America*, en 1832:

> En Nouvelle-Écosse, à l'Île-du-Prince-Édouard, à Richibuctou, aux Îles-de-la-Madeleine et le long de la rivière St-Jean, les femmes acadiennes s'habillent presqu'à la manière des «Bavarian Broom Girls» [?] avec de petites «câlines», quelquefois une coiffe ou un mouchoir de tête. Leurs cottes (jupes) d'étoffe sont amples, rayées de rouge, de blanc et de bleu, avec de larges plis autour de la taille, et n'arrivant à pas moins de six pouces de la cheville; elles portent des bas bleus. Le dimanche, leurs vêtements et leurs mouchoirs sont extrêmement propres, et elles ont sur leurs épaules une petite mante d'étoffe bleue coupée à la taille et généralement fermée au corsage par une petite broche.
>
> Les hommes s'habillent de «capots» bleus courts (fracs) avec col et boutons de métal très rapprochés; le gilet est bleu ou rouge écarlate, la culotte est bleue, et on porte quelquefois le bonnet rouge mais généralement un chapeau rond. De tous les Acadiens de l'Île-du-Prince-Édouard, je n'ai connu qu'un homme qui ait eu l'audace de s'habiller différemment de ce qu'ils appellent «not'e façon». Une fois, il s'aventura à se vêtir d'un «capot» de fabrication anglaise, et il ne fut plus jamais, même par ses proches, appelé par son nom Joseph Gallant, lequel fut remplacé par Jos Peacock[2].

Cette sanction populaire non dépourvue d'humour confirme le fait que le groupe se veut d'abord et avant tout homogène. La dynamique sociale interne s'intéresse à l'uniformité et non à la différenciation.

De son côté, la religion se fait sévère à l'égard des coiffes des femmes que l'on jugeait souvent trop ornées. Monseigneur Plessis, lors de son voyage apostolique de 1812, note ceci en passant à Chéticamp:

---

2.   John McGregor Esq., *British America*, Vol. II, William Blackwood, Edinburgh & T. Cadell, Strand, Londres, 1832, p. 199. Traduction de l'auteur.

La simplicité de ce peuple est si grande et si sévère qu'une fille qui s'aviserait de porter une pince à son mantelet — car ici on ignore entièrement l'usage des robes — serait considérée comme une mondaine, et ne trouverait pas à se marier; il en serait de même d'un garçon qui oserait porter un habit bourgeois[3].

Près d'un siècle plus tard, en 1902, un Français en voyage à l'Île-du-Prince-Édouard décrit le costume des femmes de Tignish:

> Les jupes rayées de différentes couleurs faites d'une étoffe tissée à la maison et que des deux côtés de l'Océan on appelle droguet sont identiques, ainsi que le mouchoir croisé sur la poitrine et la croix d'or pendant au bout d'une chaîne passée autour du cou. Quant au bonnet blanc et au voile noir qui le recouvre, c'est la coiffure des bourgeoises françaises du temps de Louis XIV. Ce costume n'est malheureusement plus porté par les femmes d'un certain âge, les jeunes filles le délaissent[4].

Revenons à la photographie du couple acadien de l'Île-du-Prince-Édouard délégué à la convention de Caraquet en 1905. Seule la femme porte encore le costume traditionnel: cotte (jupe), mantelet (corsage noir aux manches amples et repliées), mouchoir de cou blanc appelé collerette par les gens de l'île, et le mouchoir de tête noir. Remarquons le front large et le regard baissé, les mains croisées. Voilà le portrait de la femme acadienne que le clergé à cette convention a proclamée comme modèle — mère de famille, gardienne de la foi au foyer et éducatrice — sur qui repose la transmission des valeurs traditionnelles.

Quant à l'homme, il a toute l'assurance d'un petit commerçant. Il ne porte plus la *culotte à clapet* d'étoffe laine sur laine, ni le frac traditionnel, mais ressemble à tous les citoyens du pays.

Les costumes d'étoffe de laine des ancêtres étaient-ils trop chauds, rudes et encombrants? Il faut faire l'éloge de l'étoffe du pays pour ce qu'elle était. Elle isolait autant de la chaleur que du froid, tout en laissant les sueurs s'évaporer sans que le corps se refroidisse. Elle était rude, certes, mais portée sur des peaux plus endurcies que les nôtres. Enfin, on l'appréciait pour sa durabilité, qualité qui était une règle aux XVIIIe et XIXe siècles. Des vêtements en somme à la mesure des travaux et des jours.

---

3. Joseph Octave Plessis, évêque, «Journal de deux voyages apostoliques dans le Golfe St-Laurent et les provinces d'en-bas, en 1811 et 1812», dans *Le Foyer Canadien*, Québec, p. 229.

4. G. Du Boscq de Beaumont, *Une France oubliée: l'Acadie*, Paris, 1902, p. 79.

Moule à cuillères. Coll. Robert-Lionel Séguin. Photo André Bernard.

Tour, superstition ou défaut dans la technique du moulage des cuillères d'étain [1]

Louise Bernard
Parc Canada, Québec

Ah! écoutez je vas vous chanter
Une chanson bien composée
C'est un nommé Durand
On dit qu'il n'a pas d'talent
Il a vendu sa terr'
C'est pour s'avoir un moule à cuillers

Ah! il s'en va d'maison en maison
Son moule à cuillers son sac à plomb
Il entre d'un air fier
Demande à fondre des cuillers
Ah! si vous en avez
Dites-moi-lé j'vous les coulerai [2].

Personnage typique comme le quêteux, le fondeur de cuillè-res était un de ces «oiseaux de passage [3]» qui, au même titre que le

---

1. L'auteur garde un souvenir ému de l'accueil chaleureux que lui fit Robert-Lionel Séguin à Rigaud, à l'automne de 1975, alors qu'elle préparait une recherche sur les cuillères d'étain et les moules à cuillères. Cette recherche intitulée *Les cuillères d'étain du Québec* a été présentée comme thèse de maîtrise à l'université Laval en mars 1978.

2. Cette chanson a été recueillie en 1944 par François Brassard de Urbain Petit, alors âgé de 72 ans, à Strickland (Ontario).

3. Louis Fréchette, *Mémoires intimes*, texte établi et annoté par George A. Klinck, Fides, Montréal, 1961, p. 63.

crampeur de poêle ou le raccommodeur de faïence, parcourait autrefois les campagnes en s'arrêtant de porte en porte pour offrir ses services. Il passait habituellement une fois l'an pendant la belle saison et, s'il faut en croire Fréchette, «il était rare qu'on les vit plus d'une fois au même endroit[4]». Toujours dans la poussière des chemins, vieux, barbu, vêtu de vieux vêtements, il traînait avec lui, généralement sur son dos ou en bandoulière, les outils nécessaires à sa profession. Il voyageait habituellement seul, mais on a signalé des cas où il était accompagné de sa famille[5]. En France, cela se faisait aussi:

> Ils arrivent au printemps avec femmes et enfants, et sur le dos le «bataclan»: la bassine à trois pieds, le soufflet, le moule à cuillers, et le marteau[6].

Mais le moule était lourd, la bassine et tout le «bataclan» également et cela explique sans doute pourquoi le fondeur de cuillères qui passait chez madame Chabot dans Bellechasse traînait avec lui sa petite charette[7]. À certains endroits, le fondeur de cuillères signalait sa présence en criant: «Cuillers! Cuillers à fondre! V'là le fondeur de cuillers[8]».

Les ménagères étaient contentes de son arrivée, elles pourraient enfin faire réparer leurs cuillères; les enfants, eux, se faisaient une fête d'assister au coulage des cuillères. On ressentait cependant toujours une certaine crainte, comme une sorte de méfiance ancestrale pour tous les étrangers dont la plupart du temps on ignorait la provenance. Ne disait-on pas que certains quêteux qui fondaient des cuillères pouvaient aussi jeter des sorts? On les accusait également, souvent d'ailleurs avec raison, de transformer les belles cuillères d'étain en de vilaines cuillères de plomb.

Peut-être était-ce justement dans le but de contrecarrer leur pouvoir maléfique que la tradition populaire avait imaginé un moyen de leur faire échec. Le fondeur s'installait et commençait à

---

4. Louis Fréchette, *op. cit.*, p. 65.

5. Napoléon Legendre, «Les fondeurs de cuillers» dans *Bulletin des Recherches Historiques*, vol. IV, 1898, p. 158.

6. Paul Olivier, *Les chansons de métier*, Eugène Fasquelle, Paris, 1910, p. 202.

7. Renseignement fourni par Michel Lessard, juin 1975.

8. Adjutor Rivard, *Chez nous*, Éditions Garneau, Québec, 1941 (1ère éd., 1914), p. 241.

couler des cuillères. Or, il arrivait souvent que les cuillères sortaient percées du moule. Mais cela était voulu, semble-t-il, comme on nous l'explique.

Premier témoignage:

On lui jouait des tours; on plantait une épingle sous sa chaise et le trou de l'épingle se trouvait dans la cuillère. Alors il se fâchait, ce qui nous poussait à répéter notre jeu. *À tout coup*, le trou était là. Je l'ai fait *bien des fois*[9].

Second témoignage:

Si au moment précis où le fondeur coulait le métal dans le moule, on plantait une épingle, *c'était immanquable*, la cuillère avait un trou. C'était un tour ça[10].

Troisième témoignage:

Mon oncle Cléophe Tremblay — mon parrain — nous avait conseillé un tour: planter des épingles sous nos chaises; *à tout coup* les cuillères étaient percées quand elles sortaient du moule[11].

Et enfin quatrième témoignage qui est celui de Monseigneur Victor Tremblay de Chicoutimi:

J'ai *moi-même* pratiqué une fois ce tour avec le résultat que la pièce est sortie du moule avec un trou.

Et, ajoute Monseigneur Tremblay, lorsque la cuillère avait un trou, le premier geste du fondeur était alors de vérifier s'il y avait une épingle plantée sous la table ou sous sa chaise, prétendant que ce devait en être la cause[12].

Ce fait et surtout l'explication surprenante qu'on lui donnait nous ont beaucoup intriguée. Nous avons également relevé le même fait ailleurs, attesté non plus comme un tour mais sous forme de croyance superstitieuse:

---

9. Victor Tremblay, «Mémoires d'un vieillard» dans *Saguenayensia*, Revue de la Société Historique du Saguenay, vol. 2, nov.-déc. 1960, no 6, p. 159. L'informateur, Auguste Gagné, avait 90 ans au moment de l'enquête en 1934; il venait de Saint-Alphonse, Charlevoix.

10. Coll. Louise Bernard, ms no 360. L'informateur est Roger Dupuis, 60 ans en 1975, Saint-Roch-des-Aulnaies.

11. Victor Tremblay, «Mémoires d'un vieillard» dans *Saguenayensia*, vol. 3, nos 3 et 4, mai-août 1961, p. 80. L'informateur, Cléophe Girard, avait 77 ans au moment de l'enquête en 1934 et venait de Saint-Urbain, Charlevoix.

12. Coll. Louise Bernard, ms no 1132. Renseignements obtenus de Mgr Tremblay, avril et mai 1976. Mgr Tremblay, qui avait 84 ans à cette époque, nous racontait ses souvenirs de jeunesse avant la guerre de 1914.

Quand le fondeur de cuillères était occupé à faire des cuillères, il ne fallait absolument pas utiliser d'objets piquants dans la maison, ni broches à tricoter, ni aiguilles, ciseaux ou couteaux, sans ça il était pour y avoir un trou dans la cuillère[13].

Qui avait-il derrière tout cela? Tour de magie ou vulgaire supercherie?

C'est en reprenant les différentes étapes de la fabrication d'une cuillère d'étain que nous croyons avoir trouvé, pensons-nous, la solution de l'énigme. Le fondeur de cuillères commençait par ramasser tous les morceaux de vieilles cuillères, matière première nécessaire pour la refonte. Toutes nos sources font état de la détérioration rapide des cuillères d'étain qui, semble-t-il, durent rarement plus d'un an ou deux sans se briser.

Pour exécuter son travail, le fondeur allumait d'abord un feu à l'extérieur ou se contentait d'utiliser le poêle de la maison. Comme l'étain a un degré de fusion relativement bas (280° C), un bon feu suffit à le fondre. Le fondeur sortait de son sac une petite marmite de fer qui lui servait de creuset portatif; de forme oblongue, elle avait trois pattes, un manche et un bec verseur. Il mettait les cuillères cassées dans le creuset, ajoutait de l'étain ou le plus souvent du plomb et activait son feu à l'aide d'un soufflet. Une fois le métal fondu, l'étain était prêt à être jeté dans le moule.

Mais auparavant, il fallait préparer le moule. Cette opération qui s'appellait «potayage» était nécessaire pour éviter que l'étain en fusion ne colle au moule. Elle consistait à enduire l'intérieur du moule d'une des matières suivantes: cendre lessivée, pierre ponce délayée dans un blanc d'oeuf ou terre glaise délayée. «Cette opération n'était effectuée que lorsque la matière du moule (bronze ou fonte) devenait apparente et non à chaque coulée[14]». Toutefois, dit Pierre Salmon en parlant des fondeurs de cuillères, «ces ouvriers qui couraient les campagnes avaient une autre manière de potayer», ils utilisaient de la suie:

Cette potée n'est autre chose que la substance épaisse de la fumée qu'on attache au moule; et pour cela, après avoir adouci la surface intérieure de ces moules avec la pierre-ponce mouillée, on la

13. Coll. Louise Bernard, ms no 200. Informateur: Hélène Gaudet, 60 ans en 1975, Saint-Marc-sur-le-Richelieu.

14. Marcel Boulin, «Enquête manuscrite faite par Marcel Boulin au nom du Musée ATP chez Monsieur Louis Belle, Potier d'étain à Charpey (Drôme) puis à Paris, le 4 et 5 novembre 1954», p. 6.

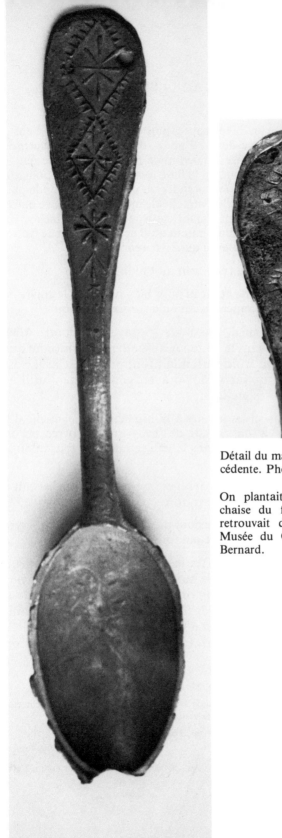

Détail du manche de la cuillère précédente. Photo André Bernard.

On plantait une épingle sous la chaise du fondeur et le trou se retrouvait dans la cuillère. Coll. Musée du Québec. Photo André Bernard.

lave et essuie avec un linge propre, puis on met la surface à enfumer immédiatement au-dessus d'un feu de bois d'aune ou autre de cette espèce qui produise beaucoup de fumée. À mesure que la fumée s'attache au moule, on la lisse fortement avec un polissoir de même bois; enfin on fait prendre au moule une seconde puis une troisième couche, qu'on attache de même, jusqu'à ce que le moule en soit bien couvert, et que l'étain ne puisse s'y attacher: cet enduit léger se tient au moule autant qu'il ne reçoit point de frottement de matières sableuses, à quoi ils prennent garde [15].

On retrouve la même tradition au Québec:

On flambait l'écorce de bouleau pour bien recouvrir le cuivre de noir de fumée pour empêcher l'étain de se fixer au moule [16].

Et peut-être s'agit-il aussi de potayage quand Alice Lévesque-Dubé, décrivant le fondeur à l'oeuvre, mentionne que «le moule passé à l'eau froide attendait tout près [17]». Car il existait également une autre façon de potayer, généralement utilisée par les ouvriers dans les ateliers:

On ne potaye pas ici les moules à la brosse; on se contente d'y répandre, lorsqu'ils sont chauds, de l'eau fortement ocrée, et l'on renouvelle cette opération dans le jetage toutes les fois qu'on le trouve nécessaire [18].

Le moule était prêt pour le jetage, opération qui consistait à introduire l'étain chaud dans le moule.

Il faut observer que la science pour bien jeter consiste à conserver le degré de chaleur tant de l'étain fondu que du moule [19].

Il convenait donc de chauffer le moule et la louche en métal qui servait à verser l'étain dans le moule. Or, assez curieusement, nous n'avons pas relevé la moindre trace de cette pratique au Québec. Faut-il voir dans cette lacune un défaut dans la technique de fabrication des cuillères et n'est-ce pas justement l'explication de ce qu'on croyait être autrefois le résultat d'un tour qu'on

---

15. Pierre Salmon, *Art du potier d'étain*, Moutard, Paris, 1788, p. 39.

16. Renseignement fourni par Jean-Claude Dupont en 1974. Son informateur était Roland Gagné de Pointe-au-Pic, Charlevoix.

17. Alice Lévesque-Dubé, *Il y a soixante ans*, Fides, Montréal, 1943, p. 84.

18. Pierre Salmon, *op. cit.*, p. 140.

19. Denis Diderot, *Dictionnaire raisonné des sciences et des métiers*, Briasson, Paris, Tome XIV, p. 906.

Les cuillères d'étain se brisaient facilement. Coll.
Louise Bernard. Photo André Bernard.

jouait au fondeur? Le témoignage du maître-potier Salmon semble venir le confirmer:

> Si la pièce est percée, c'est l'effet ordinaire de la froideur du moule ou de l'étain[20].

L'ignorance du procédé n'empêchait pas le fondeur de réussir après quelques tentatives car cet inconvénient disparaissait au fur et à mesure que le moule se réchauffait de lui-même sous l'effet des coulées successives.

Cela résoudrait donc le mystère des cuillères percées, mais comment alors doit-on interpréter la croyance populaire qui établit une relation entre la récurrence d'un geste (À chaque fois qu'un individu piquait une épingle sous une chaise pendant une coulée) et le résultat obtenu (on retrouvait immanquablement une cuillère percée)? Peut-être en notant que la tradition populaire a tendance à retenir certains faits qui concordent alors qu'elle oublie radicalement les autres. Ainsi, à propos de dictons météorologiques connus comme «Le 3 fait le mois» ou «Le temps change avec la lune», le folkloriste français Saintyves faisait siens les propos de Mahillon et disait:

> Faites une marque quelconque à votre calendrier chaque fois que la coïncidence ne se produira pas; ne vous fiez pas à votre mémoire: elle est d'autant plus sujette à erreur que vous êtes plus convaincu, car les faits qu'elle vous rappelle sont fort souvent empreints de vos sentiments personnels.
> Prolongez l'expérience pendant quelques temps, arrêtez-vous lorsque vous serez convaincu... En général, cela ne dure guère longtemps[21].

Peut-être est-ce ainsi qu'il faille interpréter cette prétendue coïncidence puisque le fait n'était sûrement pas vérifié de façon empirique. Comme nous pouvons supposer que le fondeur de cuillères ne coulait pas plus que cinq cuillères par maison, cela ne laissait pas beaucoup de temps au moule pour se réchauffer, augmentant du fait même les risques de production de cuillères percées et multipliant ainsi les occasions d'appliquer le dicton pour celui qui y croyait, «la tradition se riant de l'observation[22]».

---

20. Pierre Salmon, *op. cit.*, p. 140.

21. P. Saintyves, *L'astrologie populaire*, Librairie Émile Nourry, Paris, 1932, p. 65.

22. P. Saintyves, *op. cit.*, p. 68.

Les artisans du bois de la région de Québec au début du XIXᵉ siècle

Jacques Bernier
Département d'histoire,
université Laval

On doit à Robert-Lionel Séguin d'avoir posé les premiers jalons de l'ethnographie au Québec. Depuis lors, de nombreux chercheurs ont suivi sa trace. C'est d'ailleurs son étude sur l'habitant[1] qui a été le point de départ de la présente recherche[2] sur les menuisiers et charpentiers. À l'instar de l'ethnographe, nous nous sommes intéressé aux conditions d'habitation de ces artisans, en restreignant toutefois le champ de notre travail à la région de Québec et aux caractéristiques des maisons où vivaient ces gens dans les années 1810[3].

1. Les inventaires après décès

Pour traiter cette question, l'historien dispose d'une source exceptionnelle: l'inventaire après décès. Nous avons donc relevé les inventaires après décès de tous les menuisiers et charpentiers

---

1.   R.-L. Séguin, *La civilisation traditionnelle de l'habitant aux XVIIe et XVIIIe siècle*, Montréal, Fides, 1967.

2.   Cet article est une version modifiée d'un texte écrit dans le cadre d'une recherche pour le Musée national de l'homme et paru dans la collection Mercure, sous le titre: «Les intérieurs domestiques des menuisiers et charpentiers de la région de Québec, 1810-1819». Ottawa, Musées nationaux du Canada, 1977.

3.   Je tiens à remercier Jean-Pierre Hardy pour ses remarques judicieuses sur la première rédaction de ce texte.

décédés entre 1810 et 1819, qui sont conservés aux Archives nationales du Québec à Québec. Nous avons repéré dix-sept dossiers qui se répartissent ainsi: huit dossiers de charpentiers et neuf de menuisiers parmi lesquels se trouve un maître menuisier[4]. Vu le caractère particulier des inventaires après décès, qui touchent principalement les familles laissant des enfants mineurs après la mort de l'un ou des deux conjoints[5], il est clair que ce dépouillement touche surtout une certaine couche d'artisans, celle des ménages d'âge moyen, relativement fortunés. Par ailleurs, comme les inventaires après décès sont propres au droit civil français, il est normal que nous ne rencontrions que des francophones. Peut-être faut-il mentionner aussi que, à cause du domaine coutumier ou du préciput établi dans les contrats de mariage, certains objets ne sont pas cités dans les inventaires, car ils étaient

---

4. *Sources*

    Archives nationales du Québec, Québec. Greffes notariaux, 1810-1819:

    1. Bélanger, Jean
        Pierre Émond, menuisier, 28 mai 1810
        Jacques Robinet, menuisier, 3 juin 1811
        Louis Huppé, maître menuisier, 17 juin 1811
        François Trépagné, charpentier, 8 juillet 1812

    2. Bernier, L.S.
        Jérôme Racine, menuisier, 27 juillet 1816

    3. Boudreault
        Pierre Lorty, menuisier, 16 octobre 1819

    4. Campbell, Archibald
        Yves Philippon, charpentier, 1er mai 1813

    5. Faribault, B.
        Augustin Verreau, menuisier, 9 sept. 1816

    6. Gagnon, P.
        Joseph Maçon, charpentier, 13 avril 1818

    7. Lelièvre, R.
        Jean-Marie Belleau, charpentier, 25 avril 1810
        Gabriel Wimet, charpentier, 11 nov. 1811
        Joseph Chalifour, charpentier, 28 juillet 1813
        Michel Routier, menuisier, 18 août 1813
        Hypolite Denis, charpentier, 12 déc. 1814
        Michel Bonhomme, charpentier, 20 avril 1815
        Michel Giroux, menuisier, 23 juin 1817
        André Bélanger, menuisier, 21 juin 1819

5. D'ailleurs, sur ces dix-sept familles, une seule, celle de P. Émond n'a pas d'enfant et dans ce cas on procède à un inventaire parce que les deux conjoints sont morts. Sur les inventaires après décès et les difficultés d'utilisation de cette source, voir: Y. Zoltvany, «Esquisse de la Coutume de Paris», *R.H.A.F.*, vol. 25, déc. 1971, pp. 365-384 et G. Paquet et J.P. Wallot, «Les inventaires après décès à Montréal au tournant du XIXe siècles», *R.H.A.F.*, vol. 30, sept. 1976, pp. 163-221.

considérés comme la propriété du survivant. Celui-ci garde toujours ses «hardes et linges, son lit garni», plus, le mari, ses outils. Parfois encore, même quand les deux conjoints sont morts, le notaire ne prend pas note des vêtements et du linge de la maison, ce qui laisse supposer qu'ils étaient laissés aux enfants. Une omission apparaît aussi au sujet de ces derniers: leurs jouets et vêtements ne sont jamais mentionnés, parce qu'ils étaient considérés comme leur propriété jusqu'à ce qu'ils atteignent l'âge adulte. Il ne faut pas s'étonner non plus de l'absence quasi totale de certains objets de piété tels que crucifix, missels, chapelets: il aurait été irrespectueux de ranger ces objets bénits au nombre des biens matériels. Quant à la nourriture, il est normal que seules les denrées non périssables aient été retenues étant donné que les inventaires étaient effectués souvent plusieurs jours et parfois même plusieurs semaines après la mort du défunt. La question de l'argent liquide, en particulier lorsque les deux conjoints sont morts, pose un problème. En effet, comment s'assurer, alors qu'il n'existe pas de banques, que tout l'argent liquide a été inventorié? Ainsi on a trouvé quatre-vingt-trois livres en argent sonnant chez le charpentier Y. Philippon, alors que l'inventaire de ses biens est fort modeste.

Au cours de cette étude, nous commencerons par faire l'évaluation de la valeur globale des biens des menuisiers et charpentiers et par établir une comparaison entre les diverses catégories de biens en leur possession (voir tableau I et II). Ensuite nous procéderons à la présentation des articles et chercherons à montrer comment ceux-ci s'intègrent dans le cadre domiciliaire.

2.   La prisée

L'étude de la prisée et de sa distribution par secteur permet de mettre en relief le poids relatif de chacun de ces secteurs dans l'économie familiale. En règle générale, on peut dire que la valeur de la prisée des menuisiers était de trois à quatre fois supérieure à celle des charpentiers. Ils possèdent d'ailleurs non seulement plus de biens mais l'ensemble de leurs activités économiques est plus importante. Des sommes plus élevées leur sont dues et ils possèdent plus d'animaux et davantage de terrains[6]. Les métaux coûtent cher en ce pays et tous les articles qu'ils servent à fabriquer

---

6.   Les notaires indiquent, mais sans en donner la valeur, les immeubles et terrains en possession du couple.

TABLEAU I
Inventaire des biens des menuisiers

Répartition de la prisée en % — Autres actifs et passifs

1. A. Menuisiers

Menuisier	Total de la prisée[5]			Équipement culinaire	Mobilier	Chauffage	Éclairage	Vêtement du déf.(e)	Lit & Literie	Lingerie	Autres avoirs	Outils	Matériel	Animaux	Total %	Argent liquide			Dettes actives			Dettes passives			Habitation[6]	Terrains[7]
	L	C	P													L	C	P	L	C	P	L	C	P		
Michel Routier[1] Faub. St-Jean	70	12	1	23	4	0.5	0.5	X	4	0	0	X	63	5	100	0			117	4	7	48	9	3	M.P.	oui
Pierre Émond Rue St-Georges (H.V.)	128	12	1	24	34	9	6	X	3	9	11	X	4		100	0			561	11	0	35	19	11	M.P.	oui
Aug. Verreau[3] Baie St-Paul	50			5	3	12	1	X	3	0.5	0.5	16	13	46	100	0			3	0	0	36	0	0	M.P.	oui
Michel Giroux[3] Charlesbourg	34	2		11	4	9	0.5	7	2	3	1.5	X	29	33	100	0			45	0	0	10	15	0	M.B.	nil
J. Racine Ste-Anne	32	19		9	6	19	0.5	20	4.5	3	15	20	3	0	100		54	18	13	0	0	0			L.[8]	nil
A. Bélanger[4] Beauport	25	11	2	6	4	16	0.2	7	0.8	1	35	12	2	16	100		1	5	13	2	0	13	13	7	M.P.	nil
P. Lorty Faub. St-Roch	11	15	6	27	5	48	0.5	X	0	0	1.5	7	2	9	100	10	0	0	14	2	0	7	0	0	M.B.	nil
J. Robinet Faub. St-Jean	7	15	3	14	13	0	0.1	X	41	10	4	17.9	0	0	100	0			15			5	2	0	L.	nil
B. Maître menuisier L. Huppé Sault-au-Matelot	30	12	2	11	6	25	1	14	17	3	2	17	4	0	100	0			7	3	8	87	3	10	M.P.	nil

X: Non indiqués

L: livre; C: chelin; P: pence. Dans le système monétaire de l'époque 12 pences valent un chelin et 20 chelins valent une livre.

1. «A été laissé au dit Michel Routier sa chambre garnie consistant en 1 table ronde, 1 autre table quarrée de bois de pin avec 4 chaises, en outre tous les outils de menuisiers ainsi que son lit garni avec ses hardes et linge à lui réservés».

2. Pierre Emond est déjà mort, il s'agit ici des biens en possession de la veuve au moment de sa mort. Les biens furent vendus aux enchères et la prisée n'est pas l'estimation du notaire mais la somme totale des ventes; ainsi cette somme dépasse peut-être un peu l'estimation qu'un notaire aurait pu faire.

3. Les linges, hardes et le lit garni ont été laissés au survivant.

4. Lit garni laissé au survivant.

5. **Description des catégories**
   A- l'équipement culinaire: batterie de cuisine, vaisselle, ustensiles.
   B- Le mobilier: l'ensemble des meubles, sauf le lit.
   C- Le chauffage: poêles, crémaillères, pelles, trépieds, chevets.
   D- L'éclairage: fanaux, lampes, chandeliers, mouchettes, chandelles.
   E- Les vêtements.
   F- Le lit et la literie: nous les avons laissés ensemble, car ils figurent toujours ainsi.
   G- La lingerie: le linge de maison, nappes, serviettes, rideaux.
   H- Autres avoirs: objets décoratifs, objets personnels, articles religieux, livres, nourriture.
   I- Les outils: l'outillage professionnel.
   J- Le matériel: bois, carioles, attelages, peinture, pelles, etc.
   K- Les animaux.

* Classification emprunté à Micheline Baulant, «Niveau de vie paysan autour de Meaux entre 1700 et 1750», **Annales E.S.C.**, mai-juin 1975.

6. M.B.: propriétaire d'une maison de bois;   M.P.: propriétaire d'une maison de pierre;   L.: locataire.

7. En plus de celui de la propriété.

8. Bail à vie sur la maison de son frère.

TABLEAU II

Inventaire des biens des charpentiers

Répartition de la prisée en % — 2. Charpentiers — Autres actifs et passifs

Charpentiers	Total de la prisée L	C	P	Équip. culinaire	Mobilier	Chauffage	Éclairage	Vêtements du déf.(e)	Lit & Literie	Lingerie	Autres avoirs	Outils	Matériel	Animaux	Total %	Argent liquide L	C	P	Dettes actives L	C	P	Dettes passives L	C	P	Habitations	Terrains
H. Denis Faub. St-Jean	32	4	6	7	5	10	1	32	8	6	17	4	10	0	100	0			0			9	0	0	M.B.	nil
M. Bonhomme Faub. St-Roch	12	18	2	20	21	24	1	X	1	5	9	17	2	0	100	0			3	16	8	16	8	4	M.B.	nil
G. Wimet[1] Faub. St-Roch	12	6	0	15	15	20	0	18	14	0	1	6	11	0	100	2	15	6	0			17	15	0	M.B.	oui
Y. Philippon Rue St-Ursule	8	2	4	25	12	0	0	X	33	17	4	8	1	0	100	7	8	3	27	2	5	12	1	0	M.B.	nil
J. Maçon Faub. St-Jean	6	10	8	12	7	39	0	X	4	0	0	37	0	0	100	0			15			2	13	4	L.	nil
F. Trépagné[2] Faub. St-Roch	11	18	1	22	15	22	2	7	15	10	4	2	1	0	100	0			2	18	9	9	19	1	M.B.	nil
J. Chalifour Beauport	9	9	1	16	3	36	1	15	X	8	1	19	1	0	100	0			0			42	0	0	M.B.	nil
Aug. Belleau Faub. St-Jean	5	7	3	10	5	0	3	21	12	2	2	41	4	0	100	0			6			4	15		L.	nil

X: Non indiqués par le notaire

L: Livre; C: chelin; P: pence.

1. Lit garni laissé au survivant avec ses hardes et linges et ses outils.

2. Lit garni laissé à la survivante avec ses vêtements.

(ustensiles de cuisine, poêles, outils) représentent un pourcentage important des biens du ménage. En comparaison, les meubles sont moins coûteux et ne constituent pas pour une famille à revenu moyen un investissement très élevé. Un autre point contribue à caractériser les gros inventaires lesquels concernent surtout des menuisiers: outre le fait que la valeur de leur mobilier est plus importante, ils possèdent souvent en plus des animaux, des terrains et du matériel divers.

3. L'habitat: localisation et description

Douze des dix-sept artisans dont les biens ont été inventoriés, habitent la ville de Québec. Parmi eux figurent cinq menuisiers: un habite le quartier Saint-Roch, deux autres la rue Saint-Jean, un quatrième la rue Saint-Georges et le maître menuisier la rue du Sault-au-Matelot. Quant aux charpentiers, trois vivent dans le quartier Saint-Roch tandis que les quatre autres habitent soit le quartier Saint-Jean soit la vieille ville. Les six autres exercent leur métier dans la banlieue de la ville, sauf l'artisan A. Verreau qui est installé à Baie-Saint-Paul.

Tous ces artisans, sauf quatre (soit deux charpentiers et deux menuisiers), sont propriétaires de leur maison. Ces maisons et le terrain sur lequel elles sont construites sont généralement déjà entièrement payés au moment du décès du conjoint; leur valeur cependant nous est malheureusement inconnue. Nous savons toutefois qu'il en coûtait à l'époque entre vingt et quarante livres pour la construction de la charpente d'une maison à un étage et souvent près de cent livres pour la construction d'une maison complète. S'agissait-il d'une maison en pierre, les coûts pouvaient alors s'élever facilement à plus de cint cents livres[7]. Outre le fait que ces artisans, de par leur métier, avaient tout avantage à construire eux-mêmes leur maison, il n'en demeure pas moins que quelques-uns d'entre eux seulement pouvaient se payer le luxe de confirmer leur statut social par une maison de pierre. Mais certains l'on fait: trois menuisiers dont deux en particulier qui étaient relativement à l'aise.

La majorité de ces couples, soit neuf sur douze, habite dans des maisons de bois dites de pièces sur pièces. Il s'agit de maisons

---

7.   J. Bernier, «La construction domiciliaire à Québec, 1810-1820», *R.H.A.F.*, vol. 31, mars 1978.

faites de murs formés de billots équarris empilés les uns sur les autres et ordinairement assemblés en queue d'aronde. Ces maisons sont de forme rectangulaire et de petite dimension; elles mesurent souvent une vingtaine de pieds de côté sur une trentaine de pieds de façade. Quelques-unes sont recouvertes de planches, et des ouvertures, portes et fenêtres, sont pratiquées au rez-de-chaussée et à l'étage alors que le grenier est aménagé en lieu de travail ou en chambre à coucher. Elles sont coiffées d'un toit à pente raide, recouvert de planches placées horizontalement, et ont une cheminée. Rares sont celles qui possèdent une cave; elles reposent plutôt sur un solage de bois ou de pierre. En ville, les terrains sur lesquels sont construites ces maisons de bois couvrent ordinairement une superficie de trente à quarante pieds de largeur sur cinquante à soixante de profondeur. Ces terrains sont assez grands pour recevoir un jardin potager, des dépendances et des remises, ou encore une «letterie» qu'on utilise pour la conservation du lait et des aliments, ou plus rarement une petite étable où l'on élève des volailles et parfois même des porcs ou des chevaux.

Les inventaires ne précisent pas le nombre de pièces qu'ont ces maisons. Néanmoins, en suivant de près les descriptions fournies par les notaires, on peut arriver à en connaître assez bien l'organisation générale. Souvent elles se composent d'une pièce centrale et d'une chambre située au rez-de-chaussée, et d'un grenier qui se trouve à l'étage. Quelques maisons possèdent cependant des divisions plus élaborées et certains inventaires suggèrent même l'existence d'une cuisine et de chambres ou cabinets séparés. Ce qui frappe surtout dans ces habitations en bois, ce sont leurs divisions. Surtout quand on considère qu'on trouve en moyenne trois enfants mineurs par famille. Alors qu'aujourd'hui, dans un même espace donné, on ferait plusieurs pièces, à l'époque, on optait pour les espaces ouverts à fonctions multiples. Ce type d'aménagement était dû aux nécessités du chauffage. Tel n'est pas le cas des maisons de pierre. Elles comportaient deux ou trois étages, plusieurs pièces, et contenaient davantage de foyers et de poêles. Aussi chaque pièce y avait-elle une fonction mieux définie.

4.   Le mobilier

La plupart des activités familiales se déroulent dans la grande salle. C'est là aussi que se trouve les gros meubles: tables, armoires, buffets, bahuts, commodes. On y voit même parfois des lits.

La table constitue toujours la pièce maîtresse. Faite généralement de pin, et parfois de noyer ou de frêne, elle est soit ronde, soit carrée ou encore rectangulaire. Quoique plus pratiques, les tables pliantes qu'on peut ranger après le repas sont peu nombreuses (deux cas). Autour de ces tables, prennent place des chaises en bois d'assemblage et dont le siège est en paille et parfois en écorce. À ces chaises s'ajoute souvent un banc de longueur variable, que l'on place le long de la table ou du mur.

Cette pièce contient aussi généralement les meubles de rangement. Le plus ancien de tous, le coffre, reste le plus répandu et il n'est pas rare d'en trouver deux ou trois par maison. Simple et robuste, le coffre est généralement fait de pin coloré parfois en gris ou en blanc. Il existe deux types de coffres. Les premiers servent au rangement du linge et des vêtements. Comme on y met parfois aussi les bijoux et les objets précieux, ils sont souvent munis d'une serrure. Les autres, de confection plus grossière, servent à ranger les outils. Quand le grenier est aménagé en hangar, l'artisan y met son coffre à outils. L'armoire et la commode ne sont pas très répandues. Les maisons moyennement équipées possèdent l'une ou l'autre, mais rarement les deux[8]. L'armoire n'apparaît que dans cinq inventaires. Elle est en pin et du modèle bien connu, à deux portes. Le bois des commodes est plus varié que celui des coffres et des armoires: pin, noyer et merisier. Le nombre de tiroirs et la qualité des poignées sont toujours des éléments qui retiennent l'attention du notaire. Le buffet, lui non plus, n'a pas sa place dans tous les foyers; seulement 35% des ménages en possèdent un. Ceux qui n'en ont pas utilisent à la place des armoires pratiquées dans le mur. Les petites tables ont une fonction décorative importante. On en fait de tous les genres et avec du bois souvent plus recherché comme le noyer et l'acajou. Dans ce décor qui se réduit ordinairement à l'essentiel, on rencontre encore, suivant les revenus des propriétaires, quelques meubles plus rares: sofa, guéridon, pupitre et bergère. Déjà à l'époque, le banc des quêteux ou «settlebed», qui peut également servir de lit, commence à prendre un caractère désuet et il n'est cité que très rarement. Si la maison ne contient pas assez de cham-

---

8.   Seul le riche P. Émond a pu se permettre d'avoir les deux.

bres, on place des lits dans la salle commune. On peut aussi s'y asseoir quand les sièges manquent. Afin d'égayer cette pièce, souvent sombre, ou pour redonner de l'éclat à des meubles défraîchis, on aime peindre ces meubles en bleu, en rouge, en gris ou en vert. L'abondance des meubles n'est donc pas la règle dans cette salle. Si l'on possède de l'argent, on préfère la meubler de pièces rares ou de qualité plutôt que de l'encombrer.

5. La cuisine et ses accessoires

L'espace affecté à la préparation des repas est ordinairement intégré à la salle commune, ce qui explique que le notaire donne parfois le nom de cuisine à cette pièce. À l'époque où nous nous situons, le poêle semble avoir détrôné le foyer pour la cuisson des aliments, et on l'utilise de plus en plus comme système de chauffage. C'est la présence d'au moins un poêle dans 85% des logis et l'absence, dans plusieurs inventaires, des accessoires nécessaires à la cuisson des aliments dans l'âtre (tournebroches, trépieds, chenêts) qui semblent confirmer cette hypothèse. D'ailleurs, déjà à l'époque, les poêles présentent des avantages certains: ils dégagent moins de fumée, chauffent mieux et facilitent le travail des ménagères. De plus, les améliorations apportées à l'époque aux Forges du Saint-Maurice ont permis à cette entreprise d'augmenter considérablement sa production (mille poêles en 1808) et de vendre à meilleur prix des produits de qualité supérieure. Le poêle attire toujours l'attention du notaire, et ce, parce qu'il représente souvent un des objets les plus coûteux de la maison. Aussi, en donne-t-il une description détaillée, précisant la hauteur du feu du poêle, le nombre de feuilles de tuyau ainsi que les instruments qui l'accompagnent: la pelle de fer, la casserolle (appelée cassolette), les pincettes et le tisonnier. Les poêles simples en fer et quadrangulaires, sont de loin les plus répandus. Ils ont en moyenne deux pieds de hauteur. Dispose-t-on d'un peu d'argent, on achète un deuxième poêle simple plutôt qu'un double, et l'ancien sert alors de poêle d'appoint durant la saison froide. Le poêle double est plus élaboré et coûte plus cher. Seuls trois menuisiers se sont payés ce luxe. Alors qu'un poêle simple est généralement évalué à deux ou trois livres, un poêle double dépasse toujours quatre livres. La partie intérieure des poêles doubles contient le feu tandis que les aliments cuisent dans la partie supérieure. Le chaudron est l'ustensile de cuisine le plus utilisé; il figure dans toutes les maisons. La poêle à frire est également un ustensile courant. Quant à la marmite, on la retrouve dans 75% des cuisines. Ces trois ustensiles de base sont toujours cités ensemble avec la «bombe» dans les inventaires. D'autres accessoires font partie de la batterie de cuisine: les casseroles ou «sasse-pane», les entonnoirs, les écumoires, les poêlons et les lèchefrites. En somme, il s'agit d'une batterie de cuisine peu élaborée mais suffisante pour permettre plusieurs types de cuisson: cuisson à l'eau, friture, cuisson à l'étouffée, cuisson à la poêle. En fait, seuls les rôtis qu'on faisait peut-être par ailleurs dans l'âtre ne pouvaient être cuits sur ce type de poêle et avec ce genre de batterie de cuisine.

La fabrication du pain soulève un problème particulier. Nous ne savons pas si ces familles faisaient elles-mêmes leur pain ou si elles l'achetaient chez le boulanger. En effet, même si nous trouvons des huches dans la moitié des maisons et des fariniers dans un quart d'entre elles, on ne fait par ailleurs mention d'aucun four à pain et nous savons que seulement trois familles possèdent des poêles doubles. Alors, si la pâte est préparée à la maison, où la cuit-on? Certaines cheminées de l'époque étant munies d'un four, peut-être est-ce là qu'on la cuisait. Mais peut-être aussi que certaines ménagères faisaient elles-mêmes leur pâte et allaient la cuire chez le boulanger ou chez une voisine. Il semble toutefois, vu le nombre important de boulangers que compte la ville de Québec à l'époque (soixante-trois d'après Mgr Plessis)[9], que bon nombre de familles de cette ville devaient déjà avoir pris l'habitude d'acheter leur pain directement du boulanger. Quant aux gâteaux, il ne semble pas que les ménagères en faisaient beaucoup, car il n'est jamais question de moules. Plutôt que des gâteaux cuits au four, on mangeaient des gâteaux frits comme les beignes ou les crêpes[10]. On achetait d'ailleurs déjà les biscuits chez les marchands et, dans certains inventaires, le notaire note un lot de biscuits.

La conservation de l'eau et des aliments constitue un problème majeur de la vie domestique et elle fait toujours l'objet

---

9. Pour une population d'environ vingt mille habitants, Mgr H.-O. Plessis, «Les dénombrements de Québec faits en 1792-1796-1798-1805», *Rapport de l'archiviste de la province de Québec*, 1949. Introduction par A. Roy, p. 6.

10. Ph. Aubert de Gaspé rapporte que pendant sa jeunesse, on faisait encore des croquignoles: beignets à plusieurs branches qu'on faisait cuire en les jetant dans le saindoux bouillant. *Les Anciens Canadiens*, Montréal, Fides, 1961, p. 101.

d'une attention particulière. Comme les maisons de l'époque ne sont pas alimentées en eau courante[11], si on n'achète pas celle-ci du «vendeur d'eau», il faut aller la chercher au point d'eau (source, puits, rivière, fleuve) et, pour ce faire, le contenant le plus utilisé est le seau[12]. Les seaux sont parfois placés dans la maison sur un banc à eau et accompagnés d'une tasse de fer-blanc avec laquelle on puise directement l'eau pour la boire ou qu'on utilise pour verser l'eau dans les cruches, les pots et les carafes. Outre le seau, on peut également conserver l'eau dans le quart, la chaudière ou la cuve. Fait en bois, le quart[13] peut aussi servir à conserver des matières sèches, lard fumé ou jambon, et la chaudière peut être employée à cuire des aliments ou encore à garder du lait ou du sel. Si plusieurs récipients de métal sont probablement utilisés pour chauffer l'eau, la «bombe», ou bouilloire, sert plus spécifiquement à cette fin et on la trouve dans tous les logis.

Pour conserver le beurre et différentes graisses, on utilise des tinettes. Pour le lard et autres viandes, on se sert du saloir. Quant aux aliments liquides, leur conservation se fait dans des barils, des baquets et des jarres. Les pots ont des fonctions multiples: ils contiennent l'eau, le lait et autres liquides; ils servent aussi à garder des ingrédients comme la graisse, le sucre et le café. On en mentionne plusieurs en grès, quelques-uns en faïence et d'autres en fer-blanc. La terrine dans laquelle on fait cuire et où l'on conserve les viandes est également faite de ces trois matériaux. Objet courant chez les menuisiers, on compte très peu de terrines chez les charpentiers. Le sel était souvent présenté dans des salières de fer-blanc, de bois ou beaucoup plus rarement de cristal[14]. Le poivre au contraire semble peu intervenir dans l'assaisonnement; on compte peu de poivrières et une seule boîte à poivre. De même les condiments paraissent peu employés; seul un

---

11. Le premier aqueduc ne sera construit qu'en 1853. A. Jobin, *Histoire de Québec*, Québec, 1948, p. 57.

12. Le seau, «siau» ou«sciau», apparaît en vingt-huit exemplaires. Sa désignation varie beaucoup d'un inventaire à l'autre et on peut lire seau ferré (douze fois), seau à baril (sept fois, souvent associé avec le mot paire), seau de bois (trois fois), et seau cerclé (une fois).

13. Les quarts (une trentaine) se trouvent un peu partout dans la maison, depuis la pièce centrale jusque dans la cour en passant par la cave et le grenier. Suivant sa place, le quart sert soit à la conservation des aliments, de l'eau, des matières sèches ou au rangement de matériel divers (clous, plumes).

14. Le sel était conservé en grande quantité dans des chaudières près du feu pour éviter l'humidification.

moutardier a été identifié dans cette catégorie. Le sucre, parfois vendu en pain, est conservé dans des sucriers et le thé qu'on a récemment appris à connaître, dans des boîtes à thé.

Les repas se déroulent dans la pièce commune et sont servis sur une table recouverte d'une nappe[15]. Les serviettes, mentionnées peu souvent, ne s'utilisent guère que les jours de fête. Les aliments sont ordinairement servis directement du chaudron ou de la marmite à l'assiette, mais ils peuvent aussi être servis dans des plats[16]. La soupe, elle, passe probablement le plus souvent du chaudron à l'assiette car le «plat à soupe» ou soupière n'est cité que deux fois. Du plat ou de la marmite, la nourriture est redistribuée aux membres de la famille dans des assiettes creuses de fer-blanc ou de terre cuite[17]. Les assiettes plates sont un luxe et on ne les trouve que dans le seul inventaire du riche menuisier P. Émond. Tandis que chez les menuisiers le nombre d'assiettes dépasse presque toujours celui des membres de la famille, chez les charpentiers ce nombre est juste suffisant et parfois même inférieur. Chez ces derniers, et souvent même chez les premiers, on peut penser que l'assiette unique que l'on garde du début à la fin du repas devait être la règle[18]. Tous possèdent de nombreuses cuillères et fourchettes en étain ou en fer-blanc. Il n'en est pas de même des couteaux, car il semble que l'on fasse encore usage, selon la coutume, de celui qu'on porte sur soi. Ils sont inexistants dans trois habitations; ils sont à l'unité dans une famille pourtant nombreuse; ils sont plutôt rares (entre trois et six) chez les autres. L'argenterie, elle, représente un vrai signe de richesse et seuls les deux menuisiers les plus fortunés purent s'offrir ce luxe. Chez M. Routier, on trouve sept cuillères à soupe et à thé, deux gobelets et une cuillère à potage en argent, le tout évalué à dix livres douze chelins six pences. L'eau et à l'occasion le vin étaient servis sur la table dans des carafes, des cruches, des pots et même des bouteilles. Pour boire, on se servait des bols, des tasses, des gobelets ou

---

15. Sans pouvoir évaluer exactement leur nombre, car plusieurs sont probablement restées aux survivantes avec leurs hardes et linge, nous en comptons néanmoins une cinquantaine dont dix-neuf en toile du pays, deux en toile de Russie et une ouvrée.

16. Sur une trentaine , une dizaine sont en faïence, huit en fer-blanc, huit en terre et trois en grès.

17. Parmi les deux cents assiettes comptées, quarante-six sont en faïence, douze en porcelaine, douze en grès et six en terre.

18. On peut dire cependant que les deux écuelles trouvées sont déjà les vestiges d'un autre temps et que cette dernière a vraiment cédé sa place à l'assiette creuse.

des verres. Les bols, «bolles» ou «boles», sont très nombreux et se retrouvent chez tous[19]. Les tasses sont plus rares (une quinzaine) et apparaissent toujours accompagnées de soucoupes ou placées près du «thé-pot», ce qui correspond peut-être à l'usage nouveau de boire le thé et le café dans des tasses plutôt que dans des bols. Les gobelets sont peu communs et ils font partie de l'inventaire de trois familles seulement[20]. De même, bien que les verres soient assez répandus, toutes les familles n'en possèdent pas. S'il est à supposer que l'on y sert indistinctement de l'eau, du vin ou des alcools, certains semblent destinés plus particulièrement à la consommation du vin ou de l'eau. Ainsi, chez le charpentier Michel Bonhomme dit Dulac, le notaire signale trois verres à vin et trois verres à eau, et chez le maître menuisier L. Huppé seize verres à vin. Outre les boissons froides, on consomme aussi des boissons chaudes comme le thé et le café[21]. Le café est préparé dans des cafetières et le thé dans des théières. Si toutes les familles de menuisiers se servent de ces récipients, seulement deux charpentiers en ont; ce qui ne veut pas dire toutefois que les autres ne boivent ni thé ni café, car ils peuvent très bien les préparer dans d'autres récipients. Le café est certainement acheté moulu car quelques rares familles seulement font usage du moulin à café.

Le rangement de tout ce matériel, après le repas, n'est pas facile à déterminer, vu qu'il y a peu de buffets, que les tables ne semblent pas, sauf exception, avoir de tiroir et que les meubles sont rares. Il semble donc que, si l'armoire ou le buffet servent à contenir les pièces les plus fragiles, l'ensemble de la vaisselle doit être le plus souvent rangé sur des rayons placés contre le mur ou encastrés dans celui-ci.

Deux balais et quelques brosses à plancher constituent tout l'inventaire des objets pouvant servir à l'entretien de la maison. Cela confirme-t-il le laisser-aller suggéré par Pehr Kalm[22]? L'hypothèse n'est pas invraisemblable, mais il se peut aussi que les notaires aient tout simplement négligé d'inscrire ces objets qui

19. Pour la grande majorité nous ignorons le matériau de fabrication et sur soixante-neuf plus deux lots, six sont dits en grès et un en faïence. Cinq sont déclarés plus grands que les autres et servent peut-être de saladiers.

20. Six sont en verre et deux en argent.

21. Sur treize cafetières, une est faite de cuivre et parmi les treize «thé-pots», deux sont en grès et un en fer-blanc.

22. Pehr Kalm, *Voyage de Pehr Kalm au Canada en 1749*, Montréal, Pierre Tisseyre éd., 1977, p. 821.

sont souvent vieux ou, à leurs yeux, sans valeur parce que de fabrication domestique. La vaisselle est lavée dans des cuvettes; cependant, il ne semble pas qu'on l'essuie, car on ne mentionne pas de linge à vaisselle ou de torchon. Suivant son importance, la lessive est faite soit dans des cuvettes, soit dans des cuves. Certains battent le linge au battoir et l'étendent sur «un cheval à linge». Le linge propre, avant d'être rangé, est repassé au fer à «flasquer» ou à repasser. De même, pour la toilette corporelle, on utilise probablement à nouveau les cuvettes étant donné que les bassins sont rares. Les serviettes et essuie-mains représentent encore un luxe et certains n'en ont pas du tout[23].

6. Les chambres et la literie

Comment ces maisons sont-elles aménagées pour la nuit? Dans les habitations composées d'une pièce unique et d'un grenier, ces pièces se transforment en dortoir. Dans ces cas, les parents dorment dans une sorte d'alcôve ménagée dans la pièce commune. Les enfants s'installent soit dans la pièce commune près du feu, soit au grenier quand il est chauffé. S'il y a une pièce supplémentaire, les parents l'occupent et les enfants s'installent seuls dans la pièce centrale. Les tout jeunes enfants ont cependant souvent leur «ber» dans la chambre des parents. La chambre maîtresse est sobrement équipée; en plus du lit on y trouve le plus souvent un coffre contenant des vêtements et sur lequel sont posés un petit tapis et une cassette. Une ou deux chaises, une petite table ou une commode viennent parfois compléter l'ameublement. Des chambres aussi bien meublées que celle du maître menuisier Louis Huppé et sa femme sont rares. Ce couple, en effet, est fort bien installé; on remarque dans leur chambre un bureau de pin, deux commodes (l'une en cerisier, l'autre en pin), six chaises, tandis que leur lit se trouve dans un petit cabinet annexe. Des rideaux ornent généralement les fenêtres et sur les murs figurent des images religieuses ou un crucifix. Les chambres sont chauffées par la chaleur provenant de la pièce centrale et sont rarement munies d'un poêle. Les parents dorment tous dans un lit garni. Celui-ci représente une pièce importante du mobilier et son évaluation par le notaire se situe souvent aux alentours de deux livres. Il consiste

---

23. Six familles ont des serviettes ou des essuie-mains et seule la famille de Pierre Émond possède les deux.

ordinairement en un «lit de plume», une paillasse, un traversin, une paire de draps, une couverture, deux oreillers et une courte-pointe. Plus onéreux que la paillasse, le matelas est réservé aux plus nantis. Un ciel de lit vient parfois dissimuler le lit des parents. Dans les familles nombreuses les enfants dorment souvent à plusieurs dans des couchettes, baudets, «settle-beds», pourvus de paillasses ou de «lits de plume». Pour se protéger du froid, ils utilisent des draps, des «couvertes» de coton, de toile ou de laine, une courte-pointe ou un couvre-pieds. Le nombre de ces couvertures est cependant relativement faible et il est probable qu'on laisse les enfants dormir avec leurs vêtements durant la saison froide. De même les «têtes d'oreillers» (taies d'oreillers) sont réservées aux familles aisées. Ainsi, sauf exception, la paillasse à même le plancher n'existe pas et si chacun n'a pas son lit, toute la famille dort dans un lit plus ou moins bien garni.

7. Articles divers

Outre cet équipement domestique principal, les familles possèdent des objets moins essentiels comme des objets décoratifs, des articles religieux, des livres. Les objets décoratifs consistent surtout en miroirs et cadres et plus rarement en tapis, vitraux, niches et horloges. Les notaires font une distinction entre les grands et les petits miroirs et si certains foyers en ont plusieurs, chaque famille en possède au moins un petit. Les tableaux sur les murs sont plus rares. Comme nous l'avions soulevé dans la critique des sources, les objets et livres de piété sont peu cités; nous trouvons la présence de Sacré-Coeur, de bénitiers, d'images, de crucifix ou encore de livres religieux dans seulement 33% des maisons. En ce qui a trait aux articles de toilette, outre la mention de quelques peignes, rasoirs et plats à barbe, les données que l'on peut tirer des inventaires ne sont guère significatives, car la plupart de ces objets personnels étaient laissés aux survivants. Les bijoux sont choses assez rares: peu de femmes portent des colliers et des pendants d'oreilles. On fait peu mention des montres. Elles coûtent cher, entre deux et neuf livres, et appartiennent aux hommes. Les bijoux et papiers importants et le tabac sont rangés dans de petites boîtes de plomb ou de bois (acajou, érable). Quelques autres articles disparates apparaissent dans l'inventaire de quelques rares familles: un éventail, des valises, un jeu de dames et quelques parapluies.

8.   L'éclairage

Si l'on excepte la simple lueur produite en hiver par le feu de la cheminée, les familles font usage de trois sources principales de lumière: la chandelle, la lampe à l'huile et le fanal. La chandelle, toutefois, était de loin le système le plus répandu et on la retrouve dans presque toutes les maisons, même si certaines ne sont pas munies de chandelier[24]. Il n'est pas impossible que les femmes aient fabriqué elles-mêmes ces chandelles avec du suif blanc[25] mais, comme la ville de Québec possède déjà à l'époque des manufactures de chandelles comme celle de W. Smith dans la rue Couillard et celle de A. et T. Wilson à Saint-Roch[26], il se peut fort bien que des familles aient préféré les acheter. Cinquante pour cent des familles se servent d'une paire de mouchettes pour éteindre les chandelles, mais deux familles seulement utilisent le porte-mouchette. Le fanal est également en usage et on le retrouve cité dans cinq inventaires sur dix-sept (quatre menuisiers et un charpentier). Le fanal, que l'on appelle aussi lanterne, fut fort répandu jusqu'au milieu du XIXe siècle. Cette lampe est ordinairement cylindrique et est faite d'une feuille de fer-blanc percée d'ajours pour laisser filtrer la lumière tout en protégeant la flamme du vent, car on utilise cette lampe surtout à l'extérieur de la maison. Son prix est modique: environ sept chelins. Un deuxième modèle, moins répandu, consiste en une boîte carrée composée de quatre fenêtres en verre. Cette lanterne fournit un bien meilleur éclairage, mais coûte plus cher. Le troisième appareil d'éclairage, la lampe, est cité dans des proportions semblables. Il s'agit d'une lampe fonctionnant à l'huile animale liquide et qu'on appelle aussi «bec de corbeau». Ces lampes sont faites d'un récipient généralement ouvert, à fond plat, qui contient l'huile et dans laquelle trempe une mèche de coton. Ces lampes sont ordinairement munies d'un montant en forme de potence prolongé par une tige qui se termine en crochet ou en pointe pour permettre l'accrochage à une crémaillère ou le fichage à une solive ou à la cheminée. En somme, les dix-sept familles utilisent la chandelle; cinq d'entre elles seulement possèdent en plus une

---

24. Sur trente-trois chandeliers nous en trouvons un en fer, un en cuivre et un en bronze.

25. Comme on ne trouve pas de moules, il est à penser que pour fabriquer les chandelles on devait simplement plonger à plusieurs reprises la mèche dans le suif fondu en attendant à chaque fois que la nouvelle couche soit bien refroidie et durcie.

26. *Herald Miscellany and Advertiser*, 23 et 30 novembre 1789.

lampe ou un fanal et une seule utilise les trois. Remarquons encore que sur les six derniers foyers, tous, sauf un, accusent une prisée dépassant trente livres. Ces moyens d'éclairage sont donc encore très traditionnels et il faudra attendre quelques décennies pour que la lampe au kérosène fasse son apparition. Avec elle, la maison va sortir de sa noirceur, ce qui transformera les soirées et permettra une vie nocturne plus active.

Conclusion

Le tableau que nous venons de tracer est loin d'être complet. Il permet néanmoins de dégager quelques-uns des traits essentiels des maisons qu'habitaient ces artisans du bois. Rappelons d'abord que menuisiers et charpentiers du bâtiment ne sont pas également fortunés et que les premiers habitent des maisons mieux équipées. La plupart, cependant, sont propriétaires d'une maison, même modeste, et du terrain sur lequel elle est construite.

Au début du XIXe siècle, un ouvrier menuisier ou charpentier de la région de Québec habitera souvent un quartier commercial de la ville de Québec. Il pourra aussi, s'il est aisé, résider au centre d'un village, mais il sera rarement installé dans un secteur exclusivement ouvrier comme les faubourgs Saint-Jean et Saint-Roch. On ne le rencontrera pas non plus loin d'une agglomération. Sa maison est quelquefois en pierre, mais le plus souvent en bois, de pièce sur pièce, elle compte deux étages et comprend deux ou trois pièces (plus le grenier). Celle de son confrère moins fortuné est toujours en bois, à un seul étage (avec un grenier en plus) et comporte parfois une seule pièce au rez-de-chaussée. De plus, elle est toujours située dans un quartier ouvrier. Le riche artisan peut aussi être propriétaire de terrains et d'animaux, ce que ne peut pas se permettre l'artisan moins fortuné.

À l'intérieur de la maison, les différences reposent en partie sur la quantité et la qualité des effets mobiliers. À la place d'une table en pin, la famille fortunée possèdera une table d'un bois plus recherché comme le noyer et plusieurs chaises. Des petites tables en acajou ou en noyer garnissent aussi la salle commune ou la chambre à coucher des logis les plus cossus. Les coffres, par contre, sont en nombre à peu près égal chez les uns et chez les autres. Quant aux armoires, commodes et buffets, les riches possèdent deux de ces trois pièces, tandis que les moins fortunés n'en ont qu'une seule. De même, les artisans aisés peuvent posséder deux ou trois meubles supplémentaires tels que bergère, sofa, guéridon ou pupitre, alors que les autres se contentent des meubles de base.

Le chauffage est en voie de transformation; peu de maisons font un usage exclusif du foyer et la plupart possèdent en outre un poêle simple de plus ou moins bonne qualité. Certaines familles encore mieux pourvues disposent d'un deuxième poêle simple ou d'un poêle à deux ponts. La chandelle reste le moyen d'éclairage le plus commun, auquel s'ajoutent, selon les moyens financiers, la lampe à l'huile ou le fanal et, exceptionnellement, les deux.

Dans à peu près toutes les cuisines on retrouve un équipement de base suffisant pour une cuisine variée et c'est surtout par la qualité que se distinguent les familles à l'aise. Seuls les couples les plus fortunés s'offrent des articles en argent, des bijoux ou des livres.

Faut-il encore rappeler, bien que nous ayons choisi de ne pas développer cet aspect, que dans ces logis d'ouvriers du bois du début du XIXe siècle, la maison n'est pas seulement le lieu où l'on habite, mais parfois aussi l'endroit où l'homme exerce son métier. Ainsi, quatre menuisiers et un charpentier ont un établi dans leur grenier et le maître menuisier en a même trois. D'autre part, contrairement à ce qui se passe dans les maisons d'habitants, les femmes de menuisiers et de charpentiers de Québec ne semblent pas pratiquer l'artisanat de sorte que l'on compte très peu d'instruments pour ce genre de travail dans leurs maisons.

Fromagers traditionnels à Richmond

Yvan Chouinard, Lise Fournier
Inventaire des biens culturels, Québec

En 1911, Jean-Charles Chapais, dans sa monographie sur «Le fromage raffiné de l'Isle d'Orléans», faisait état de façon détaillée d'un fromage assez spécial, issu de la tradition française. Soixante et six ans plus tard, une étude réalisée par Jean-Claude Dupont et ses collaborateurs, «Le fromage de l'Île d'Orléans», reprenait et complétait le travail amorcé par Chapais.

Cette tradition, qui demeura une activité strictement domestique, est morte désormais et nous ne connaissons pas d'autres exemples analogues. Par contre, du côté de la production artisanale, c'est-à-dire celle qui implique la participation d'un artisan fromager de métier, nous pouvons affirmer qu'il existe encore quelques rares cas où l'industrialisation n'a pas complètement envahi la petite fromagerie de campagne.

Dans le comté municipal de Richmond par exemple, au nord de Sherbrooke, on trouve encore aujourd'hui trois petites fromageries à caractère artisanal, celle de monsieur L'Étoile à Saint-François-Xavier de Brompton, celle de monsieur Paradis et celle de monsieur Proulx au village de Saint-Georges-de-Windsor.

Le regroupement de ces trois petites entreprises dans un même comté municipal est déjà phénoménal, puisque d'autres comtés voisins, où l'industrie laitière est également développée, n'en comptent aucune du même type. De plus, le fait d'en retrouver deux dans une même localité, Saint-Georges-de-Windsor, surprend doublement.

C'est dans ce village, plus particulièrement chez monsieur Proulx, qu'on a tenté de relever la technologie gestuelle rattachée à la fabrication de ce fromage de souche anglaise, le cheddar, qui est probablement celui que l'on connaît le mieux aujourd'hui au Québec.

Localisation

Dans les Cantons de l'Est, la municipalité de Saint-Georges-de-Windsor est située au nord de la ville de Windsor et à l'est d'Asbestos. Localité à caractère rural, elle regroupe environ 300 habitants résidant pour la plupart au village, et elle est desservie entre autres par un magasin général, une épicerie, une cordonnerie et les deux fromageries.

La vie économique de Saint-Georges est donc assez intense. Elle repose avant tout sur la production laitière qui est le principal facteur économique avec l'agriculture, puis sur les petits commerces dont le rôle s'avère important dans le cadre de la survie de la population.

Relativement prospères, les deux fromageries semblent avoir des clientèles un peu différentes puisque celle de monsieur Paradis se recrute principalement au sud, dans la région de Sherbrooke, alors que celle de monsieur Proulx est plus particulièrement localisée au nord, dans la région d'Asbestos et des Bois-Francs.

Tandis que la fromagerie Paradis se trouve au sud de l'agglomération, sur la route allant à Windsor, celle de monsieur Proulx se situe au nord-ouest du village. C'est un bâtiment de type commercial qui fait face à la rue Principale et, comme il est placé quelque peu en retrait de la route, cela permet aux clients de stationner leurs voitures. En passant sur la rue Principale on ne peut manquer d'apercevoir l'enseigne de monsieur Proulx offrant du «Fromage à vendre». Cette fromagerie jouit en fait d'une situation privilégiée dans le village puisqu'elle se trouve dans la zone commerciale.

Historique

L'époque des fromageries

Achetée par Réal Proulx en 1941, cette fromagerie existait déjà au début du siècle si on s'en remet aux dires d'un informateur de Granby, natif de Saint-Georges, qui affirme qu'elle existait déjà à sa naissance, en 1901.

Sans doute faisait-elle partie des nombreuses petites fromageries qu'on retrouvait à différents endroits stratégiques dans une municipalité. Généralement, il y avait une fromagerie à l'extrémité de chaque rang car, comme l'affirme Lise Bélanger dans son document sur «La diffusion spatiale des fromageries au Québec», «les agglomérations de 5 à 10 fromageries par village ne sont pas rares». Ces petites entreprises répondaient à un besoin réel chez les cultivateurs qui devaient écouler leur production laitière. Les cultivateurs du rang apportaient leur lait à la fromagerie et reprenaient le fromage fabriqué pour s'occuper eux-mêmes de sa mise en marché. Ils demeuraient propriétaires de la matière première. C'est probablement la raison pour laquelle on entend encore aujourd'hui le mot «patron» pour désigner un fournisseur de lait, bien que la procédure actuelle veuille que le producteur de fromage achète le lait et s'occupe personnellement de la distribution du fromage réalisé.

À l'époque des «patrons», le transport du lait se faisait dans des bidons de 25 à 30 gallons. Une fois le fromage fait, il était moulé et conservé dans des caisses en bois, puis retourné au cultivateur. Comme c'était lui qui assumait l'entière responsabilité de la vente de son fromage, il acheminait sa production par camion vers Montréal pour en effectuer la vente. De là, le produit prenait souvent le chemin de l'Angleterre car c'est vers ce pays que l'on exportait le plus de fromage de type Cheddar. Il semble même que le commerce avec le pays de Shakespeare dépassa largement la consommation locale.

Ce système de production aurait existé jusqu'en 1955. À partir de ce moment, les fromageries ont dû assumer le coût de l'achat du lait, de la main-d'oeuvre et aussi effectuer la vente du produit. Certaines petites fromageries ne purent résister aux transformations: elles ne réussissaient pas à en assumer les coûts très élevés tout en continuant de produire du fromage. Plusieurs d'entre elles ont dû fermer leurs portes à ce moment.

Cependant, la disparition de ces petites fromageries a permis, par un heureux concours de circonstances, le maintien de l'établissement de monsieur Proulx en lui amenant ainsi une clientèle plus stable et une demande de production plus élevée que par le passé. Avec les années son entreprise a pris de plus en plus d'expansion pour devenir une des fromageries les plus prospères de la région.

Expansion de l'établissement

À l'origine, le bâtiment de bois était relativement moins étendu qu'aujourd'hui. Un corps principal, avec toiture à deux versants surmontée au centre d'un important campanille servant à la ventillation intérieure, constituait l'établissement de l'époque. Par la suite, de nombreux ajouts sont venus compléter l'ensemble pour en faire la fromagerie que nous connaissons aujourd'hui. Remarquons particulièrement l'appentis du côté nord-ouest, dans lequel on fait pénétrer le camion citerne qui apporte le lait, ainsi que l'agrandissement situé en façade avant, où la clientèle désireuse de consommer sur place la production fromagère, peut à loisir profiter de tables et de chaises pour se délecter du «lait qui se mange».

Deux générations de fromagers

La fromagerie Proulx est avant tout une entreprise familiale qui a vu naître deux générations de fromagers. La première génération est celle de Réal Proulx, qui appartient à une famille de six garçons dont le père était boulanger de son métier. Quatre des fils du boulanger sont devenus fromagers. Ce fait peut paraître curieux mais, comme l'a expliqué monsieur Proulx, il y avait une fromagerie en face de la maison paternelle et c'est probablement l'existence de cette entreprise qui a motivé quatre des garçons à choisir le métier de fromager.

C'est d'ailleurs dans cette fromagerie que Réal Proulx a fait son apprentissage. En effet, il lui fallait faire un apprentissage de deux ans avant de pouvoir suivre le cours qui devait lui permettre d'exercer son métier de fromager. Ce cours se donnait dans une école spécialisée à Sainte-Hyacinthe.

Après avoir terminé ses études, monsieur Proulx a travaillé deux ans dans une fromagerie et ensuite, en 1941, il a décidé d'avoir son propre commerce. À ce moment-là, il fabriquait le fromage pour les cultivateurs du village, mais une fois cette période terminée, vers 1955, monsieur Proulx a commencé à acheter le lait de deux producteurs laitiers pour en faire du fromage et effectuer lui-même la vente de son produit. La vente se faisait alors surtout auprès des propriétaires de restaurants et d'hôtels de la région. Quelque temps après, monsieur Proulx a ouvert un comptoir de vente à son établissement. Il a d'ailleurs été le premier fromager à faire de la vente au comptoir dans la région. Peu à peu, une clientèle assidue se présenta régulièrement à sa fromagerie pour acheter le fromage.

Tout récemment, monsieur Proulx a cédé la fromagerie à son fils Alain qui continue de faire fonctionner l'entreprise. Alain représente donc la deuxième génération de la famille Proulx à assurer la relève des maîtres fromagers. Il a également fait un apprentissage de deux ans à la fromagerie de son père, avant de suivre un cours orienté sur la production laitière à l'école de Sainte-Hyacinthe. Ce cours spécialisé est encore offert uniquement à ceux qui ont terminé un apprentissage de deux années et il porte principalement sur la production du fromage, du lait en poudre et du beurre.

Devenu maître fromager à la suite de son cours, Alain a cependant continué à travailler à l'entreprise de son père jusqu'à ce que ce dernier la lui confie au début de l'été 1978.

La fromagerie Proulx. Photo Y. Chouinard/I.B.C.-c.78.0134.2 (35).

Les employés

Une fromagerie avec une clientèle comme celle de monsieur Proulx ne peut pas fonctionner avec l'unique apport d'un fromager. Mais comme cette entreprise possède un caractère familial, les employés qui assistent Alain Proulx dans ses tâches quotidiennes sont principalement sa femme Denise, son beau-frère Léandre et aussi un jeune apprenti dénommé Armand. À eux seuls, ils constituent l'équipe de base qui fait fonctionner l'entreprise. Chacun connaît la tâche bien définie qu'il a à remplir et chacun sait s'organiser pour accomplir ses fonctions dans le temps requis et suivant le rythme du procédé de fabrication.

Durant les fins de semaine, soit le samedi et le dimanche, la fromagerie emploie d'autres personnes pour aider à la vente au comptoir et pour répondre aux demandes de la clientèle. Il faut dire que ces jours-là, toute la production est écoulée sur place au comptoir de vente.

La production du fromage

Acquisition de la matière première

La plupart du temps la fromagerie achète le lait de quatre ou cinq producteurs des environs dans un rayon d'environ 5 kilomètres. Ces producteurs ont en moyenne des troupeaux de 50 à 60 vaches de race Holstein. Mais lorsque ces fournisseurs n'ont pas suffisamment de lait pour alimenter la fromagerie, monsieur Proulx a recours à un fournisseur de Granby qui comble ses besoins en matière première.

Le ramassage du lait se fait directement chez l'agriculteur avec un camion appartenant à la fromagerie. Le lait est transféré du réservoir du producteur, où il est constamment conservé à une température de 4° C., au camion citerne à l'aide d'un système de pompage.

À chaque fois que monsieur Proulx procède au ramassage du lait, il doit prélever un échantillon chez chaque fournisseur pour des fins d'analyse. Cette mesure est exigée par les autorités gouvernementales, mais elle permet aussi de connaître le degré d'acidité du lait et le pourcentage de matières grasses. Une fois rendus à la fromagerie, ces échantillons sont analysés et les résultats obtenus fournissent les indications de base qui permettront au fromager de préparer le ferment et la présure qui entrent dans la composition du fromage et surtout de bien doser les quantités. Le pourcentage de matières grasses requises pour la fabrication du fromage est d'environ 3.5% et le degré d'acidité doit être d'environ 18.

Transformation en fromage

Dès son arrivée à la fromagerie, le lait est transféré dans de grands réservoirs pour y être pasteurisé. La pasteurisation proprement dite, qui est une étape nécessaire dans le cheminement du lait destiné à la consommation humaine, consiste à le chauffer jusqu'à une température élevée, mais moindre que son point d'ébullition, dans le but de détruire les bactéries pathogènes qui pourraient s'y trouver. On porte donc sa température jusqu'à 65° C., puis on refroidit brusquement le liquide pour parachever le processus.

Selon Réal Proulx, cette étape est obligatoire depuis une vingtaine d'années environ. Avant, on versait le lait dans le grand bassin et on procédait tout de suite à la fabrication.

La production du fromage débute alors véritablement, avec l'arrivée du lait dans le bassin où se fera sa transformation. L'intérieur du grand bassin est en acier inoxydable, tout comme les autres instruments qui sont utilisés pour faire le fromage. Cette norme gouvernementale a été imposée aux fabricants pour maintenir une propreté hygiénique et assurer une meilleure qualité du produit.

Le lait est donc conduit dans le bassin à l'aide d'un système de tuyaux qui le mène directement du réservoir au grand bassin. Ce dernier peut contenir jusqu'à 4 500 kilogrammes de lait, ce qui donnera une production maximale de 450 kilos de fromage car le rapport de production est de 10 à 1, soit 4,5 kilos de lait donnant 450 grammes (une livre) de fromage.

Lorsque le lait a fini de s'écouler dans le grand bassin, on le laisse reposer environ une heure. Ensuite, le fromager, vêtu du chapeau, du tablier et des bottes blanches, entre en action. Il prépare et verse un ferment dans le bassin. Cet enzyme spécial sert à activer l'acidité du lait. À l'aide du râteau, et en se promenant à

Le fromager en costume près du grand bassin. Photo Y. Chouinard I.B.C.-78.2468.6 (35).

Monsieur Alain Proulx et son apprenti en train de brasser le lait qui deviendra fromage. Photo Y. Chouinard/ I.B.C.-78.2468.18 (35).

Chaque bloc est fréquemment retourné pour faciliter l'égouttement de l'eau. Photo Y. Chouinard/I.B.C.-c.78.0134.6 (35).

On recouvre le grand bassin pendant que s'égoutte les blocs de fromage. Photo Y. Chouinard/I.B.C.-c.78.0134.8 (35).

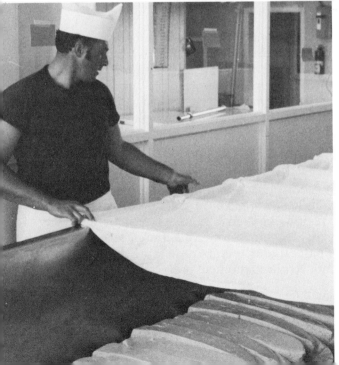

plusieurs reprises d'un bout à l'autre du bassin, il brasse le lait permettant ainsi au ferment de bien s'intégrer à l'ensemble.

Pendant qu'un autre membre du personnel de la fromagerie prend sa place au brassage, le fromager se rend au comptoir pour faire la préparation d'un autre mélange à l'aide d'éprouvettes et de récipients spéciaux. Cette deuxième substance liquide qui sera ajoutée au lait, la présure, est en réalité un enzyme naturel qui est un extrait concentré obtenu à partir du quatrième compartiment de l'estomac du veau, la caillette. Destinée spécifiquement à faire cailler le lait, la présure est d'abord diluée dans l'eau avant d'être déversée dans le grand bassin. Le fromager compte deux onces de présure pour chaque 450 kilogrammes de lait et lorsque le mélange eau plus présure est fait, il tente de le répartir également dans le bassin. L'action de la présure durera alors une trentaine de minutes pendant que le lait se trouve à une température de 32° C.

Dès que le lait est suffisamment caillé, le fromager et son apprenti passent, d'un bout à l'autre du bassin, deux grands cadres d'environ 75 centimètres carrés, munis de fils de fer, l'un à l'horizontale et l'autre à la verticale. Ces minces tiges de fer, espacées entre elles d'un centimètre, servent à regrouper l'eau qui se trouve dans la substance caillée. Le fromage comme tel tend alors à descendre au fond du bassin tandis que l'eau monte à la surface. C'est le temps de passer à la cuisson.

À partir de ce moment, monsieur Proulx doit brasser le caillé pour l'empêcher de prendre en bloc. Il ouvre la valve qui permet à la vapeur de s'infiltrer progressivement sous le bassin pour faire cuire le fromage. La température de la cuisson peut atteindre 39° C., mais elle pourra aussi être limitée à 35° C., en tenant compte de la volonté d'obtenir un fromage plus ou moins mou. Pendant toute la durée de la cuisson, qui varie de 20 à 30 minutes selon la quantité de lait employée, monsieur Proulx continue toujours de brasser cette substance caillée.

Quant la cuisson est terminée, on obtient un premier produit, soit le fromage dans le «petit lait». Ce genre de fromage est très apprécié dans la région et les gens viennent en acheter au comptoir de la fromagerie. Il leur faut toutefois connaître les heures de fonctionnement parce que cette étape de la fabrication dure peu de temps et qu'il faut être là au moment précis si on veut pouvoir le déguster.

Comme nous l'a expliqué monsieur Proulx, il y a une différence entre le fromage «cottage» et le fromage dans le «petit lait».
Le fromage dans le «petit lait» est beaucoup moins acide que le
«cottage», parce qu'on y ajoute un ferment pour activer l'acidité
du lait, alors que pour faire le fromage «cottage», on laisse reposer le lait toute une nuit dans le bassin et l'acidité devient alors
beaucoup plus élevée.

Après le fromage dans le «petit lait», monsieur Proulx continue à brasser ce qui en reste jusqu'à ce qu'il devienne plus ferme
et plus acide. L'acidité «mange» le sucre qu'il y a dans le fromage, ce qui fait qu'il change de goût.

Quand le caillé prend une consistance plus ferme, monsieur
Proulx ouvre une valve au bas du bassin pour enlever le liquide
nommé «petit lait» et il ne restera que le solide qui est le fromage.
Le «petit lait» est ensuite passé dans une centrifugeuse pour en
extraire les dernières matières grasses qu'il pourrait encore contenir. On récupère ainsi une moyenne d'un demi ou de trois quarts
d'un bidon de liquide gras pour un bassin contenant entre 4 000
et 4 500 kilos de lait. La quantité de matières grasses qu'on
retrouve dans le lait varie souvent selon les périodes de l'année,
dépendamment de la nourriture qu'on donne aux vaches. Ce
liquide gras ainsi récupéré est vendu à une autre fabrique qui l'utilise pour faire du beurre de «petit lait».

Le fromage qui reste dans le bassin sera plutôt granuleux et
devra être brassé jusqu'à ce qu'il soit bien égoutté. Après cela, on
le laisse prendre en pain pendant un certain temps. À mesure que
l'eau diminue dans le bassin, le fromager pousse le fromage de
chaque côté, formant deux lisières avec une rigole au centre, permettant à l'eau de s'écouler. Il utilise une sorte de gratte emmanchée qui lui permet de repousser le fromage et de faire glisser l'eau
sur le fond du bassin. Ce dernier présente déjà une légère pente
vers le trou d'évacuation.

Quand le fromage est suffisamment raffermi, il coupe les
lisières en gros blocs qui pèsent environ 25 livres chacun. Ces pièces sont ensuite retournées aux quinze minutes pour permettre à
l'eau de s'égoutter totalement. Cette opération s'échelonne normalement sur une période de deux heures trente minutes avant de
pouvoir transformer ces blocs en fromage en grains.

En grain et en meule

Lorsque l'eau est presque complètement sortie des blocs, on installe sur le bord du bassin un hachoir métallique qui servira à faire des grains ou crottes. Le hachoir est composé d'un récipient qui reçoit les blocs et d'un levier qui les pousse contre un grillage qui découpe le fromage en bâtonnets. Ces bâtonnets sont ensuite salés et deviennent le fameux «fromage en crottes» que l'on connaît bien.

Deux personnes sont nécessaires pour réussir cette opération, soit une première qui insère les blocs et qui les tient dans le hachoir et une seconde qui manipule le levier. L'opération étant assez fatigante, on se remplace fréquemment au levier.

Quand tous les blocs ont passé l'épreuve du hachoir, monsieur Proulx se prépare à saler les crottes. Pour ce faire, il utilise du sel de table ordinaire qu'il saupoudre manuellement sur le fromage. Ordinairement il lui faut compter entre neuf cents ou douze cents grammes (2-2 1/2 lbs) de sel pour chaque 45 kilogrammes (100 lbs) de fromage produit, dépendamment de son humidité. Le sel, en plus d'ajouter de la saveur au fromage, permet à l'eau qui reste encore à l'intérieur de s'égoutter.

Pendant toute la période où le fromage est en grains dans le fond du bassin, soit pendant qu'on y ajoute le sel, pendant qu'on le prépare et qu'on le met en sac, il faut le remuer continuellement pour éviter qu'il retourne en bloc comme avant d'être passé au hachoir. En effet, la pression exercée sur le fromage par son propre poids fait qu'il se fond rapidement en une seule pièce. Pour arriver à le conserver en crottes, le fromager utilise une sorte de fourche en acier inoxydable dont tous les fourchons sont recourbés en leur bout. À l'aide de cette fourche, il tourne et retourne constamment le paquet de grains de fromage de sorte que ce dernier conserve son état.

Ensuite, il procède à la mise en sac des grains. Les sacs qu'il utilise sont en plastique, étiquetés au nom de la fromagerie et les différents éléments qui entrent dans la composition du fromage, de même que la quantité utilisée, y sont indiqués. Chaque sac de fromage en grains est pesé et il doit contenir une livre de fromage. La quantité totale mise ainsi en sac peut varier d'un jour à l'autre, suivant la demande plus ou moins forte de la clientèle.

Les grains qui ne sont pas mis en sac seront placés dans des moules pour en faire des meules. Il existe deux types de moules ainsi que deux sortes de coton à fromage. À la fromagerie Proulx, on utilise des moules rectangulaires et des moules cylindriques. Le premier type de moules sert à faire des meules de cinq livres, de deux livres et aussi d'une livre, dépendamment de la façon dont il sera subséquemment tranché. L'autre modèle donnera des meules rondes qui devront peser aux environs de 7 kilogrammes chacune.

Cet accessoire taille les «crottes». On y travaille à deux. Photo Y. Chouinard/I.B.C.-78.2469.18 (35).

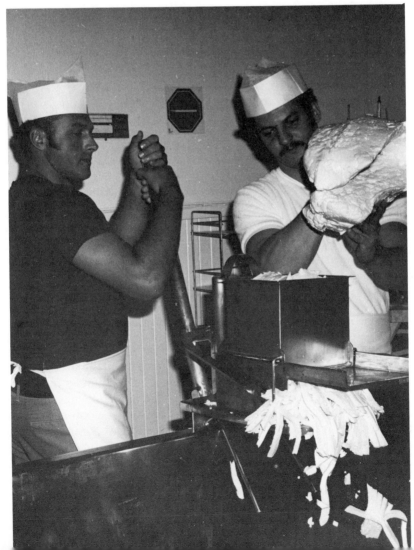

Avant de remplir les moules de grains, il faut d'abord en tapisser le fond de coton à fromage. Pour les moules rectangulaires, monsieur Proulx utilise un coton synthétique qui est réutilisable mais qui doit être stérilisé avant chaque usage. Il place deux cotons à fromage dans chaque moule, l'un dans le sens de la largeur et l'autre dans le sens de la longueur. Pour ce qui est des moules ronds, il place un coton synthétique dans le fond du moule et ensuite il ajoute un coton à fromage ordinaire en fibres naturelles par-dessus le premier. Ceci s'explique par le fait que le fromage en meule ronde doit être conservé dans son coton après le démoulage, alors que les autres seront découpées en blocs et réemballées pour la mise en marché.

Quand tous les moules sont garnis de leurs cotons à fromage, le fromager les remplit un à un de grains. Le remplissage des moules se fait à la main, et on compresse le fromage pour bien remplir les récipients.

Chaque moule est ensuite posé sur la balance pour en faire la pesée. Le moule rectangulaire plein doit peser 13,5 kilos, soit 4,5 kilos pour le moule et le reste pour le fromage, tandis que le moule rond pèse au total 11,5 kilos et doit contenir 7 kilos de fromage.

Selon le besoin, le fromager enlève ou ajoute les grains nécessaires pour atteindre le poids désiré, puis, après avoir placé les couvercles des moules, il installe ces derniers sur la presse, les uns contre les autres, pour l'obtention de meules compactes.

Le pressage du fromage se fait sous une pression de 12 à 14 kilos. Il permet non seulement aux grains de fromage d'être compressés pour former des meules, mais il permet aussi à l'eau de finir de s'égoutter complètement. Le temps de cette opération varie entre une heure et une heure et demie, dépendant du nombre de moules mis sous presse.

Une fois la période de pressage terminée, les moules sont enlevés de la presse et le fromage est démoulé. Monsieur Proulx enlève ensuite les cotons synthétiques, puis il place un cadre de bois autour de la meule et avec une tranche il sépare la meule en pièces d'une, de deux ou de cinq livres selon les encoches qui sont prévues dans le cadre de bois. Chacune de ces petites meules devra ensuite être emballée individuellement. Par contre, pour les meules rondes, il ne fait qu'enlever le coton synthétique parce que le fromage est gardé et vendu dans son coton à fromage naturel.

Toute l'équipe se donne la main pour mettre en sac le délicieux produit.
Photo Y. Chouinard/I.B.C.-c.78.0134.27 (35).

Madame Denise Proulx voit à peser individuellement chacun des sacs de
fromage en grains. Photo Y. Chouinard/I.B.C.-78.0134.15 (35).

Le fromager remplit les moules rectangulaires... Photo Y. Chouinard/I.B.C.-78.2460.11 (35).

... puis referme les cotons synthétiques. Photo Y. Chouinard/I.B.C.-78.2460.13 (35).

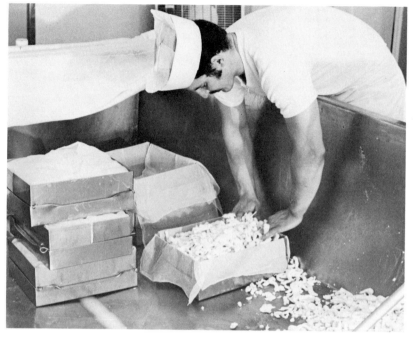

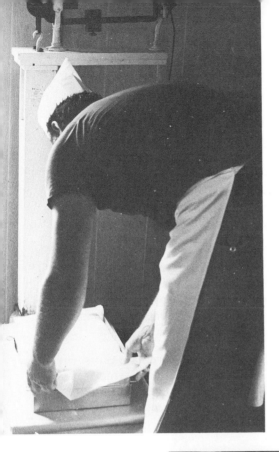

Avant de placer les moules sous presse, il faut en faire la pesée. Photo Y. Chouinard/I.B.C.-78.2460.15 (35).

La presse mécanique, un élément plus moderne. Photo Y. Chouinard/I.B.C.-78.2461.3 (35).

L'emballage des meules, l'étape subséquente, concerne seulement les meules provenant des moules rectangulaires. Monsieur Proulx utilise alors un papier ciré fait spécialement pour envelopper le fromage. On prépare à l'avance le papier en trois grandeurs différentes pour recouvrir les meules de différents poids. L'emballage se fait encore entièrement à la main, mais on songe sérieusement à acquérir une machine à emballer afin de gagner du temps.

Les meules portent également une étiquette affichant le nom de la fromagerie. Chaque étiquette est placée à l'intérieur du papier d'emballage qui est translucide. Pour les meules de cinq livres, on ajoute un deuxième papier, brun et opaque, pour assurer une conservation prolongée.

Lorsque les meules sont emballées, on les replace dans leur moules et on les trempe dans l'eau chaude avant de remettre les moules sous presse, permettant ainsi au papier ciré d'adhérer fermement au fromage pour assurer une meilleure conservation du produit.

La mise en marché

Types de fromage

À partir d'une production unique, la fromagerie Proulx offre à sa clientèle du fromage sous quatre formes différentes: le fromage dans le «petit lait», le caillé non salé, le fromage en grains et le cheddar en meule.

Le premier, dont il fut question précédemment, est celui que l'on retire du bassin avant même d'en faire couler l'eau, ou «petit lait». C'est la première phase de la transformation du lait en fromage. Retiré à l'aide d'une passoire, le fromage dans le «petit lait» est ensuite pesé puis servi au client dans une assiette de carton pour être consommé sur place. Le consommateur y ajoute lui-même le sel qu'il désire avant de déguster le produit.

Ce fromage étant très demandé et comme on ne peut le conserver longtemps, un tableau indiquant les jours et les heures où il est produit et prêt à être vendu, rappelle aux clients le moment précis où l'on doit se présenter pour l'obtenir.

FROMAGE DU JOUR
DIM. PETIT LAIT 12.30 A.M. HR
LUN. PETIT LAIT 12½ HR A.M.
MAR. PAS. PETIT LAIT
MER. PETIT LAIT 9½ HR
JEU. PETIT LAIT 5 HR A.M.
VEN. PETIT LAIT 5 HR A.M.
SAMEDI. PETIT LAIT
   ETE   4 HR
   HIVER 12 HR

Il faut connaître les bonnes heures pour déguster le fromage dans le «petit lait». Photo Y. Chouinard/I.B.C.-78.2468.12 (35).

Le cheddar Proulx sous deux aspects: le caillé non salé et en grains. Photo Y. Chouinard /I.B.C.-78.0134.7 (35).

Le fromage caillé non salé est celui que l'on retrouve en lisière de chaque côté du bassin après l'égouttement du petit lait mais avant de le passer au hachoir. Portant également les noms de «semelle de botte», de «paire de vache», de «babine de vache» ou encore plus populairement de fromage «en fesse», ces pièces de fromage sont fréquemment vendues à une clientèle régulière qui préfère ce délicieux fromage sans sel.

Le fromage en grains, nouvelle étape dans la production du cheddar, est également fort en demande chez la clientèle de la fromagerie Proulx. Appelé souvent «en crottes» et parfois «doigt de dame», ce fromage est vendu en partie à la fromagerie même, puis le reste est salé, mis en sac, pesé et vendu sur le marché régional.

Enfin, la quatrième forme sous laquelle on écoule le fromage est la meule proprement dite. Selon l'âge du produit, on obtient le cheddar doux, moyen ou fort. Pour ce qui est du cheddar moyen et fort, monsieur Proulx nous a précisé que ça prenait de trois à sept mois de vieillissement avant d'obtenir un fromage moyen et fort. Plus on le laisse vieillir longtemps, plus il devient fort. Il suffit de le conserver à une température assez fraîche le temps nécessaire. Il faut cependant ajouter qu'en raison d'une demande plus forte que la production, on ne réussit pas à produire du fromage fort puisque le fromage est entièrement écoulé alors qu'il est doux.

Clientèle

La fromagerie Proulx vend sa production à deux catégories distinctes de gens, soit le consommateur qui vient chercher le produit sur les lieux, et le commerçant de la région à qui on livre le fromage à son magasin. Monsieur Proulx est donc à la fois détaillant et grossiste.

La clientèle des consommateurs est assez diversifiée, car on y retrouve des gens de tous les âges et de tous les villages de la région. Plusieurs clients sont des habitués qui viennent acheter leur provision de fromage au moins une fois la semaine, d'autres y viennent même tous les jours pour déguster le fromage dans le petit lait, ou le fromage «en crottes» frais.

C'est monsieur Réal Proulx, le père, qui a mis en opération ce système de vente au comptoir. Si on en juge d'après les résul-

Un véritable coton à fromage est placé au fond des moules cylindriques. Photo Y. Chouinard /I.B.C.-c.78. 0124.8a (35).

Le client peut s'installer à une table pour déguster sur place le fromage qu'il vient d'acheter. Photo Y. Chouinard/I.B.C.-c. 78.0125.11a (35).

tats obtenus, ce système semble très efficace puisqu'il permet d'écouler toute la production du samedi et du dimanche sur place. Aussi, ce système de vente au comptoir plaît à plusieurs clients qui aiment venir acheter et même manger sur place leur fromage dans le petit lait. C'est pourquoi on a aménagé un coin de la fromagerie pour les dégustateurs de fromage. On y retrouve des tables, des chaises et aussi de longs bancs pour permettre aux clients de s'asseoir et de manger tranquillement leur fromage soit avec du vin, du pain, des chips, des raisins qu'on apporte de chez-soi, ou tout simplement comme ça pour grignoter. On y retrouve également, et là c'est une gracieuseté du propriétaire, un nombre important de salières qu'utiliseront les consommateurs pour modifier la saveur de leur fromage.

Comme la fromagerie Proulx vend aussi une partie de sa production à des commerçants de la région, elle offre un service de livraison quotidienne. Dès que la production de la journée est complétée, les commandes sont préparées pour chaque marchand, pour être ensuite livrées individuellement à chacun des établissements commerciaux. Ce sont principalement des épiceries, des magasins généraux et des «accomodations» de la région, surtout d'Asbestos.

Petite entreprise qu'on peut qualifier d'artisanale à plusieurs points de vue, la fromagerie Proulx continue une tradition dont l'âge d'or au Québec se situe aux environs de 1897, alors qu'il n'était pas rare de rencontrer jusqu'à 10 fromageries dans un village.

Sauf pour quelques machines plus modernes, comme l'appareillage servant à la pasteurisation de la matière première, le processus de transformation se fait toujours avec la participation très active de l'homme. Le propriétaire, qui est aussi le fromager, va chercher le lait chez des agriculteurs de sa paroisse, et comme sa production n'est pas trop étendue, il se permet encore d'effectuer lui-même et à la main la plupart des étapes de la métamorphose lait-fromage: il voit personnellement au brassage et à l'égouttage du grand bassin; il s'occupe de couper et de retourner le pain de fromage; il taille des «crottes», fait le pesage, la mise en moule, le démoulage, puis l'emballage des grains et des meules. Enfin le fromager-artisan gère directement la mise en marché de son produit par la vente au comptoir et la distribution aux commerces régionaux.

Mais cette vie d'artisan a aussi des exigences puisqu'à la fromagerie Proulx on fait du fromage tous les jours de la semaine, sauf le mardi où l'on procède au grand nettoyage du grand bassin et des instruments, de même qu'à la désinfection des grands réservoirs. Tout est nettoyé, désinfecté et stérilisé hebdomadairement, mais il reste peu de temps au fromager pour sa vie privée.

Ce facteur temps/hommes, mis en compte avec les exigences modernes, dont la rentabilisation du commerce, provoquera inévitablement l'industrialisation progressive de la fromagerie. Actuellement par exemple, on songe sérieusement à faire l'acquisition d'une machine qui fera l'emballage du fromage. Bien que n'ayant aucun effet sur la qualité du produit, cette amélioration sensible sera un pas de plus sur la pente de l'industrie, éloignant justement notre artisan de son contexte ancestral.

Souhaitons cependant qu'il préserve la caractéristique qui non seulement fait de sa fromagerie un bien spécial, mais qui est peut-être l'explication même de sa survie, c'est-à-dire la vente au détail, au comptoir même de la fromagerie, du fromage qu'on est en train de produire.

BIBLIOGRAPHIE

Les études qui portent sur le fromage au Québec ne sont pas nombreuses. Voici quand même quelques titres constituant des éléments bibliographiques importants pour compléter cette brève recherche de terrain. Le tout n'est pas exhaustif.

BÉLANGER, Lise. *La diffusion spatiale des fromageries au Québec de 1865 à 1915*. Québec, mémoire de baccalauréat en géographie déposé à l'université Laval, 1978, 92 p.

CHAPAIS, Jean-Charles. *Le fromage raffiné de L'Isle d'Orléans*. Québec, ministère de l'Agriculture, 1911, 30 p.

DECKER, John Wright. *La fabrication du fromage Cheddar*. Montréal, Sénécal et Fils, 1894, 171 p.

DUPONT, Jean-Claude. *Le fromage de l'Île d'Orléans*. Montréal, Leméac, 1977, 171 p.

GOSSELIN, Serge. «Crotteville»: royaume des fins palais», in *La Tribune*, Sherbrooke, 31 juillet 1978, p. 7

LAFORCE, L.-A. *Le guide du fromager*. St-Hyacinthe, Presses mécaniques du «Courrier», 1882, 107 p.

THIBAULT, Daniel. *Nos beurreries et fromageries d'autrefois*. Ste-Anne-de-la-Pérade, éd. du Bien Public, 1974, 40 p.

Lauréat Vallière
et les statues de la façade
de l'église de Sainte-Famille
(Île d'Orléans)

Léopold Désy

La façade de l'église de Sainte-Famille, Île d'Orléans, est unique dans l'architecture ancienne du Québec avec ses trois clochers et ses cinq niches. Les statues qui en ornent la façade représentent la Sainte Famille, titulaire de la paroisse. Nous y retrouvons l'Enfant Jésus, la Vierge, sainte Anne, saint Joseph et saint Joachim.

L'histoire de ces statues est cependant plus riche en faits que certains historiens nous l'ont laissé croire. Elle nous fait voir des statues de pin exposées à toutes les intempéries sur une façade orientée du côté ouest. Elles auraient supposément survécu 177 ans (1749-1926).

Les nombreuses différences de renseignements trouvées en dépouillant les monographies, périodiques et articles de journaux écrits sur l'Île d'Orléans ou ses paroisses, nous sont apparues assez importantes pour justifier une étude.

Souvent, pour ne pas dire trop souvent, quand il s'agit de données précises relatives à l'attribution et à la datation d'une oeuvre, il arrive qu'un auteur se fie à un autre et répète ses erreurs parce qu'il a négligé de consulter les sources.

C'est ainsi que presque tous les auteurs d'articles concernant Sainte-Famille nous laissent croire que les statues sculptées par les Levasseur étaient encore en place vers 1926. Par contre un bulletin du Musée du Québec datant de 1969 corrige partiellement l'erreur sans mentionner à quel moment elles furent enlevées ou remplacées:

> Les statues destinées aux niches de la façade furent sculptées par les Levasseur en 1749; par la suite, on remplaça ces sculptures par des oeuvres de Jean-Baptiste Côté[1].

Les sculptures de Jean-Baptiste Côté (1832-1907), maintenant conservées au Musée du Québec, furent achetées par la Province en 1936 pour la somme de $600. Les photos prises par Marius Barbeau durant les années 1920 nous permettent de comparer ces statues avec celles qui sont au Musée et nous donnent un résultat concluant: il s'agit bien des statues de Jean-Baptiste Côté qui devaient orner la façade encore quelques années, peut-être jusqu'en 1928[2].

Les premières informations sur l'église Sainte-Famille (Î.O.) nous proviennent d'un manuscrit non paginé signé «J. Gagnon ptre», écrit vers les années 1820[3]. M. l'abbé Gagnon les avait obtenues de livres de comptes disparus depuis. Dans les

---

1.   Gouvernement du Québec, ministère des Affaires culturelles. *L'église de Sainte-Famille*, Musée du Québec, Bulletin no 13, p. 4, décembre 1969.

2.   Cependant dans le livre de M. Barbeau, *I Have Seen Quebec*, on remarque dans la section concernant les oeuvres de Louis Jobin sculpteur (Saint-Raymond, Cté Portneuf, 1845, Sainte-Anne-de-Beaupré 1928), la reproduction d'un «sketch» fait par Arthur Lismer (1885-197) en 1925 et montrant une statue en bois sculpté représentant *saint Joachim* à Sainte-Famille (Î.O.) et atribuée à Louis Jobin. Photo no 95588 (Barbeau, M., *I Have Seen Quebec*, Québec, Garneau, 1957).

      Dans la page précédente, une autre photo nous fait voir les cinq statues de la façade de Sainte-Famille en 1925. Comment se fait-il que le *saint Joachim* soit attribué à Jobin alors que, dans cette même période, M. Barbeau parcourt la côte de Beaupré avec Lismer et fait une photographie de la façade de Sainte-Famille en sachant bien que J.-B. Côté est le sculpteur des statues (Barbeau, M., «J.-B. Côté sculpteur», dans *La revue moderne*, Montréal, 1941, pp. 18 à 31.)? Louis Jobin n'a jamais fait de statues pour l'extérieur de l'église de Sainte-Famille, du moins à ce que l'on sache. Dans sa monographie sur Louis Jobin (Barbeau, M., *Louis Jobin statuaire*, Montréal, Beauchemin, 1968, 147 p.), Barbeau ne donne pas cette information, pas plus qu'il n'en parle dans d'autres articles sur le sculpteur de Sainte-Anne-de-Beaupré. Nous pouvons donc conclure que ceci est une erreur de classification ou de mauvaise interprétation.

3.   Né à Québec le 7 septembre 1763. Curé de Sainte-Famille de 1806 à 1840, décédé le 12 novembre 1840.
      Allaire, J.B.A., abbé. *Dictionnaire Bibliographique du Clergé Canadien-Français*. St-Hyacinthe, 1908, 543 p.

La façade de l'église de Sainte-Famille, Île d'Orléans. Photo: Léopold Désy.

années 1920, Marius Barbeau transmit à Ramsay Traquair des notes copiées de ces écrits.

En 1926, faisant foi des notes de M. Barbeau, R. Traquair écrivait:

> 1748-49 the five wooden statues which still decorate the facade were carved by either one or both of the brothers Levasseur[4].

Il dit bien «still decorate the facade». Et pourtant, ces statues avaient été remplacées à la fin du XIXe siècle par des oeuvres nouvelles. En effet nous pouvons lire dans les registres de la Fabrique de Sainte-Famille (Î.O.) que «le 12 mai 1889, (il y eut) bénédiction des cinq statues de la façade de l'église de la Sainte-Famille[5]».

Et croyant toujours parler des oeuvres des Levasseur, Traquair décrivait ainsi les sculptures de la façade de Sainte-Famille (Î.O.) en 1926:

> They are of pine, about six feet six inches high, and of very remarkable workmanship for the XVIII century in Canada.
> They are painted in polychrome, and the painter has shown considerable taste in his choice of colour and of treatment[6].

Mais les statues en question étaient celles de J.-B. Côté. Dans les copies d'archives de la paroisse ou dans les écrits sur J.-B. Côté, la date exacte de l'achat des statues ou encore le montant payé ne sont pas mentionnés. D'après ce que nous savons de la vie de J.-B. Côté, il aurait fait ces sculptures peu après 1880 alors qu'il commençait à pratiquer l'art religieux et ce, après avoir travaillé comme sculpteur dans les chantiers maritimes de Québec.

Marius Barbeau, dans son article sur J.-B. Côté, écrit aussi en 1941:

---

4. Traquair et Barbeau, «The Church of Saint Famille, Island of Orleans, Que.» reprinted from the Journal, *Royal Architectural Institute of Canada*, no 13, May-June 1926.

5. *Livres des Délibérations, Reddition des comptes 1870-1924*. (copie de l'Inventaire des oeuvres d'art)

6. Traquair et Barbeau, «The Church of Saint Famille, Island of Orleans, Qué.» reprinted from the Journal, *Royal Architectural Institute of Canada*, no 13, May-June 1926.

Saint Joseph, l'Enfant Jésus et la Vierge, statues en bois sculpté de Jean-Baptiste Côté acquises en 1936 par la province de Québec. Photo: Musée du Québec.

Sainte Anne et Saint Joachim, statues en bois sculpté de Jean-Baptiste Côté acquises en 1936 par la province de Québec. Photo: Musée du Québec.

Les statues de la façade de l'église de Sainte-Famille à l'Île d'Orléans, attribuées d'abord à un sculpteur plus ancien, aujourd'hui au Musée de Québec, sortirent bel et bien de son atelier, comme l'attestent son fils Claude et sa fille Laure, cette dernière elle-même en envoya le compte au curé[7].

Dans cet article, Barbeau est hésitant et évite de mentionner les Levasseur, les remplaçant par «sculpteur plus ancien». Il y avait en effet très longtemps que les statues des Levasseur étaient disparues. D'après la tradition orale, elles furent brûlées dans un champ près de l'église parce qu'elles étaient pourries et par le fait même «indécentes[8]». Barbeau connaissait-il cette tradition? Ou voulait-il insinuer que les statues d'un autre sculpteur auraient pris place entre celles des Levasseur (1749) et celles de J.-B. Côté (1889)?

En 1925, Pierre-Georges Roy écrit que la façade fut remodelée en 1868, que ses cinq statues avaient été sculptées par les frères Levasseur de Québec en 1748-49 et qu'elles furent réparées et repeintes à plusieurs reprises, c'est-à-dire en 1767, 1818, 1833 et 1868[9].

Nous voyons que Barbeau a corrigé partiellement son erreur de 1926. Par contre il semble ignorer d'autres faits survenus entretemps. Ainsi depuis 1930[10], ce sont de nouvelles statues qui

---

7.   Barbeau, M. «J.-B. Côté sculpteur» dans *La revue moderne*, Montréal, 1941, pp. 18 à 31.

8.   La même chose est arrivée aux anciennes statues de la façade de Saint-François, Î.O., et cette fois sur l'ordre de l'évêque, Mgr Signay. (Fortier, Albert, ptre, *L'Action catholique*, Québec, Vol. XIX, no 27).

9.   Roy, P.-G., *Les vieilles églises de la Province de Québec, 1647-1800*, Québec, Proulx, 1925, pp. 172-173.

10.   *Livre de Délibérations et Reddition de comptes de Sainte-Famille, Î.O. de 1924 à oct. 1965.*
      «Les paroissiens de Sainte-Famille souhaitent que le gouvernement provincial fasse don d'une somme d'argent qui lui permettra d'avoir d'autres statues encore plus belles et surtout plus durables.» (Lettre du 11 août 1929, extrait d'un procès-verbal d'une assemblée de paroisse concernant l'envoi de cinq statues, au Musée National, Québec, à Son Éminence le cardinal R.-M. Rouleau, signée J.-B. Arthur Poulin ptre curé.)
      Précédant la lettre du 11 août 1929, lettre où Pierre-Georges Roy recommande au Musée du Québec d'acquérir les statues (J.-B. Côté) et en même temps encourage la Fabrique à céder les statues au Musée.
      Entrée dans le livre de Reddition des comptes le 31 déc. 1930: «dépense extraordinaire, cinq statues du portail de l'église, main-d'oeuvre, $1,172.10, payé le 30 déc.»

Façade de l'église Sainte-Famille, Î.O. Photo tirée du livre de P.-G. Roy. *Les Vieilles Églises de la Province de Québec 1647-1800*, Québec, Proulx, 1925, p. 177.

ornent la façade de l'église de Sainte-Famille (Î.O.). Elles sont l'oeuvre de Lauréat Vallière (1888-1973), sculpteur de Saint-Romuald d'Etchemin.

Par ailleurs, dans un ouvrage publié en 1958, Alan Gowans écrit:

> The five statues that appear on the facade here were carved by Noël and François Levasseur about 1748; they have since been removed to the Provincial Museum of Quebec and replaced by replicas[11].

Lorsque l'auteur mentionne que les statues furent remplacées par des répliques, il faut supposer qu'il n'a pas vu les «répliques», le style des Levasseur étant tout à fait différent de celui de Côté. Peut-être voulait-il parler des oeuvres de Vallière? De toute façon les statues des Levasseur étaient disparues depuis au moins 1889 et les statues de Côté étaient au Musée depuis 1936. C'étaient celles de L. Vallière, que Gowans ne connaissait pas, qui ornaient la façade depuis 1930. La comparaison de la statue de sainte Anne de J.-B. Côté avec l'Éducation de la Vierge de L. Vallière est assez éloquente pour démontrer que ce ne sont pas des répliques.

Jean-Marie Gauvreau nous renseigne sur ce point lorsque nous lisons son article concernant le sculpteur Lauréat Vallière.

> 1930-Ste-Famille de l'Île d'Orléans. Les cinq statues de la façade pour remplacer celles qui ont été déposées au Musée de Québec[12].

Nous avons souvent eu l'occasion de rencontrer Lauréat Vallière durant les deux dernières années de sa vie. Il nous a confirmé, et ceci fut corroboré par son fils Robert, sculpteur de Saint-Romuald, que les statues faites pour la façade de l'église de Sainte-Famille ont été sculptées par son père dans les années 1928-29, sans que les statues de J.-B. Côté lui aient servi de modèles. D'ailleurs Lauréat Vallière, au moment où nous l'avons rencontré, croyait comme tout le monde que les statues conservées au Musée du Québec étaient celles des Levasseur. Il semblait ignorer que les statues enlevées des niches de l'église de Sainte-Famille étaient l'oeuvre de J.-B. Côté. Il a affirmé à ce moment

---

11. Gowans, Alan, *Looking at Architecture in Canada*, Oxford, U.T.P., 1958, p. 50.

12. Gauvreau, J.-M., «Lauréat Vallière sculpteur sur bois», dans *Technique*, revue industrielle, Montréal, Sept, 1945, Vol. XV, no 7, pp. 453 à 464.

L'Éducation de la Vierge, la Sainte Vierge et l'Enfant Jésus, statues en bois sculpté de Lauréat Vallière photographiées avant leur restauration à l'hiver 1972-1973. Photo: Léopold Désy.

L'Éducation de la Vierge de Lauréat Vallière. Photo: Léopold Désy.

Détail de la tête de l'Enfant Jésus. Photo: Léopold Désy.

qu'il avait fait les statues sans avoir vu les précédentes, celles-ci étant dans un hangar à Sainte-Famille[13]. Celui qui connaît les travaux et l'oeuvre de Vallière n'a aucune difficulté à croire cette affirmation, car il était un homme indépendant dans sa manière de travailler, fier et humble à la fois, travaillant pour l'art plus que pour l'argent.

Les statues de Vallière, encore en place au printemps 1971, furent enlevées pour être réparées par un menuisier local durant l'hiver 1972-1973. À ce moment, nous avons eu l'occasion de les photographier et de constater de près les différences d'avec celles de Côté. À l'automne 1973 elles retrouvaient leurs places dans la façade.

Les statues de J.-B. Côté mesurent toutes 6'4'' de hauteur, alors que celles de Vallière n'ont pas toutes la même hauteur. C'est pour des raisons de perspective, nous a expliqué Vallière, qu'il était nécessaire que l'Enfant Jésus (6'5'') soit plus grand que ses parents et ses grands-parents. Effectivement cette statue qui est de trois pouces plus grande que les autres nous apparaît plus petite dans sa niche située dans le pignon de la façade. Cette statue étant placée à un niveau plus élevé, le sculpteur devait utiliser le trompe-l'oeil.

Nous sommes en face de deux hommes d'école différente avec chacun sa personnalité; pour reprendre des paroles de Vallière, «aucun sculpteur portant vraiment ce nom refuserait la création pour la copie.» Que les mêmes saints avec les mêmes symboles ou attributs soient représentés, soit! mais là s'arrête toute comparaison.

Comme nous avons pu le constater, nombre d'erreurs se sont produites concernant les statues de la façade de l'église de Sainte-Famille. D'après ce que l'on sait, leur histoire se résume ainsi: oeuvres des Levasseur de 1748-49 à 188..., aujourd'hui disparues; oeuvres de J.-B. Côté de 1889 à 192..., aujourd'hui conservées au Musée du Québec; oeuvres de Lauréat Vallière de 1930 à 19..., aujourd'hui dans la façade de l'église[14].

---

13. M. l'abbé Rolland Lord, curé de Sainte-Famille (Î.O.).

14. Les statues ont été vues en janvier 1978. Elles manifestaient de nouveau un besoin de réparation.

Il ne faudrait pas pour autant enlever de la crédibilité aux auteurs et chercheurs d'hier. Si aujourd'hui nous sommes en mesure de faire des recherches et des travaux comparatifs, c'est grâce à l'acharnement et à l'audace des hommes tels que Barbeau, Traquair, Morisset, les Roy et autres.

Par contre nous pensons que trop souvent l'information reçue n'est pas toujours vérifiée et qu'elle est transmise telle quelle. En plus des erreurs qui peuvent se glisser lors d'une transcription, il arrive que la tradition orale, plus colorée, dame le pion aux archives en présentant l'histoire sous un aspect plus favorable.

Les forgerons voyageurs
(XVIIe et XVIIIe siècles)

Jean-Claude Dupont
CELAT, université Laval

Arrivés en Nouvelle-France, un groupe important d'artisans du fer, probablement attirés par le genre de vie des coureurs de bois, mais aussi par nécessité d'exercer leur métier, se firent «voyageurs».

Aux XVIIe et XVIIIe siècles, les artisans des régions de Québec et de Montréal connurent deux décennies davantage marquées par les déplacements: 1680-1690 et 1720-1730. Lors de ces activités à «l'étranger», en grande partie liées au commerce des fourrures, au XVIIe siècle, ils s'occupent à des échanges d'objets en fer (54%), de nourriture et de vêtements (40%). Au XVIIIe siècle, le troc de vêtements et de nourriture (73%) a devancé celui des objets en fer représentés alors que par 22% de la marchandise.

A. Leurs activités

Au XVIIe siècle, ces artisans qui s'éloignent du logis pour aller à «l'étranger» se dirigent surtout aux «Outaouais». C'est ainsi que des armuriers et taillandiers, mais aussi des forgerons, des serruriers, des cloutiers, des chaudronniers, etc., passeront leur vie à participer aux expéditions militaires chez les Amérindiens, ou à faire la traite des fourrures avec eux. Lorsqu'il s'agit du commerce des fourrures, ils le firent tantôt individuellement, tantôt avec des associés. Dans ce dernier cas, au nombre de deux à six personnes, ils se retrouvent avec des gens de métiers et d'autres occupations. Ces associations donnent lieu à des obligations de part et d'autres:

> (...) Simon Guillory, Pierre Mouflet, Michel, Philippe, Étienne et Laurent Renaud (...) lesquels sont convenus (...) dans la communauté où ils sont pour le voyage qu'ils vont faire aux Outaouais, (...) que pour toutes les marchandises qu'ils apportent aux dits lieux, ils feront également de profit ou perte (...) le tout sera également divisé entre eux (...) [1].

L'Outaouais attire toujours trois fois plus d'artisans que les autres régions; on y fait la traite des fourrures, mais aussi la réparation des armes dans les forts ou les postes de traite. À ce dernier endroit, on paie souvent l'artisan du fer en castor ou autres fourrures, ce qui en fait indirectement un commerçant, puisqu'il vendra lui-même ces fourrures à son retour.

> (...) Nicolas Pré, armurier, s'engage (...) au Sieur Hazeur pour faire le voyage aux Outaouais (...) de 18 mois (...) le dit Pré promet et s'oblige s'employer de son mieux dans ce voyage en tout ce qu'il sera requis par le dit Sieur pour le bien et avantage de la communauté et qu'aux lieux (...) le dit Pré s'oblige de travailler de son métier d'armurier sans que cela puisse préjudicier (...) aux intérêts du Sieur Hazeur qui de son côté s'engage à payer les gages en castor et à fournir l'acier (...) [2].

Au XVIIe siècle, sur cent artisans du fer qui partent pour «l'étranger», la moitié seulement s'occuperont à faire la traite des fourrures, les autres travailleront le fer dans les postes de traite (35%) ou participeront à des expéditions (15%). Ces derniers se retrouvent alors aux côtés de Frontenac allant à la rencontre des Onontagues, de La Salle en route vers le Mississipi, ou bien ils sont en mission à Détroit, à Michilimackinac, quand ils n'accompagnent par des missionnaires [3].

---

1. *Minutier Claude Maugue*, 12 sept. 1693. Voir aussi, à titre d'exemples d'ententes, le *minutier Hilaire Bourgine,* 3 juin 1689, et le *minutier Claude Maugue,* 22 sept 1689. Télesphore Saint-Pierre, dans *Histoire des Canadiens du Michigan et du comté d'Essex, Ontario*, Montréal, La Gazette, 1895, p. 68, traite également de ces associations.

2. *Minutier Claude Maugue*, 20 mai 1682.

3. Archange Godbout, «Jean Biset 1696» dans *Nos ancêtres au XVIIe siècle. Dictionnaire généalogique et biobibliographique des familles canadiennes*, 3e livraison, pp. 286-289.

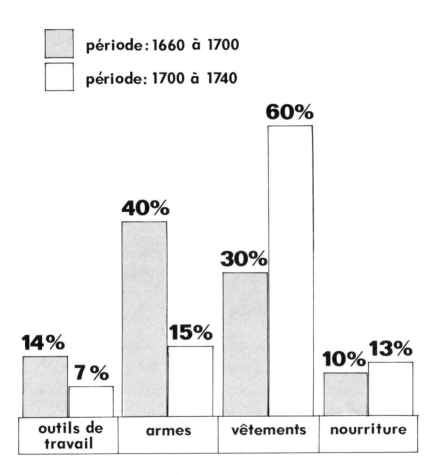

1 *Importance des objets en fer dans l'ensemble des marchandises de traite de 1660 à 1740*. Les munitions sont incluses dans les armes; le tabac et l'eau de vie dans la nourriture, et les matières et objets décoratifs du corps dans les vêtements. Certaines marchandises, comme la ligne de pêche, les miroirs, etc., représentant 5% à 6% des objets, ne sont pas incluses dans ce tableau.

En retour de leur participation à ces expéditions, ils reçurent parfois la concession de *terres*. C'est ainsi que Nicolas Doyon fut gratifié d'une *terre* au sud de la rivière Illinois, pour s'être rendu aux bouches du Mississipi et sur les rives de l'Illinois avec La Salle[4].

Au XVIIIe siècle, c'est Détroit qui attire le plus d'artisans du fer; généralement entre 1705 et 1760, avec une accentuation vers 1725. Les «Pays d'en Haut» ont aussi leur importance (entre 1712 et 1730) tout comme Michilimackinac (entre 1730 et 1750). Mais ils peuvent aussi se rendre à Gaspé et à Tadoussac où, en plus de faire la traite, ils font parfois la pêche ou «font aller un moulin[5]».

TABLEAU DES ACTIVITÉS DES ARTISANS DU FER

	1700 à 1720	1720 à 1740	1740 à 1760	1760 à 1780
Forgent et cultivent:	37%	23%	20%	22%
Partent à l'étranger:	37%	31%	15%	22%
Changent de métiers:	12%	15%	25%	22%
Forgent exclusivement:	14%	23%	25%	11%
Forgent en itinérant:		8%	5%	11%
Cultivent seulement:			10%	12%

(Extrait de *Les traditions de l'artisan du fer dans la civilisation traditionnelle au Québec*, par Jean-Claude Dupont, Québec, université Laval, thèse de doctorat ès lettres en ethnographie, 1975, 691 pages (p. 342).

Le même taillandier fera trois voyages dans l'Ouest avec le Sieur de La Verendry[6]; un autre sera délégué en Nouvelle-Angleterre:

---

4.   Archange Godbout, *Mémoires de la Société généalogique canadienne-française*, Montréal, 1953, vol. V, no 4, p. 213, et Jean Delanglez, «A Calendar of La Salle & Travels, 1643-1683», dans *Mid America*, vol. 22, 1940, pp. 304-305.

5.   *Minutier Joseph-Chs. Raimbault*, 7 fév. 1735.

6.   Archange Godbout, «Jean Bouchard», dans *Nos ancêtres au XVIIe siècle...*, 5e livraison, p. 308.

Travailleurs du fer dans les postes de traite au Canada. Photo tirée de Eugène-T. Petersen, *Gentlemen on the Frontier*, Michigan, Mackinac Island State Park Commission, 1964, 66 pages (p. 18).

(...) avec le Sieur La Brèche (...) aux endroits qui lui seront indiqués pour visiter exactement les forges de fer étant aux Pays de la Nouvelle-Angleterre et prendre les connaissances possibles et à son retour travailler aux Forges Saint-Maurice[7].

Lors de ces expéditions, le groupe qui y participe est parfois mis sous la responsabilité de l'armurier qui entreprend l'expédition en se mettant au service du roi de France:

Aujourd'hui 25 avril 1703, devant le notaire royal en la nouvelle France, résidant à Ville Marie, Isle de Montréal, est comparu René Fezeret premier arquebusier en ce pays et bourgeois de Ville Marie, (...), lequel étant sur son départ pour aller continuer la découverte (...) d'une mine d'argent qu'il a appris être dans la Rivière du lièvre (...) sous le bon plaisir du Roy et des permissions de Mgr. Chevalier de Callières gouverneur et lieutenant général pour sa Majesté. (...) Sieurs Joseph (Trottier), Desruisseaux (de Montréal), (Antoine) Barrois (de Laprairie), Jean Cuillerier (marchand de Lachine, beau-père de Desruisseaux), François Lebert (de Laprairie) et Louis des Caris (marchand de Montréal), (...); les a, le dit Fezeret choisis pour la dite entreprise de la continuation et découverte de la dite mine, (...) associés avec lui en toutes les prérogatives, fruits, profits et revenus généralement quelconques que pourra produire la dite découverte, (...); a la charge de fournir en communauté à tous les frais qu'il conviendra faire pour l'équipement de la dite entreprise, soit canots, vivres, armes, munitions, autres ustensiles, et généralement tout ce qui sera nécessaire pour égale portion, (...), promettant au surplus avoir pour eux les égards, honnêtetés et déférences (...) et de s'appliquer de tout son pouvoir à ce que la bonne intelligence et union soit gardée pendant le voyage de la dite découverte (...)[8].

Vers 1725, ils en arrivent même à s'identifier comme «taillandier-voyageur» et «armurier-voyageur[9]», et les voyages de découverte les occupent presque autant que la traite des fourrures. Cependant, cette dernière occupation continuera d'exister en permanence, attirant les artisans du fer dans les bois pour des périodes de deux mois à trois ans.

En plus de participer en commun au paiement des marchandises de traite, le forgeron qui réparera les armes à «l'étranger»

7.   *Minutier Joseph-Chs. Raimbault*, 22 mars 1733.

8.   *Minutier Michel Lepallieur*, 25 avril 1703.

9.   *Minutier Jacques David*, 26 mai 1722.

Reconstitution du bâtiment des traiteurs de fourrures installés au Fort Michilimackinac. Photo tirée de *Fort Michilimacki-nac 1715-1781*, by Lyle M. Stone, Michigan, Museum Michigan State University, 1974, 367 pages (p. 14).

apportera un étau, une bigorne, un marteau à main, une paire de tenailles, et un peu de fer, parfois une quinzaine de livres seulement.

Le voyage peut être de courte durée, comme le fait de conduire un canot de marchandises au poste de traite et en redescendre chargé de fourrures[10], mais il peut aussi arriver que le même trajet soit lié à une période de travail d'une ou deux saisons. Ceux qui font la traite aux «Pays d'en Haut» sont de ces forgerons voyageurs qui montent des canots chargés de six à huit hommes chacun et qui en redescendent des fourrures après y avoir travaillé eux-mêmes à la traite pendant une saison, un ou deux ans, parfois trois ans. Tel est «l'engagement de Paul Desforges forgeron, à Jean-Baptiste Féron marchand voyageur, pour faire le voyage au poste de Détroit dans un canot chargé de marchandises et en redescendre en la présente année chargé de pelleteries[11]».

Le «forgeron voyageur» fait aussi avec des petits traiteurs indépendants des ententes qui les lient l'un et l'autre pour des périodes de trois à neuf ans; entre temps, toutes les fourrures de ces traiteurs seront vendues au «forgeron voyageur[12]». Ce dernier, à son tour, sera lié à un marchand à qui sont promises toutes les fourrures ramenées, puisqu'au départ des grands centres (Québec et Montréal surtout), la marchandise reçue fut achetée à crédit du marchand[13].

Certaines familles du début du XVIIIe siècle, telles celles des Campeau (le père et ses trois fils, tous artisans du fer), et des Guillory (père et fils), passeront leur vie à «l'étranger». Au début, ils sont des engagés, plus tard ils feront la traite eux-mêmes, pour finalement devenir des commerçants:

1. (...) furent présents Jacques Campeau arquebusier demeurant à Montréal lequel s'est volontairement engagé en sa qualité d'arquebusier et de forgeron pour aller servir au Fort Pontchartrain du Détroit (...) et à cette fin promet le dit Campeau de partir incessamment suivant les ordres des Messieurs les directeurs généraux pour aller au dit lieu y servir sous les ordres

---

10. *Idem* et *minutier Jacques David*, 15 août 1720.

11. *Minutier François Lepallieur*, 18 juin 1735.

12. *Minutier François Lepallieur*, 14 mai 1734.

13. *Minutier Nicolas-Auguste Guillet de Chaumont*, 20 août 1732.

de celui qui aura leurs ordres et de lui obéir avec toute la fidélité requise; et à cette fin promet le dit Campeau d'apporter avec lui au dit lieu sa forge et tout ce qui en dépend à la réserve de son soufflet (...) Campeau ne pourra faire aucun trafic, et négoce de pelleterie ni autres choses directement ni indirectement à peine de confiscation du tout et de perdre ses gages (...) [14].

2. (...) fut présent le Sieur Jacques Campeau (...) voyageur (...) lequel est sur son départ pour monter au Pays des Outaouais a reconnu et confessé devoir bien loyalement au Sieur Nicolas Lanouillier (...) la somme de quinze cent quatre-vingt-sept livres quatre sols quatre deniers (...) pour étoffes et autres marchandises que le dit Sieur créancier lui a vendues et livrées pour son équipement du commerce du dit voyage (...) [15].

En 1719, les Campeau, devenus commerçants, engagent eux-mêmes des voyageurs [16].

Lorsque le forgeron s'absente de l'été au printemps suivant pour aller à la traite, il engage un jeune homme pour «garder sa boutique» et il «baille ses vaches et sa *terre*» s'il est aussi cultivateur. Il arrive parfois que le jeune homme qui, au début, s'engage pour garder la boutique de forge en opération pendant que le maître part à la traite des fourrures, en vienne lui-même à prendre le goût de la traite et à partir ensuite avec son maître [17].

Des ordonnances furent émises pour empêcher certains forgerons de se rendre aux postes de traite y travailler le fer; dans ces cas, on menace le forgeron de saisir ses instruments de travail du fer s'il laisse sa boutique [18].

Même l'épouse de l'artisan prend part à ce genre de vie puisque des femmes vont rejoindre leur mari en montant des canots chargés de marchandises de traite [19].

Ceux qui travaillent le fer dans les forts, les postes de traite ou les missions, aux Outaouais et à Michilimackinac, sont parfois

---

14. *Minutier Louis Chamballon*, 2 juin 1704.

15. *Minutier Michel Lepallieur*, 15 avril 1716.

16. *Minutier Jacques David*, 22 mai 1719.

17. *Minutier Michel Lepallieur*, 16 sept. 1726.

18. Pierre-Georges Roy, *Inventaire des Ordonnances des Intendants de la Nouvelle-France*, A.P.Q., 1919, vol. I, p. 50.

19. *Minutier François Lepallieur*, 12 sept. 1733.

sous la responsabilité des missionnaires, jésuites surtout[20]. Ce genre de travail sous la responsabilité d'un religieux ne semble pas avoir toujours été lucratif; à moins que le cas de Jean-Baptiste Amiot fut isolé:

> The first armorer et Michilimackinac was Jean Baptiste Amiot (...) he accompanied the Louvigny party to the Straits in 1715. He married a local Ottawa Indian woman (...) Amiot was blacksmith and armorer of the mission forge for over twenty years. His lot was not often a happy one, because his labors had to help maintain the mission as well as his family. His Ottawa relatives complained to French authorities that over half of his incôme from the forge reverted to the mission so that he was not able to support his wife and children, making it necessary for them to do so[21].

À l'occasion de tous ces départs pour «l'étranger», certains artisans n'en reviendront pas, s'étant mariés sur les lieux à des Indiennes, ou y étant décédés. Nous retrouvons des donations en cas de non retour au pays et des promesses de mariage établies au départ pour rassurer la jeune fille qui risque de perdre d'autres prétendants:

> (...) Sieur Joseph Bouchard dit Lavallée forgeron pour le Roy au Fort Frontenac de Catarakouis, présentement en cette ville, lequel étant sur son départ pour y résider pendant deux ou trois années, ce qui fait qu'il ne peut effectuer présentement la promesse qu'il déclare avoir faite à Marie-Josephte Boudrias, âgée de vingt-sept ans, et réitérée plusieurs fois de l'épouser, ce qui a retenu la dite Boudrias de prendre d'autres parties (...) et (...) la parole qu'elle lui en donne de l'attendre jusqu'à son retour (...) le fait donner céder quitter (...) par la présente (...) à cause de mort donne à la dite Marie-Josephte Boudrias les biens meubles immeubles qui pourront lui appartenir et rester au jour de son décès (...) en quelque lieu qu'il se trouve situé en ce pays (...) la moitié de tous ses biens qui seront employés à faire prier Dieu pour le repos de l'âme du dit donateur (...) et ce pour l'amitié et l'affection qu'il a toujours portées à la dite Marie-Josephte Boudrias et ce pour l'engagement qu'ils se sont fait en cas de mort[22].

Le mariage Boudrias-Bouchard eut lieu le 3 août 1739[23].

20. *Minutier François Genaple de Belfonds*, 2 mai 1695.

21. Eugène-T. Peterson, *France at Mackinac*, Michigan, Mackinac Island State Park Commission, 1968, 38 p. (p. 38).

22. *Minutier François Lepallieur*, 7 sept. 1737.

23. Cyprien Tanguay, *Dictionnaire généalogique des familles canadiennes*, Québec, Sénécal, 1871, vol. II, p. 368.

Des voyageurs à la recherche de nouvelles frontières. Dessin de Burns tiré de *Picturesque Canada*, par George Munro, Toronto, Beldon Bros. 1882, vol. I, p. 264.

B. Les marchandises de traite et l'échange

Les différentes marchandises de traite des «voyageurs en partance pour l'étranger» se divisent en deux lots distincts dont l'un est constitué d'objets en fer, et l'autre d'articles variés beaucoup plus périssables.

Nous constatons qu'avant 1700, ce sont les objets en fer qui furent les plus importants en nombre, tandis qu'après cette période, ils perdirent la première place au profit des denrées et des vêtements. Le fer est surtout représenté par des outils et des armes, lesquels sont toujours trois fois plus nombreux que les instruments de travail. Parmi ces derniers, on en retrouve qui sont le fruit de la taillanderie: tranches, ciseaux, haches, grattes, faucilles, harpons à castors et à loups-marins, hameçons, pièges, alènes et battefeux; d'autres qui sont de mains de serruriers (charnières et serrures); mais aussi des produits de chaudronnerie de cuivre, comme les chaudières et les marmites. Parmi les armes, il y a les fusils (et leurs pièces de rechange), des baïonnettes, de fers de flèches, des haches et des couteaux de guerre. Les vêtements, moins variés, sont les couvertures, les bas, les capots, les chemises, les parures décoratives, quelques casques et justaucorps. En ce qui concerne la nourriture, il s'agit surtout d'épices.

Après 1700, les marchandises de traite provenant des Français sont en disgrâce auprès des Indiens qui sont devenus exigeants ou connaisseurs. Dans la correspondance de la Colonie à la France, alors qu'on demande six cents fusils de chasse, on précise que ces armes seront de Tulle, parce que «les *Sauvages* les connaissent et n'en veulent point d'autres», et que la poudre est la seule de nos marchandises qu'ils préfèrent à celles des Anglais[24].

Dans un autre document de la même année, alors qu'il est question de marchandises de traite, il est précisé qu'on ne désire recevoir que des fusils, parce que «les choses anglaises sont meilleures[25]».

---

24. «Lettre au Duc d'Orléans pour la marchandise de traite, février 1716», dans *Manuscrits relatifs à l'Histoire de la Nouvelle-France*, 3ᵉ série, vol. VI, folio 54.

25. «Lettre de Bégon adressée au député du commerce du Languedoc, 9 oct. 1716» dans *Manuscrits relatifs à l'Histoire de la Nouvelle-France*, 3ᵉ série, 1713-1717, vol. VI, folio 338 à 341.

Hache de traite conservée au Musée d'État de New York. (Photo Michel Gaumond)

Trois types de tomahawk de la fin du XVIIe siècle. Matériel de traite conservé au Musée d'État de New York. (Photo Michel Gaumond)

Les Anglais semblent déjà, à la fin du XVIIe, avoir l'habitude de fournir aux Indiens ce qu'ils préféraient; c'est ce que la remarque suivante inscrite dans la correspondance de la Compagnie de la Baie d'Hudson indiquerait:

> 1 000 haches biscayennes de telle pesanteur pour être certain qu'elles sont comme celles pour commercer avec les Indiens et non comme celles des habitants du Canada[26].

Au début du XVIIIe siècle, il était devenu difficile pour les Français de faire la traite des fourrures puisque, dans une lettre du 25 octobre 1729, Monsieur de Beauharnois réclame une nouvelle somme d'argent pour acheter de la marchandise de traite, disant «nous leur donnons plus que nous recevons[27]».

Nos voyageurs exerçant la traite des fourrures semblent, de leur côté, avoir été exigeants sur la qualité de la fourrure et enclins à ménager la marchandise donnée en échange.

Déjà en 1659, des documents attestent que les «Anglais ne font pas de différence de la qualité du castor; ils les prennent tous au même prix qui est 50% plus haut que celui des Français[28]».

En 1654, le traitant français échange deux grandes haches contre une peau de castor[29], mais en 1683, il ne donne pas plus d'une grande hache pour une peau de castor[30]. Au même moment, une peau de castor peut aussi s'échanger contre trois petites haches, ou trois épées, ou quinze fers de flèches, ou six grattes, ou douze grands couteaux, ou six douzaines d'alènes, ou cent hameçons[31]. En 1689, il est certain que l'Indien préférera échanger ses pelleteries contre de la marchandise anglaise, puisqu'un tableau comparatif des valeurs obtenues à Montréal auprès des Français, et en Nouvelle-Angleterre auprès des Anglais, donne les rapports suivants:

---

26. *Minutes of the Hudson's Bay Company, 1671-1674*, A.N.Q., 8 fév. 1672.

27. «Lettre de Monsieur de Beauharnois, 25 oct. 1729» dans *Manuscrits relatifs à l'Histoire de la Nouvelle-France*, 3ᵉ série, 1728-1729, vol. II, folio 2251 et 2332.

28. *Marchandises de traite 1659*, vol. IV, folio 142-43, Archives de Paris (déposé aux Archives du Québec).

29. «Ordonnances de Pierre Boucher, tarif du 31 juill. 1654» dans *Traite des fourrures*, D-4 T 82, Léopold Desrosiers, Archives du Séminaire de Trois-Rivières.

30. «Marchandises de traite, tarif 1683» dans *Traite des fourrures*, D-4 T 82, *op. cit.*

31. *Idem.*

TARIFS DE TRAITE EN 1689

Montréal	Nouvelle-Angleterre
1 fusil vaut: 5 peaux de castor	2 peaux de castor
1 couverture de laine rouge vaut: 2 peaux de castor	1 peau de castor
8 livres de poudre à fusil valent: 4 peaux de castor	1 peau de castor

(Dans *Correspondance officielle des Gouverneurs du Canada*, 1688-1691, vol. IV, folio 142-3, Archives de Paris (déposé aux Archives du Québec).

Matériel de traite: une pierre à feu et un batte-feu; des ciseaux, des forces et un perçoir; une gratte et une pioche. Musée d'État de New York. (Photo Michel Gaumond)

Bégon, alors qu'il écrivait de Québec à la France en 1716, mentionnait que le matériel de traite des Français était trois fois plus cher que celui des Anglais, et que les Indiens porteraient tous leurs castors aux Anglais s'ils n'étaient retenus en ce pays que par leur attachement à la religion et aux Français[32].

À mesure qu'avance le temps, la traite se fait de plus en plus difficilement. Dans un mémoire des habitants de La Rochelle sur le commerce des castors[33] daté de mars 1721, il est dit que «depuis trois ans les marchandises de France sont montées de 100% et il y a en plus l'emballage et le transport». Dans un autre mémoire[34] relatif au prix excessif des marchandises, et datant aussi du premier quart du XVIIIe siècle, il est question de fournir aux Indiens «des imitations des étoffes qu'ils préfèrent». On mentionne aussi que le commerce des pelleteries est considérablement diminué par le prix excessif des marchandises de traite et que les Anglais profitent de cette fâcheuse conjoncture. «Si les *Sauvages* s'accoutument à les fréquenter ils prendront leur partie à la première guerre, se déclarant toujours pour ceux desquels ils tirent leurs besoins[35]».

Ces occupations de traite des fourrures connurent des périodes difficiles et le travail du fer dans les postes de traite et de défense ne fut pas toujours des plus lucratifs; de même, ceux qui participèrent à des expéditions ne se virent pas tous gratifier de concessions de *terres*. Mais cette vie d'aventures ne leur assurait-elle pas une liberté qu'ils semblaient choyer grandement et estimer suffisante?

---

32. «Lettre de Bégon adressée au député du commerce du Languedoc, 9 oct. 1716», dans *Manuscrits relatifs à l'Histoire de la Nouvelle-France*, 3ᵉ série, 1713-1717, vol. VI, folio 338 à 341.

33. «Mémoire des habitants de La Rochelle sur le commerce des castors, mars 1721», dans *Manuscrits relatifs à l'Histoire de la Nouvelle-France*, 3ᵉ série, vol. VII, p. 465.

34. «Mémoire relatif au prix excessif des marchandises» dans *Manuscrits relatifs à l'Histoire de la Nouvelle-France*, 1708-1727, vol. XI, pp. 321-327.

35. *Idem.*

Les chaudrons, expédiés de France en ballot de 25 pièces, étaient aussi appréciés que les fusils et les haches par les Amérindiens. Musée d'État de New York. (Photo Michel Gaumond)

Grand chaudron de cuivre faisant partie du matériel de traite. Musée du Québec. (Photo Paul-Louis Martin)

Le groupe français Menier (1896) n'a pas commencé la pêche au saumon mais il l'a systématisée. À gauche, le sénateur Gaston Menier; à droite, Simonne Menier. Photo prise au XXe siècle. Document fourni par le ministère des Terres et Forêts, Québec.

La pêche à Anticosti de 1850 à 1900

Louis-Edmond Hamelin
Recteur, Université du Québec à Trois-Rivières

Une étude récente divise l'histoire générale d'Anticosti en six périodes[1]. La longue ère antérieure aux Blancs compose la première période. De 1600 (environ) à 1830 se font les premières tentatives du peuplement. Puis de 1831 à 1895, des naufrages, des phares et la pêche assurent une certaine permanence dans la résidence. L'ère Menier suit et comprend une tentative originale de développement intégré. À partir de 1926 et jusqu'à 1973, l'île se spécialise dans la production de bois, destiné à des papeteries extérieures. Depuis 1974, le Québec, propriétaire, cherche la meilleure vocation de l'île. L'étude qui suit concerne surtout la troisième période.

Les missions des pêcheries

Les *Rapports* des Pêcheries sont d'une importance primordiale pour comprendre ce qui s'est passé à Anticosti au siècle dernier. Les relevés se font à l'échelle du golfe du Saint-Laurent pour le compte du ministère canadien des Pêcheries et par de valeureux capitaines dont Pierre Fortin, celui-là même qui deviendra président de la Société de Géographie de Québec. Cependant, Anticoti entre tardivement dans le circuit de surveillance des côtes du golfe.

---

1.   L.E. Hamelin et B. Dumont, 1978.

Quatre principaux motifs sont poursuivis par le Gouvernement fédéral.

A.- Secourir les marins de la navigation au long cours; en
effet, les naufrages étaient nombreux au XIXe siècle. L'Officier
des Pêcheries devait annuellement faire le recensement des personnes naufragées, évaluer la quantité de nourriture qu'elles pouvaient avoir consommée et refaire le plein des «dépôts de provisions» en vue des naufrages à venir. Le capitaine est également
agent de Cour et il devra juger des cas de vol de provisions par des
résidents, soit en les punissant comme en 1876, soit en tolérant ce
genre de «self service». Les mauvaises années de pêche
justifiaient-elles le geste des pêcheurs? Des témoins soulignaient
que leur «manque d'énergie» les conduisait à un état d'indigence
propre à les rendre en conséquence éligibles aux dépôts de provisions.

B.- En deuxième lieu, les patrouilles exerçaient une fonction
politique de souveraineté. Le capitaine N. Lavoie écrira en 1897:
«Les eaux sont remplies d'étrangers et de gens peu recommanda-
bles». Ils étaient surtout des Étatsuniens qui exploitaient les conditions anglo-américaines des traités de 1783, 1818 et surtout de
1854 (Réciprocité). Ces navires venaient prendre à la barbe des
résidents ou des *squatters* des quantités considérables de poissons, p.e. le hareng en 1877, et le flétan, bon an mal an. Face à la
Baie-du-Renard, la saison de 1878 avait vu 22 goélettes qui tra-
vaillaient à la seine. De plus, l'on pêchait parfois tout près des
côtes où on laissait des déchets polluants. «The Fisheries already
engage a large fleet of American, Nova-Scotian, Jersey and
Canadian vessels»[2]. C'est une pêche étrangère. «Les Anticostiens n'y participent guère»[3]. Deux autres auteurs ajoutent: «Il y
a 40 ou 50 ans... on vit parfois jusqu'à cent goélettes occupées à
faire la pêche entre la Pointe Est et la baie du Renard»[4]. «La belle
saison y attire une flotte montée par près de 5 000 pêcheurs qui
prennent la baie du Renard comme quartier général»[5]. Puisque
cette pêche hauturière ne faisait pas ses débarquements à l'île
même, les statistiques ne peuvent être qu'approximatives et, de

2.   H.Y. Hind, *Explorations in the Interior of the Labrador Peninsula*, London, 1863,
     p. 83.

3.   J. Despêcher, 1895, p. 14.

4.   N. LeVasseur, 1897, p. 192.

5.   *La Grande Encyclopédie*, Paris, p. 195 (texte écrit entre 1885 et 1895).

toute façon, l'île d'Anticosti n'en a pas le crédit. Ce genre d'activités connaissait de fortes variations d'une année à l'autre, dues au mouvement des prix, à la concurrence des autres régions, au déplacement des bancs de poissons, au régime de production, aux équipements et aux ressources humaines. Voici un exemple de mauvaise saison: un géologue note: «No appearance of schooners employed in fishing, with the exception of one at South Point»[6]; mais la même année, il y a une dizaine de ces bateaux à Mingan et venant des USA. Par ses missions de pêche, le Gouvernement canadien voulait favoriser le respect de la canadianité.

TABLEAU I

Nombre de pêcheurs permanents et saisonniers à Anticosti.
Années caractéristiques entre 1850 et 1900

ANNÉE	PÊCHEURS	LIEU CARACTÉRISTIQUE (a)
1850	20 (?)	Côte nord-est
1864	78	Baie-du-Renard
1866-1868	200	Baie-des-Anglais
1873	426	Pointe-de-l'Ouest
1877-1879	350	Baie-des-Anglais
1889-1892	265	Macdonald
1897-1899	70	Anse-aux-Fraises

Sources: 1. *Rapport des pêcheries...* Ottawa, 1853-1900.
2. L.-E. Hamelin et B. Dumont, 1978 (manuscrit)

(a) Forme moderne des choronymes.

C.- Le ministère poursuivait aussi un objectif administratif. C'est entre 1852 et 1857 qu'«il organise les pêches du golfe». En 1861, Pierre Fortin écrit: «les rivières (d'Anticosti) étaient autrefois plus poissonneuses mais dorénavant les règlements seront appliqués»[7]. L'Officier édicte et fait respecter les lois mais il s'appuie sur un nombre très insuffisant de garde-pêche; il n'y en avait que deux dans l'île, en 1873. En outre, le capitaine émet des «licences de pêche».

---

6.   J. Richardson, 1856, p. 204.

7.   *Rapport des Pêcheries*, Ottawa.

D.- Enfin, depuis 1864, les patrouilles recueillent de précieuses statistiques sur de nombreux aspects d'Anticosti.

Traits et régions

Dans cette seconde moitié du XIXe siècle, les pêcheries de l'île sont caractérisées de la manière suivante. Voyons d'abord ce qui concerne les pêcheurs. Les témoins reconnaissent qu'ils «sont moins peureux que les marins», étant donné qu'ils consentent à s'approcher d'une île inhospitalière et même à y vivre. Avant 1870, ils viennent surtout des autres rivages du golfe: Gaspésie, Côte-Nord, Îles-de-la-Madeleine, Terre-Neuve et Nouveau-Brunswick. Ces pêcheurs extérieurs ne sont que des saisonniers à l'île car ils doivent respecter les règlements du propriétaire: «The lessee of the Island would not allow fishermen to make permanent establishment»; l'on ne tolère que des «drying-houses on the beach». Aussi, le pourcentage des «grèviers» s'établit-il à 43% vers 1866. Petit à petit, certains pêcheurs s'implantent à l'île, malgré «les lois qui le défendent». Avec l'essai de colonisation de 1873 qui pour une part amène 97 familles, le nombre des pêcheurs résidents augmente. Au total, le nombre des pêcheurs à Anticosti (sans compter ceux des goélettes et *steamers* difficiles à recenser) a varié de 50 à 500, suivant les années (tableau 1). Au plan du régime d'exploitation, les pêcheurs sont indépendants ou associés à des maisons de commerce de Gaspé, Québec ou Halifax; celles-ci les emploient «à gage ou à moitié de ligne», comme le redit le *Rapport* de 1878. Ces trafiquants peuvent fournir avances, équipement et produits de toutes sortes.

Les lieux de pêche sont très variables en nombre absolu et dans leur localisation même. Parmi de nombreuses causes, notons la concurrence des autres rivages du golfe, le régime de propriété de l'île qui jouait contre la permanence des établissements et les déplacements «mystérieux» du poisson. À ce dernier titre, le *Rapport* de la saison de 1895 indique qu'«à Baie du Renard, la morue arriva en assez grande abondance avec le hareng le 22 mai et repartit avec lui le 13 juin. Pas de pêche importante pendant le reste de la campagne». Dans les meilleures années, celles de la décennie de 1870, le nombre de stations de rivage atteint 25. La majorité d'entre elles sont situées dans la section orientale de l'île, la rive nord avec Baie-du-Renard et Macdonald, dominant la rive sud. Petit à petit, Baie-des-Anglais (Baie-

Sainte-Claire), sise à l'Ouest, émerge comme principal lieu de pêche mais la moitié orientale de l'île garde toujours sa dominance. Aux stations péri-insulaires de pêche de mer (morue, hareng) s'ajoutent les stations de pêche intérieure (saumons); en 1872, il y aura ainsi 12 postes de rivières, et Setter, le capitaine retiré à la baie Ellis, «continue de bien faire sa pêche à saumon».

La pêche est «d'été» (poisson destiné aux marchands) ou «d'automne» (faite après le 15 août et pour la salaison); la première catégorie est environ dix fois plus importante en volume. Le rendement est très variable suivant le nombre des pêcheurs, les captures, les prix et les conditions naturelles; la valeur totale du poisson passe de 60 000 dollars environ en 1870 à 135 000 en 1877 et retombe à 52 000, quatre ans plus tard. Les mauvaises années ont tendance à être déclarées plus nombreuses que les bonnes. L'on a gardé la mémoire du «lugubre hiver» de 1873. La pêche au saumon est également variable comme l'indique la séquence de 1874-1875, la première année étant trop pluvieuse et érosive, la seconde trop sèche et d'étiage. Quant à l'équipement de pêche aux homards, il est souvent détruit par les tempêtes. Un bien curieux facteur met en relation étroite les naufrages et la pêche. À l'occasion des échouements, les habitants «quittent le poisson» pour travailler aux opérations de secours et à la cueillette de provisions de toute sorte. «Le naufrage de quatre bâtiments a été une véritable aubaine», écrit le *Rapport* de 1878. Quand le bateau n'est pas trop avarié, sa meilleure chance de repartir est d'abandonner sa cargaison; entre autres objets qui deviennent disponibles, l'on note du bois d'oeuvre, de la farine et des animaux[8].

L'une des affaires les plus troublantes de l'île a consisté dans le départ forcé des «Squatters» de Fox Bay (Baie-du-Renard), autour de 1900. Depuis quelques dizaines d'années, des «planters», c'est-à-dire, plutôt des pêcheurs qu'on accusait d'être des pirates, s'étaient installés sans titre sur le pourtour de l'île. H. Menier et son gouverneur qui avait la main ferme, Martin-Zédé, ont voulu soumettre ces gens aux règlements de la nouvelle maison. Le refus pouvait conduire à l'expulsion. En particulier, il s'agissait d'environ 60 personnes de Fox Bay, au nord-est d'Anticosti. Dans une grande majorité, la population est anglophone et

---

8. Outre ces Rapports fédéraux sur les pêcheries, voir E.T.D. Chambers, *The Fisheries of the Prov. of Quebec*, Québec, 1912, 206 p. et *Pêche et Chasse*, édité par E. Minville, Montréal, Fides, 1946, 580 p.

protestante. Plusieurs documents donnent l'impression que ces gens n'avaient pas bonne réputation. Le gardien de la précédente Compagnie de l'île se plaignait que ces personnes ne payaient pas leurs redevances. Par ailleurs, les *Rapports* des Pêcheries ne sont pas tendres envers les habitants de Baie-du-Renard; en 1879, l'on écrivait: «la population qui est venue de Terre-Neuve était endettée envers les marchands de l'endroit et la plupart n'osent pas y retourner... je crois qu'ils devraient être néanmoins chassés de l'île». Deux ans après, la même série de *Rapports* est d'opinion que «les immigrants de Terre-Neuve ont été inutiles». À l'endroit de Menier, la confrontation commença même au cours de l'été 1895, lors de la mission d'exploration. Les difficultés ont grandi l'année suivante car les *squatters* ont percé de balles les affiches décrivant les prescriptions du nouveau propriétaire français. Les proportions que va prendre cette petite affaire sont incroyables. Le tout-Canada va s'en mêler et il y aura même des interventions du Premier ministre Joe Chamberlain de Grande-Bretagne et du Président E. Loubet de France. Tous les aspects sociétaux et politiques autour de cette question juridique s'enflamment. Le cas a été porté en cour, et plus d'une fois. Mais le judiciaire ne parvient pas à contenir le *sub judice*. Le Parlement d'Ottawa s'empare de la question; celle-ci est discutée à plusieurs reprises. Au nombre de ceux qui interviennent, l'on note le Premier ministre W. Laurier; les ministres C. Sifton, J.I. Tarte, les députés Henri Bourassa, W. Clark... La question n'est plus du tout anticostienne; elle est devenue un affrontement systématique entre catholiques et méthodistes, entre France et Grande-Bretagne, entre francophones et anglophones. L'on discute de choses qui relèveraient maintenant des Droits de l'homme (Menier était accusé d'avoir maltraité les gens de Fox Bay) et qui exprimaient la grande inquiétude du monde britannique d'avoir un royaumme français dans le golfe du Saint-Laurent (Menier était aussi accusé de faire d'Anticosti un point militaire fort qui pourrait à l'occasion être utile à la France); l'on était avant l'Entente cordiale de 1904. Cette grande question de propriété «étrangère» en terre britannique eut son dénouement en 1900 par la solution du petit conflit intérieur de l'île d'Anticosti. Le 27 février, arrive la confirmation du jugement en faveur des intérêts Menier et, le 9 juin, un bateau canadien vient déporter les récalcitrants de Fox Bay. Au cours des derniers 5 ans, les tractations ont été très nourries, de part et d'autre. Anticosti était l'objet d'un procès à l'échelle internationale. Il est plus que possible que cette petite histoire, devenue grande, ait ralenti la réalisation des affaires Menier dans l'île laurentienne. Quant au lieu précis, départ d'une bien folle course, Fox Bay, il sera dorénavant désigné Baie-du-(au)Renard et la homarderie anglaise deviendra française. Après quelques années, celle-ci fermera, de même que le hameau.

À la fin du siècle, les conditions de la pêche vont radicalement changer. En 1896, la valeur des pêcheries s'établit à 25 000 dollars seulement, et au cours de l'année suivante, le nombre total des pêcheurs descendra au-dessous de 100. Le *Rapport* des pêcheries de 1897 confirme que «l'île a beaucoup perdu de son importance comme lieu de pêche». Les causes de cette diminution sont également multiples: de la part du groupe Menier, interdiction de pêcher le saumon et la truite pour trois ans, défense aux étrangers de venir, obligation de résider pour faire la pêche, ne prendre qu'une partie des homards, actions en cour pour interdire le paquage à Baie-du-Renard et expulser les pêcheurs de cet endroit. De plus, il semble que les offres d'emploi de la colonisation venant du système Menier lui-même constituaient une proposition plus intéressante que la pêche, surtout la pêche traditionnelle (tableau 2). Cependant, l'ère Menier n'a pas qu'un bilan négatif à ce chapitre de l'économie. Les activités vont être centrées sur les homarderies (Baie-du-Renard et Baie-aux-Oies), d'ailleurs plus rémunératrices que les prises de morues; d'où, à partir de 1906, Anse-aux-Fraises et Baie-Sainte-Claire vont perdre au bénéfice de Baie-du-Renard le premier rang des localités pour le nombre de pêcheurs.

TABLEAU 2

Occupations des Anticostiens, 1901

CATÉGORIE	POURCENTAGE DES TRAVAILLEURS
Femmes au foyer (a)	37
Employés de tous types (non spécialisés)	33
Pêcheurs	21
Artisans	5
Professionnels et chefs d'administration	4
Total	100 (204 individus)

Source: Calcul à partir des données dans Ch. Guay, 1902.
    (a) Nous avons inclus dans la main-d'oeuvre réelle cette catégorie de travailleurs dont on ne tient généralement pas compte dans les statistiques.

Catégories de pêcheurs

A. *Les pêcheurs au large de l'île*. Au cours des meilleures années du XIXe siècle, ils ont pu être 6 000. Même si beaucoup de ces pêcheurs ont fait plusieurs saisons, le total a pu composer plusieurs dizaines de milliers d'exploitants différents. Ils venaient surtout des USA, de Terre-Neuve et des autres provinces de l'Atlantique. Leur contact avec le sol anticostien était très restreint. Ils pourraient être décrits: pêcheurs sans comptoirs. L'on peut associer à ce groupe de travailleurs oeuvrant à partir de bateaux assez gros de type *schooner*, les pêcheurs de la Minganie qui venaient sur des «barges» prendre quelques milliers de livres de poisson au cours d'expéditions durant quelques jours; l'on nettoyait les carcasses sur le «reef» et l'on ne touchait terre que pour prendre de l'eau potable au Havre-du-Brick ou la baie des Trois-Ruisseaux[9].

B. *Les pêcheurs en résidence saisonnière*. Plutôt que de vivre sur les bateaux comme les individus précédents, ils s'établissaient momentanément sur des sites privilégiés d'Anticosti, telle la Baie-du-Renard. Population très variable en nombre d'une année à l'autre (de quelques dizaines à quelques centaines d'individus) et mobile d'un site à l'autre. L'on pêchait surtout «à terre», (*inshore fishing*) c'est-à-dire dans les eaux du golfe mais à proximité des côtes. Durant les autres saisons, ces pêcheurs vivaient sur les rivages continentaux ou terre-neuviens du golfe. Les pêcheurs de cette deuxième catégorie sont parfois désignés «sédentaires», par rapport à ceux du large; expression qui peut être automatiquement appliquée aux pêcheurs vivant toute l'année dans l'île; le qualificatif «sédentaire» apporte donc de la confusion. Parfois, l'on confond aussi pêcheurs en résidence temporaire et «grèviers» alors que ces derniers sont des employés du secteur secondaire qui préparent le poisson sur la grève; ils sont dirigés par un «chef de grève»[10]. La technique des pêcheurs saisonniers est traditionnelle.

C. *Les pêcheurs «permanents»*. C'est-à-dire ceux qui sont demeurés à l'île au moins pendant plusieurs années; ils sont des hivernants. Cette population a toujours été faible en nombre et elle n'a pas dû atteindre quelques centaines d'individus à la fois.

---

9.   Informateur: Jimmy Ward, Longue-Pointe-de-Mingan, 14 août 1978.

10.   Informateurs: A. Labrie et Z. Bérubé, 1978, Québec.

TABLEAU 3

Répartition procentuelle de la population permanente
Anticosti. 1851-1901

ANNÉE	CARACTÈRES DES PÉRIODES	ENGLISH BAY OU BAIE-DES-ANGLAIS, SAINT-ALFRED, BAIE-STE-CLAIRE	STRAWBERRY COVE OU ANSE-AUX-FRAISES, SAINT-LUDGER	JOLLIET OU ELLIS BAY, BAIE-GAMACHE, PORT-MENIER	AUTRES LIEUX DONT FOX BAY OU BAIE-DU-RENARD
1851	Pré-colonisation			5	95
1865	Pêche	25		5	70
1873-74	Pêche	25		27	48
1881	Pêche	35	18	3	44
1895 (Huard)	Pêche	27	38	5	30
1895 (Combes)	Pêche	24	31	4	41
1901	Colonisation intégrée	54	30	4	12

Source: Archives paroissiales; recensements officiels; données fournies par divers auteurs (voir Hamelin et Dumont, 1978).

Note: Il s'est donc produit une concentration de la population dans la partie occidentale de l'île (voir les trois premières colonnes de sites en regard de la dernière). Toutefois, Port-Menier n'était pas encore le lieu le plus peuplé de l'île.

Les catégories précédentes de pêcheurs ne sont pas réservées à Anticosti; au contraire, elles portent le faciès du Canada atlantique; le langage anglais les a caractérisées. Les pêcheurs du groupe A, vivant surtout sur la mer, sont des *Floaters*. Ceux du groupe B qui s'établissaient au moins temporairement sont désignés *Stationers*; avec un accroissement du degré de résidence et par analogie avec les colonisations lointaines, ils deviennent des *Settlers* et même des *Planters*[11]. Quant aux permanents, ils sont des *Liveyeres* (ou *Liviers*), lexème venant du syntagme *live here*[12].

D.   *Les pêcheurs sportifs.* Ils étaient quelques dizaines d'individus seulement à la fin du XIXe siècle. La durée du séjour n'est que d'une à deux semaines. Quelques braconniers (en anglais *poachers*) échappaient à tout. L'on s'est souvent plaint de ces visiteurs mal identifiés qui venaient chasser, pêcher ou ramasser les produits du canard eider. Les pêcheurs de la catégorie D ne sont pas des pêcheurs de mer comme les précédents. Ils s'intéressent surtout aux saumons des rivières, eux aussi de passage à l'île.

La pêche a été le principal facteur du peuplement d'Anticosti mais elle n'a pas concentré la population à Port-Menier (tableau 3).

---

11.   L'abbé Ferland en 1852 s'étonnera du mot *planteur*, dans des régions sans agriculture. *Opuscules*, Québec, 1876.

12.   V. Tanner, *Newfoundland — Labrador*, Cambridge, U.P., 1947, vol. 2, pp. 700-764.

BIBLIOGRAPHIE

ANONYME. *The Settler and Sporstman*. London, Morris, 1885, 40 p. (au nom de The Governor and Compagny of the Island of Anticosti).

ANONYME. *Anticosti: Livre de pêche H.M. 1896-1928*. Sans pagination. Illustré. Rédigé annuellement. Archives nationales du Québec, Québec.

CANADA. (*Rapport des Pêcheries*). Ottawa, Documents de la Session (pêcheries du Golfe, 1853-1910).

COMBES, P. *Exploration de l'Île d'Anticosti*. Paris, André, 1896, 46 p.

DESPÊCHER, J. *Notice sur l'Île d'Anticosti*. Paris, 1895, 23 p.

FAUCHER DE SAINT-MAURICE, N.H.E. *Promenades dans le Golfe Saint-Laurent... Anticosti*. Québec, Darveau, 4ᵉ éd., 1881, pp. 49-145.

GUAY, Charles. *Lettres sur l'Île d'Anticosti...* Montréal, Beauchemin, 1902, 315 p.

HAMELIN, L.E. et B. DUMONT, *Anticosti. La Grande Île*. Québec, manuscrit, 1978, 121 p.

HUARD, V.A. *Labrador et Anticosti...* Montréal, Beauchemin, 1897. Réimpression, Montréal, Leméac, 1972, 505 p.

LEVASSEUR, N. «Anticosti. Esquisse historique et géographique», *Bull. Soc. Géogr. de Québec*, 2, 2, 1897, pp. 174-210.

MARTIN-ZÉDÉ, G. *L'île ignorée... 1895-1926*. Paris, 1938, 520 p. dact. (copie au Centre d'Études Nordiques de l'université Laval, Québec.

QUÉBEC. *L'Île d'Anticosti (bibliographie)*. Québec, Ministère des Terres et Forêts, Éditeur officiel, 1975, 43 p.

RICHARDSON, J. *Geological Exploration of Anticosti Island*. Report of Progress for the Years 1853-1856, Toronto, Lovell, 1857, pp. 191-245.

ROCHE, A.R. «Notes on the Resources and Capabilities of the Island of Anticosti», *Transactions, Lit. Hist. Q.*, IV, 1843-1856, pp. 175-227. (Texte d'une conférence, 4 oct. 1853).

Des métiers et des hommes

Léo Plamondon
Cinéaste

Jadis, on donnait la parole au notaire, au médecin et au curé. Leurs opinions sur tous les événements du jour avaient souvent force de loi.

Jamais le forgeron, le ferblantier ou le cordonnier devaient se prononcer sur ces événements qui les concernaient tout autant. Eux, ils avaient la science de leur métier qu'ils transmettaient à leurs apprentis. On a dit souvent que plusieurs de leur façon de faire étaient un secret jalousement gardé.

Aujourd'hui, on leur demande de nous livrer ces secrets. C'est étonnant comme ils ont beaucoup de choses à dire sur leur métier, sur la vie d'autrefois...

La première fois que j'ai rencontré M. Robert-Lionel Séguin, c'était à l'UQTR en 1970. Le service audio-visuel venait à peine d'être créé et nous avions tout un programme de participation avec le personnel enseignant d'alors. M. Séguin venait d'être engagé par l'Université afin de mettre sur pied un centre de documentation en civilisation traditionnelle. Je ne me souviens plus trop bien si c'est M. Séguin qui nous avait d'abord proposé de réaliser des films sur nos artisans québécois, ou si l'idée nous en était aussi venue, mais il reste que cette rencontre nous avait laissé entrevoir l'importance de ce genre de document. Nous avions vu là un apport important et une nouvelle dimension à donner à l'enseignement.

Lorsqu'avec l'aide de l'Office national du film, le premier document fut réalisé (c'était «ARMAND FELX, faiseur de violons»), l'intérêt fut grand pour tous. À partir de ce moment, avec l'aide cette fois de Radio-Canada, nous avons pu poursuivre la réalisation des autres documents.

De nombreuses fois par la suite, j'ai rencontré M. Séguin et nous avons ensemble discuté des différents métiers dont on espérait qu'il soit resté encore quelques artisans. Nous avions même fait une liste des différents métiers qui existaient autrefois. C'est à partir de cette première liste que j'ai commencé mes recherches.

Les six premiers documents ont été produits par l'UQTR et par la suite tous les autres furent produits par l'Office national du film. À ce jour, déjà plus vingt sujets ont été traités:

ARMAND FELX, faiseur de violons
ÉMILE ASSELIN, forgeron
LE CHARRON (avec Émile Asselin)
LA PÊCHE À L'ANGUILLE
EUGÈNE DIONNE, ferblantier
JEAN PERRON, sellier
LES SOULIERS DE BOEUF
LES BOEUFS DE LABOUR
LÉO CORRIVEAU, maréchal-ferrant
LE PAIN D'HABITANT (en deux parties)
DAMASE BRETON, cordonnier
ARMAND HARDY, menuisier-tonnelier
LES MEUNIERS DE ST-EUSTACHE
LES CHARBONNIERS
LE FROMAGE À L'ÎLE D'ORLÉANS
LES TISSERANDES
LES TAILLEURS DE PIERRE
LA FONDERIE ARTISANALE*
L'ARMOIRE*...

dont voici quelques séquences photographiques!

---

* Ces deux derniers films ont été réalisés par Bernard Gosselin.

ARMAND FELX, faiseur de violons.
Se fabriquer un violon pour ensuite pouvoir en jouer.
C'était là une situation courante. (Photo Léo Plamondon)

ÉMILE ASSELIN, forgeron-charron.
Il fallait faire les roues en bois et toutes les ferrures qui doivent les retenir. On ferrait aussi le cheval, on forgeait des pentures des portes de grange, des viroles, des chaînes pour attacher les animaux et quoi d'autres encore... (Photo Léo Plamondon)

LA PÊCHE À L'ANGUILLE

Certaines techniques de pêche sont plus exigeantes que d'autres parce qu'elles demandent une participation des parents, des voisins ou des associés. Lorsque l'on doit faire la pêche à la fascine, une corvée est nécessaire pour pouvoir installer les piquets, tresser la barrière, installer les coffres, etc... (Photo Claude Demers)

EUGÈNE DIONNE, ferblantier
Avec un minimum d'outils, le ferblantier fabrique une
tasse à l'eau, un entonnoir, une chaudière pour recueillir
l'eau d'érable, un porte-poussière, une râpe à légumes,
etc... (Photo Claude Demers)

JEAN PERRON, sellier
Pour que le cheval puisse bien tirer sa charge, le sellier lui fabrique un attelage à sa mesure. Le soin qu'il met à faire un bel attelage confortable,
dénote tout l'attachement qu'on avait pour le compagnon des jours de
labeur. (Photo Claude Demers)

LES BOEUFS DE LABOUR

Pour les durs travaux de la ferme, souvent le cultivateur préférait dompter une paire de boeufs. Les boeufs étaient plus forts pour essoucher, labourer les champs. Puis c'était facile à nourrir puisqu'il les mettait à l'herbe aussitôt les travaux journaliers terminés. (Photos O.N.F.)

LE PAIN D'HABITANT

Et puis il fallait se nourrir. De tout temps le pain a été le principal aliment de la maisonnée. Il fallait tout d'abord construire le four pour ensuite faire la cuisson du pain. (Photos O.N.F.)

LES TISSERANDES

Il fallait aussi se vêtir. À part les draps de laine, les courtepointes, les tissus de toile, lorsqu'on avait trop de guenilles qui ne servaient plus, on faisait des catalognes. (Photo Léo Plamondon)

ARMAND HARDY, menuisier-
tonnelier

La tonne qui servait à saler le
lard, la tinette pour mettre le
beurre, les seaux et les baquets
qui servaient à différents usages,
tous ses contenants il les fabriquait pour son usage. (Photos
O.N.F.)

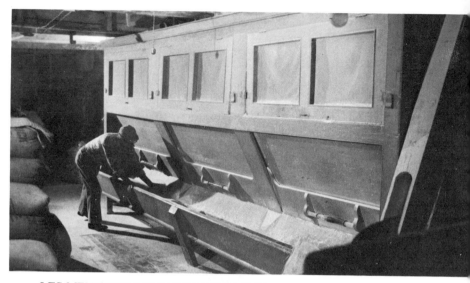

LES MEUNIERS DE SAINT-EUSTACHE
«Pour faire de la bonne farine, ça prend des pierres qu'il faut repiquer une fois par année. La farine est entière et naturelle.» (Donat Légaré) (Photos O.N.F.)

DAMASE BRETON, cordonnier

Autrefois, le cordonnier fabriquait les souliers, à la demande du client et à la mesure de son pied. Sans clous et sans colle. Fait avec un cuir de qualité et qui donnait un soulier étanche à l'eau. (Photos O.N.F.)

La fabrication des haches aux forges du Saint-Maurice

Daniel Villeneuve
Parcs Canada, Québec

En janvier et février 1734, utilisant le procédé de la réduction directe[1], on manufacture aux forges de Saint-Maurice, près de Trois-Rivières, du fer marchand appelé à constituer la matière première des artisans du fer en Nouvelle-France.

Quelques années plus tard, soit en 1736, l'adoption du procédé de la réduction indirecte permet de diversifier la production. Ainsi, jusqu'en 1845, en plus des produits en fer, on fabriquera quantité d'articles en fonte; pensons aux munitions tels les boulets de canons, aux articles de chauffage tel le poêle, ou servant à la cuisson des aliments tels les chaudrons, les marmites, les bouilloires, sans oublier des pièces de machinerie et des objets servant au transport.

Peu après 1845, d'autres perfectionnements techniques viendront encore modifier la production jusqu'en 1883. C'est au cours de cette troisième et dernière période de l'histoire technologique des Forges qu'on fabriquera, par exemple, des roues de wagons de chemin de fer.

Nous savons que dans tout cet éventail de produits c'est le poêle qui fit en quelque sorte la réputation des forges du Saint-

---

1. Le procédé de la réduction directe consiste à obtenir directement du fer à partir du minerai. Le procédé de la réduction indirecte nécessite une étape intermédiaire. En effet, par la fusion du minerai, on obtient d'abord de la fonte qui sera ensuite transformée en fer.

Maurice. Cependant, la hache connut elle aussi un succès digne de mention auprès des ouvriers du bois au Canada.

Le sujet

Si l'on tient compte du caractère industriel du site des Forges et de la représentativité de la collection des artefacts qui y furent trouvés, l'étude des haches et de leur fabrication présente plus d'un aspect intéressant.

Dès 1973, les fouilles archéologiques effectuées par Parcs Canada aux Forges mettaient au jour, dans le secteur de la Forge basse, quelques artefacts reliés aux différentes étapes intervenant dans la fabrication des haches. À ces artefacts-témoins s'en ajoutaient d'autres trouvés auparavant par les archéologues du ministère des Affaires culturelles du Québec.

A priori, il paraissait possible de définir, à l'aide de cette collection d'artefacts, les principales étapes de la fabrication d'une hache et, par conséquent, de caractériser les haches manufacturées à la Forge basse, aussi appelée dans divers documents d'archives «la manufacture de haches».

Cependant d'autres secteurs de fouilles mirent au jour des objets du même type laissant supposer que les haches n'étaient pas uniquement ou entièrement fabriquées à la Forge basse. Il nous fallait donc, dans un premier temps, comparer les renseignements contenus dans les documents historiques avec les données révélées par la fouille.

Cette recherche dans le but de définir et de localiser, tant dans le temps que dans l'espace, la fabrication des haches aux Forges, se poursuit toujours. Il nous semblait important d'en présenter dès maintenant les éléments principaux.

Les données historiques

Le 22 octobre 1733, le sieur François Poulin de Francheville, marchand de Montréal et propriétaire, depuis trois ans, d'un brevet lui permettant «d'ouvrir, fouiller et exploiter pendant vingt ans des mines de fer au Canada»[2], écrit au ministre de la Marine en France que la qualité du fer des Forges est bonne et qu'on

---

2.   APC, MGI, F3, vol. 11-2, pp. 429-437. Brevet, 25 mars 1730.

fabriquera des «couteaux, haches et outils»[3], objets essentiels pour l'établissement de l'homme dans ce pays neuf. De plus, la hache est aussi nécessaire au bon fonctionnement de l'entreprise; pensons aux milliers de cordes de bois qu'il faut couper et transformer en charbon de bois afin d'alimenter les fourneaux en combustible.

Comme nous le verrons, il semble que dès 1740, et même avant, nous ayons affaire à deux types de production. Le premier veut que des haches aient été fabriquées et entretenues par les forgerons et taillandiers employés aux Forges pour répondre aux besoins de la compagnie. Le second veut que l'on ait fabriqué du fer à haches ou, si l'on préfère, des barres de fer à haches vendues telles quelles aux forgerons et taillandiers du pays afin de répondre cette fois aux besoins de la colonie. C'est principalement à partir de la documentation historique que nous formulons cette hypothèse de deux modes de production.

À l'automne de 1741, alors qu'il effectue l'inventaire des forges du Saint-Maurice, Guillaume Estèbe, subdélégué de Monsieur l'Intendant, dénombre parmi «les meubles et ustenciles de la Maison principale» ... «50 haches de France, qui ne sont pas propres pour ce pays»[4], tandis qu'à la Forge basse, il note un billet portant sur «2 028 livres de fer en barre envoyées à Pierre Boutin, taillandier de Montréal»[5]. Toujours dans le même inventaire, il sera en outre question de «259 haches à réparer par un rassuage»[6].

Il nous semble permis de penser qu'une bonne partie de ces 2 028 livres de fer en barres devait être destinée à la fabrication de haches et que les 259 haches à réparer étaient destinées à la coupe du bois pour la compagnie.

Un an plus tard, Estèbe rédige un rapport sur l'«Estat général de la Dépense faite pour l'Exploitation des forges du St-Maurice depuis le 1er octobre 1741 au premier aoust 1742». Il note alors qu'il a été payé la somme de 332 livres à Bouvet, forgeron, pour 83 haches qu'il «a fourny à 4 livres pièce»[7].

---

3. *Ibid.*, MG1, C^{11}A, vol. 110-2, p. 148. Francheville au Ministre, 22 octobre 1733.

4. *Ibid.*, MG1, C^{11}A, vol. 112-1, p. 56. Inventaire.

5. *Ibid.*, MG1, C^{11}A, vol. 112-1, p. 84.

6. *Ibid.*, MG1, C^{11}A, vol. 112-1, p. 105.

7. *Ibid.*, MG1, C^{11}A, vol. 111-2, p. 395.

En outre, Marineau, taillandier, a reçu 240 livres «pour 60 haches neuves qu'il a fourny à 4 livres pièce et 400 livres pour 200 haches qu'il a entretenu depuis le mois de septembre passé à 40 sols pièce»[8].

Marineau était sans doute l'un de ces artisans oeuvrant pour la compagnie des Forges. Comme le mentionne Jean-Pierre Hardy, il y a un grand nombre d'artisans au service de l'industrie et de la communauté des Forges. Toujours selon lui, ces ouvriers se distinguent de la main d'oeuvre spécialisée et sont probablement propriétaires de leurs outils et de leur boutique alors qu'au contraire l'ouvrier spécialisé, étant avant tout un salarié au service d'une entreprise, n'est généralement pas propriétaire de sa boutique et de son outillage[9].

Ainsi, en 1752, certains ouvriers tels les bûcherons ne semblent pas propriétaires de leur outillage. En effet, cette année-là, une procédure criminelle est intentée contre Jacques Philippe Dalphin, «bûcheur aux Forges»[10]; il a alors 22 ans.

Dalphin est accusé d'avoir volé deux haches que lui a délivrées le commis de l'entreprise. Voici comment on les décrit: «une emmanchée portant une fleur de lys sur la gauche... l'autre n'ayant pas encore servie portant une fleur de lys sur le côté gauche et deux parallèles sur le côté droit»[11]. Dalphin, trouvé coupable, est condamné à «être appliqué au carcan à la place qui est devant la Halle du Fourneau» avec un écriteau portant ces mots «Voleurs de haches appartenant au roi»[12].

En 1746, Guillaume Estèbe rédige un nouvel inventaire général des forges du Saint-Maurice. Parmi les «Munitions, Marchandises, Outils et Ustenciles» il y a «50 haches de France à 40 sols pce pour 100 livres, 506 id. du pays à 4 livres 5 sols pce pour

8. *Ibid.*, MG1, C^{11}A, vol. 111-2, p. 399.

9. Hardy, Jean-Pierre, *Le forgeron et le ferblantier*, Montréal, Les éditions du Boréal Express, 1978 (coll. Histoire populaire du Québec), pp. 41-42.

10. ANQ-Q, NF25, no 1663, pp. 1-22.

11. *Ibid.*, p. 3. À date les fouilles archéologiques ont mis au jour aucune hache portant cette marque. Il semblerait qu'une hache que l'on dit trouvée aux Forges portait la marque «MB» (pour Munro et Bell); marque identique à celle que l'on rencontre sur les poêles fabriqués aux Forges vers la fin du 18ième siècle et le début du 19ième siècle. Cette hache ne faisant pas partie de notre collection, il nous a été impossible de prouver l'exactitude de ce renseignement.

12. *Ibid.*, p. 20.

2 150 livres 10 sols ainsi que 259 id. à réparer à 40 sols pce pour 518 livres»[13]. De même deux ans plus tard, parmi les «munitions, marchandises, outils et ustensiles servant aux travaux aux Forges» on dénombre «40 haches de France à 40 sols pce, 268 idem du pays à 4 livres 10 sols, 100 idem à réparer à 50 sols oce, 588 idem hors service à 10 sols»[14].

Il est intéressant de noter le montant auquel on évalue les haches de France de même que leur petit nombre aux Forges comparativement aux haches «dites du pays». Cette différenciation peut s'expliquer par le fait que les haches françaises étaient sans doute plus légères et de plus fabriquées en grande quantité par une main d'oeuvre spécialisée moins rare et par conséquent moins chère qu'ici. Il semble d'ailleurs que l'on ait préféré les haches «du pays» dès le milieu du XVIIIe siècle: l'addition d'un talon (en anglais: *poll*) en faisait un outil beaucoup mieux adapté à la coupe de nos essences forestières.

À cet effet, citons H.J. Cramahé qui, dans un rapport sur l'industrie au Canada, précise en 1770:

> there is not much Iron manufactured here except for the most common uses, and Edge tools, Axes and Hatchets for the consumption of the Country, and Indian Markets, this being an article in which the British Manufacturers hittherto have not been able to hit off the taste of the Natives[15].

Encore au début du XIXe siècle, il semble qu'on ne manufacturait pas aux Forges des haches terminées pouvant être immédiatement utilisées par l'acheteur. Dans un imprimé daté de 1819, les forges du Saint-Maurice (Iron Works St. Maurice) présentent une liste bilingue de produits; il y est alors fait mention de «Bar Iron — Axe and Spindle»[16], que l'on traduit dans le document par «Fer en barre — à haches et manivelle».

D'autres annonces de journaux parues vers le milieu du XIXe siècle nous incitent à croire que l'on ne manufacturait, aux Forges, que des barres de fer à haches et non pas l'objet fini. En

---

13. APC, MG1, C¹¹A, vol. 112-2, p. 198.

14. *Ibid.*, MG1, C¹¹A, vol. 112-2, pp. 273-274. Inventaire.

15. *Ibid.*, MG11, Q7, pp. 353-354. Cramahé, Rapport sur l'industrie au Canada, 1770.

16. Université de Montréal, coll. Baby, G2, 1819. Prix courant des produits des forges de St-Maurice pour l'année 1819.

1848, lors de la «Annual Sale of St. Maurice and Three-Rivers Iron Works», parmi les produits mis en vente, principalement des poêles, il est question de «4 tons Axe Iron»[17]. En 1852, la même compagnie annonce une vente «by auction of well know wares» dont «Axe and other bar iron»[18]. En 1864, John Paterton, 37 St-Peter Street, «is prepared to receive orders for... celebrated... St. Maurice Forges wares»; parmi ceux-ci il est encore question de «axe-iron»[19].

Jusqu'à maintenant, nous avons été à même de constater qu'on ne s'intéressait pas, aux Forges, à la fabrication des haches en tant que produit fini si ce n'est, comme nous l'avons dit, afin de répondre aux besoins de la compagnie. Les choses vont cependant changer.

En 1872, John McDougall, alors propriétaire des Forges, fait publier cette annonce dans la livraison du 10 janvier du journal *Le Constitutionnel*:

> Nous avons l'honneur d'informer le public que nous avons établi une manufacture de haches aux vieilles Forges St-Maurice qui est maintenant en parfaite opération.
>
> Les haches que nous manufacturons sont faites de notre fer canadien et du meilleur acier, et de patrons convenables à ce marché.
>
> À vendre à notre établissement ici en gros et en détail. Des conditions libérales seront faites aux acheteurs en gros[20].

---

17. *The Morning Chronicle*, 4 octobre 1848, p. 3. Annonce.

18. *Ibid.*, 5 juin 1852. Annonce.

19. *Quebec Chronicle*, 9 juin 1864. Annonce. Il importe de préciser que les termes anglais «Axe-Iron» et «Axe and other bar iron» correspondent selon nous aux réalités «fer à hache» ou «barres de fer à haches» et non pas à l'outil fini. Le 8 novembre 1848, dans le journal *Le Canadien*, David McGie annonce une vente importante de poêles, d'objets en fonte, de balances ainsi que «250 douzaines haches garanties, assorties, larges à fendre...» Il est alors indiqué que ces produits proviennent «du St-Maurice, de Montréal et d'Écosse» et ce de façon générale. Il ne nous est donc pas permis de rattacher ces 250 douzaines de haches à la production des Forges. De ce fait, l'hypothèse de deux modes de production semble encore être valable jusqu'en 1864.

20. *Le Constitutionnel*, 10 janvier 1872, p. 2. Annonce. L'ouverture de la manufacture de haches correspond au désir des propriétaires de répondre à la demande du marché et par conséquent d'augmenter les profits de l'entreprise. Déjà en 1855, il existait au Canada, 11 manufactures de haches, soit 5 pour le Haut-Canada et 6 pour le Bas-Canada. Ces chiffres proviennent de l'étude de Hector L. Langevin sur *Le Canada, ses institutions, ressources, produits, manufactures...*, parue em 1855, à Québec, chez Lovell et Lamoureux.

Petit martinet à pied du type OLIVER. Conservé au Coalbrookdale Museum, Grande-Bretagne. Photo Parcs Canada RD 1017.

Une semaine plus tard, on pouvait lire cet entrefilet dans *Le Constitutionnel*: «Nous apprenons avec plaisir que la manufacture de M. McDougall réussit bien et que les bûcherons en sont pleinement satisfaits» [21]. Effectivement les choses semblent bien aller car moins d'un an plus tard, les propriétaires des vieilles forges du Saint-Maurice obtiennent «le premier prix pour la manufacture de haches, à l'exposition provinciale» [22].

Peu de documents écrits, contemporains à la période où la manufacture est en activité, nous permettent d'en connaître l'organisation et le fonctionnement. Cependant, vers 1930, Dollard Dubé, journaliste et historien à ses heures, mène une enquête sur les Forges. Il contacte des gens y ayant travaillé ou leurs descendants. De ces rencontres il tire plusieurs renseignements intéressants. Voici quelques extraits de ses notes personnelles:

> En ce temps-là, on faisait les haches aux petits marteau (sic) de forge. Il y avait les trempeurs, les effileurs, les forgerons, les frappeurs; chaque forgeron avait son frappeur habituel...

> ... La meule dont se servait (sic) les effileurs pouvait bien avoir près de 6 pds de diamètre par une couple de pieds de largeur; elle était faite en ciment. Elle était actionnée par une roue motrice prenant son pouvoir dans la petite rivière (c'est-à-dire, le ruisseau)...

> ... En ce temps-là, un bonhomme comme Gauthier (alors forgeron), par exemple, faisait facilement 40 bonne (sic) haches dans sa journée. Presque tous les gens employés à cette manufacture avaient été engagés à Ottawa [23].

Un autre document nous éclaire quelque peu sur la fabrication des haches aux Forges. Voici ce qu'il y est écrit:

> A small quantity of wrought iron is also made in an old-fashioned hearth-finery and used in the manufacture of axes of which 10

---

21. *Le Constitutionnel*, 17 janvier 1872, p. 2. Entrefilet.

22. *Ibid.*, 22 septembre 1873, p. 2. Entrefilet.

23. ASTR, N3, p60, 2 pages. Dollard Dubé, notes manuscrites. En 1933, dans un volume intitulé *Les Vieilles Forges, il y a 60 ans*, paru aux éditions du Bien Public, à Trois-Rivières, Dubé précisera qu'«il y avait, dans cette manufacture de haches, deux marteaux assez considérables. Une planchette, manoeuvrable avec le pied, raidissait une courroie autour d'une roue en bois tournant sur un axe de fer...» De plus, «les haches faites à cette manufacture se vendaient dans ce temps-là $0.80, $1.00 et $1.25. Chose à noter on ne fabriquait pas de manches. Ceux qui achetaient ces haches étaient obligés de se faire eux-mêmes des manches. Les Messieurs Mc Dougall en vendaient beaucoup aux cultivateurs des environs». Cette description des marteaux donnée par Dubé correspond à celle d'un petit marteau à pied du type *OLIVER* conservé au Coalbrookdale Museum, en Grande-Bretagne (fig. 1).

dozen are produced daily. These axes are said to have obtained quite a reputation among lumbermen, although it is only a few time since their manufacture was commenced, and orders are received far exceeding the production. The manufacture of cast iron stoves has been discontinued[24].

La date exacte de la fermeture de la manufacture de haches demeure indéterminée. Dubé mentionne 1875 ou 1876. Cependant, en 1876, une annonce fait état de «Haches de la manufacture des Forges St-Maurice à vendre, par McDougall James, no 10 rue des Forges»[25]. S'agit-il d'un stock invendu depuis la fermeture ou la manufacture fonctionne-t-elle encore? Le problème reste à élucider. Quoiqu'il en soit, en 1877, le Haut-fourneau cesse de fonctionner pour une période de trois ans conséquemment à une mévente de la fonte. En 1880, les propriétaires de l'entreprise concentrent désormais tous leurs intérêts dans la fabrication de roues de wagons de chemin de fer. Si, à cette époque, le marché au niveau des outils servant à la coupe du bois est fort intéressant, il se peut qu'aux Forges on ait été incapable de compétitionner avec les prix et la technologie américains voire même canadiens.

Prix, compétition, problèmes d'administration, adaptation au marché, déplacements de la main d'oeuvre spécialisée, autant de facteurs qui ont pu provoquer la fermeture de la manufacture de haches et qu'il serait intéressant d'analyser au niveau d'une recherche plus poussée.

Les données archéologiques

Grâce à un survol rapide des données historiques à notre disposition, nous avons été à même de constater que des haches furent fabriquées aux Forges pendant toute la période d'occupation du site afin de répondre aux besoins de la compagnie. Parallèlement, on y fabriquait des barres de fer à haches afin d'approvisionner les forgerons et taillandiers du pays. Enfin, à une date importante, 1872, on transforme la Forge basse en manufacture de haches.

---

24. Harrington, G., *Geological Survey of Canada, Report of Progress for 1873-1874*, Montréal, Dawson Brothers, 1874, p. 247.

25. *Le Journal des Trois-Rivières*, 6 novembre 1876, p. 3. Annonce.

Ainsi peut-on conclure que jusqu'en 1872 nous avons affaire à une production continue et pour le moment rattachée à aucun secteur particulier sur le site, alors qu'à partir de 1872 il nous est possible de localiser à la fois dans le temps et dans l'espace la fabrication des haches aux Forges.

La Forge basse ou Manufacture de haches

La Forge basse (25G2) est située à la rencontre du ruisseau traversant le site et de la rivière Saint-Maurice, là où l'on peut encore voir la célèbre cheminée des Forges.

Nous ne discuterons pas ici toutes les données que les fouilles archéologiques nous ont révélées sur la nature du bâtiment, ses annexes et les différentes modifications architecturales qui y furent apportées. Nous nous attarderons plutôt à présenter les artéfacts et l'interprétation que l'on peut en faire.

Précisons tout d'abord qu'un simple survol de la collection des objets trouvés à la Forge basse nous aurait amené à penser qu'on fabriquait des haches à cet endroit, sans toutefois pouvoir faire des extrapolations sur l'envergure d'une telle activité. Voyons quels sont les artefacts qui y furent mis au jour.

Nous comptons 23 barres de fer à hache, 7 mandrins, 11 taillants avant insertion, 15 taillants témoignant de réparations, 6 haches en voie de fabrication et enfin 19 haches terminées.

Ces objets proviennent tous de contextes archéologiques contemporains à la période où la manufacture des haches était en activité. Leur découverte corrobore donc les données historiques et de plus met à notre disposition une collection unique d'objets techno-témoins.

À partir de ces objets, il nous sera possible, comme nous l'avons dit, de définir toutes les étapes intervenant dans la fabrication d'une hache et de caractériser les haches produites aux Forges.

Cependant nous pouvons déjà affirmer que le talon de la hache n'était pas soudé au fer de l'outil, mais était en quelque sorte façonné à même la barre. De plus, le taillant n'enveloppait pas le fer mais était inséré entre les deux parties repliées de ce dernier. Aux dires de quelques forgerons que nous avons rencontrés, cette façon de procéder donnait un outil d'une meilleure qualité

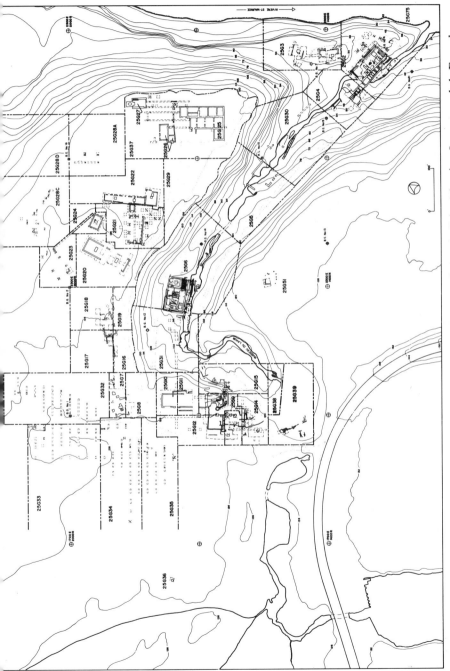

Plan général des opérations de fouilles et des vestiges mis au jour aux forges du Saint-Maurice. Le secteur de la Forge basse est situé à l'extrême droite en bas (25G2). On notera aussi le Haut-fourneau (25G9, 10, 11, 12 et 13), la Forge haute (25G6), la Grand'maison (25G25) et enfin une maison située sur le plateau (25G7). Dessin François Pellerin, Parcs Canada.

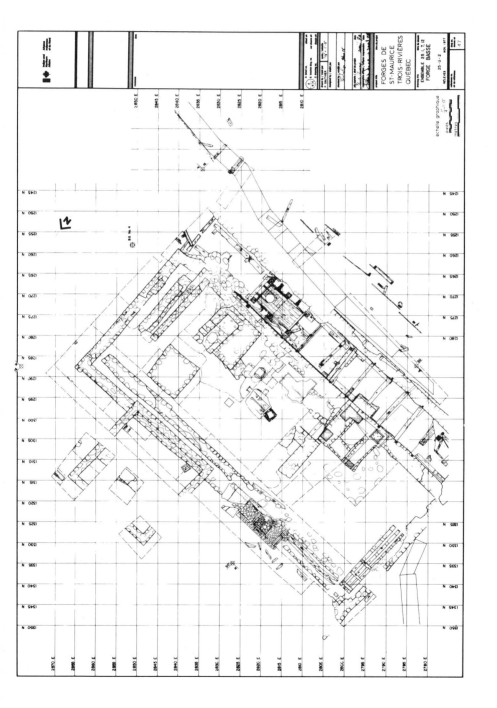

La Forge basse peu de temps avant qu'on ne la transforme en manufacture de haches. Photo collection Lawrence McDougall, Montréal, Circa 1870.

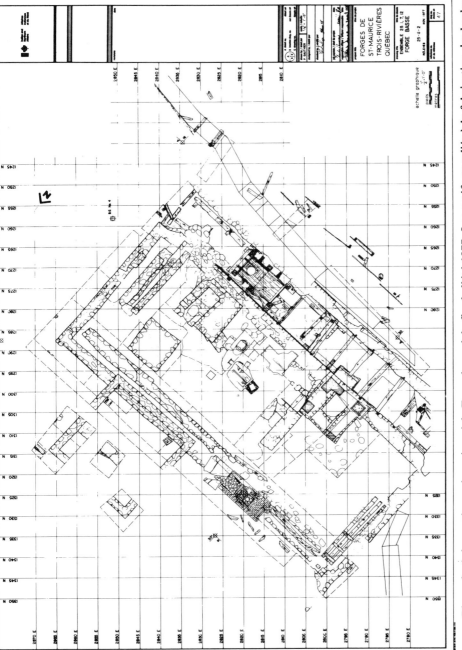

Plan-relevé des vestiges mis au jour à la Forge basse à la fin de l'été 1977. Les artéfacts reliés à la fabrication des haches furent trouvés dans les couches de surface ou dans des couches correspondant aux dernières années d'occupations du site. Dessin «as found», P. Gauthier, Parcs Canada.

que les haches dites «à l'américaine» et dont le taillant enveloppe l'extrémité du fer.

Une maison du secteur domestique

Les fouilles sur le plateau des Forges ont permis de dégager différentes structures liées soit à l'habitation soit à des activités secondaires. Une de ces structures que nous dénommerons pour le moment maison retient notre attention et ce pour deux raisons.

Premièrement, divers documents iconographiques laissent croire qu'il pourrait en fait s'agir d'une boutique de forgeron. On y aperçoit le sommet d'une cheminée qui s'élèverait à cet endroit.

Deuxièmement, à ce jour, les fouilles ont dégagé la partie supérieure d'un socle de maçonnerie que l'on pourrait rattacher à un feu de forge. Des fouilles ultérieures devront cependant vérifier cette hypothèse.

Quoiqu'il en soit, la collection des artefacts provenant de cette maison témoigne d'activités liées à la fabrication ou à la réparation de haches.

À deux endroits bien particuliers de ce secteur et dans des couches elles aussi contemporaines à la manufacture de haches, nous avons trouvé 1 barre de fer à hache repliée, 5 mandrins, 6 taillants avant insertion, 22 taillants usés, 3 haches à réparer et enfin 3 haches complètes. S'ajoute à tout ceci un bon nombre de retailles de fer que l'on peut associer à la réparation de haches.

Cette découverte est importante. Si l'on compare les deux secteurs, il appert à première vue qu'ils semblent témoigner d'activités identiques. Une différence existe cependant: les objets trouvés à la Forge basse, de par leur nature et leur fréquence, sont plus représentatifs de la fabrication de haches, alors que ceux trouvés dans le secteur domestique, pour les mêmes raisons, se rattacheraient à la réparation de cet outil.

Parce que les artefacts trouvés en 25G7 proviennent de couches datant du dernier quart du XIXe siècle, nous ne pouvons les rattacher au premier mode de production.

Ces activités de réparations contemporaines à la manufacture de haches nous permettent toutefois de formuler une autre hypothèse.

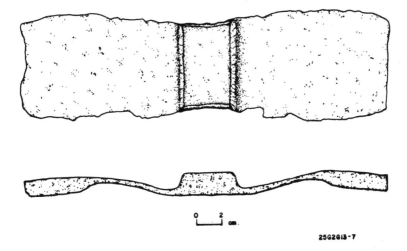

25G2G13-7

Plan et profil d'une barre de fer à hache trouvée à la Forge basse. Il est important de noter que le talon est façonné à même la barre et non pas soudé. Dessin Louis Lavoie, Parcs Canada. Collection Parcs Canada, no de catalogue 25G2G13-7.

Taillant avant son insertion entre les deux parties du fer de la hache. Photo avant traitement par Jean Jolin. Collection Parcs Canada, no de catalogue 25G2G2-4Q.

Il se peut que des haches fabriquées à la Forge basse aient été acheminées vers différentes boutiques sur le site afin d'y effectuer un travail de finition. La maison 25G7 serait l'une de ces boutiques.

La documentation historique ne précise pas qu'un tel type d'activité ait pu avoir lieu en 25G7. Les fouilles archéologiques devraient toutefois confirmer le fait que nous avons tout au moins affaire à une boutique de forgeron-taillandier.

Conclusion

Nous avons présenté dans ce texte les données historiques et archéologiques à notre disposition ainsi que les hypothèses qui peuvent en découler.

Les fouilles archéologiques à venir nous permettront de les vérifier avec plus de précision. Il se pourrait que la «boutique» (25G7) située sur le plateau ait été en activité bien avant 1870.

L'analyse du matériel se poursuit toujours. Une étude plus approfondie des artefacts et de leurs contextes nous amènera dans un deuxième temps à dresser une typologie des haches fabriquées et/ou en usage aux forges du Saint-Maurice.

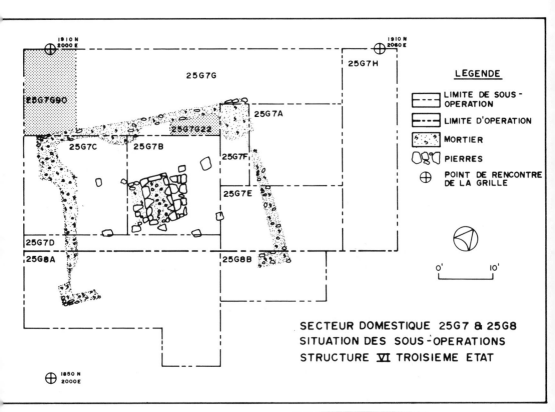

Localisation en plan des sous-opérations de fouilles d'une maison (25G7) du secteur domestique aux Forges. Les artéfacts reliés à la fabrication de haches proviennent principalement de deux endroits: 25G7G22 et 25G7G90. Dessin Robert Gagnon, Parcs Canada.

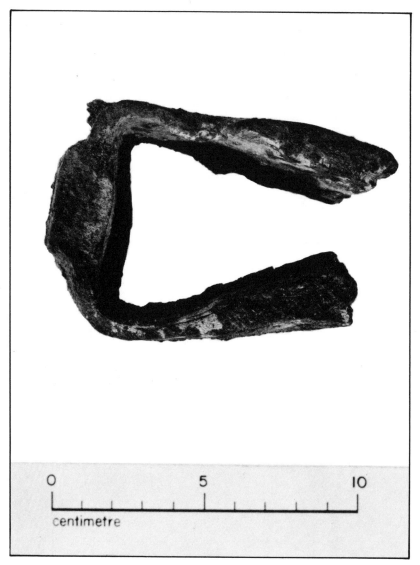

Barre de fer à hache repliée. On s'apprête à façonner l'oeil à l'aide d'un mandrin avant d'insérer le taillant. Photo avant traitement par Jean Jolin. Collection Parcs Canada, no de catalogue 25G7G90-3Q

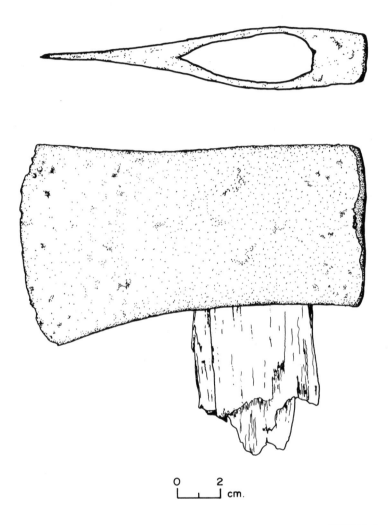

0   2
L___I cm.

25G3MI-I

Hache trouvée à proximité de la Forge basse et fort probablement manufacturée à cet endroit. L'ensemble des artefacts de notre collection nous permettra d'effectuer une typologie des haches fabriquées aux Forges. Dessin Louis Lavoie, Parcs Canada, Collection Parcs Canada, no de catalogue 25G3M1-1.

Index des noms cités

Liste des souscripteurs

Audet, Bernard

Beaudoin, André, ministère de l'Éducation, Québec
Beaudoin, Gérard, Gérard Beaudoin et associés inc.
Beaudoin, Thérèse
Bédard, Françoise, F. Perras inc.
Béland, Madeleine
Bergeron, Bertrand
Bergeron, Michel
Bergeron, Raymond
Bergeron, Sylvie
Bergeron, Yves
Bernatchez, Anne
Bertrand, Jean-François, ministre des Communications, Québec
Bilodeau, Jacques, Université de Sudbury
Bilodeau-Lahaie, Rose
Binet, Jean-Guy, dentiste
Blanchette, Jean-François, Musée national de l'Homme, Ottawa
Blouin, Charles
Blouin, Pierre, Fiducie, Prêt et Revenu
Bouchard, Louise
Bouchard, Thérèse et Roland
Bouchard, Sylvie
Bouchard-Martineau, Josée
Bouillon, Jean-Louis
Boulet, Gilles, Président, Université du Québec
Bourguignon, Claude

Brunelle, Sylvie
Buist, Andrée
Butler, Édith, chanteuse

Campeau, Lucien, Université de Montréal
Caron, Diane
Caron, François, Joannette et associés inc.
Carrier, Maurice, Université du Québec à Trois-Rivières
Centre d'études des religions populaires
Chouinard, Yvan, ministère des Affaires culturelles, Québec
Cossette, J., Maison des Jésuites
Côté, Alain
Côté, Renée, ministère des Affaires culturelles, Québec
Courchesne, Germain
Courcy, Simon
Crépeau, Pierre, Musée nationale de l'Homme, Ottawa
Crozat, Martine

Dawson, Nora
Dawson, Nelson
Décarie, Louise, ministère des Affaires culturelles, Québec
De Carufel, Hélène
De La Fontaine, Gilles, Université du Québec à Trois-Rivières
Deschamps, Ida, Congrégation Notre-Dame-du-Rosaire
Désy, Léopold, Léopold Désy et associés inc.
Désy-Beaulieu, Thérèse, Les Échos abitibiens
Dion, Clermont, Université du Québec à Trois-Rivières
Dionne, Hélène
Dionne, Pierre-Yves
Dubé, Philippe
Dubeau, Roland, Assurance-vie Dubeau limitée
Dufresne, Michel, ministère des Affaires culturelles, Québec
Dumas, Monique
Dussault, Louis, Secrétariat permanent des peuples francophones

Etcheverry, Jean
Ethnotech, Jacques Dorion et Yves Laframboise
Ferland, Gabriel
Ferron, Madeleine, écrivain
Filteau, Pierre
Fortier, Yvan
Fournier, Lise
Franck, Alain, Musée Bernier

Gagnon, Claire, Augustines de la Miséricorde de Jésus
Gagnon, Jean-Marc, Science Impact

Garon, Jean, ministre de l'Agriculture, Québec
Gélinas, Cécile
Genest, Luc
Genêt, Nicole, ministère des Affaires culturelles, Québec
Giguère, Bertrand
Greenaway, Cora
Guay, Claude, Président, Les produits du chef syl inc.
Guilmette, Armand, Université du Québec à Trois-Rivières

Hamelin, Louis-Edmond, Recteur, Université du Québec à
    Trois-Rivières
Houde, Roland, Université du Québec à Trois-Rivières
Hovington, Denis, L'Industrielle
Huot, Jean-Hugues, Hydro-Québec

Jean, Régis, Président, Société québécoise des ethnologues

Klimov, Alexis, Université du Québec à Trois-Rivières
Kurtzman, Lyne

Labonté, Francine
Lacasse, Yves
Lacombe, André, Hooper Holmes Canada ltée
Lacroix, Benoît, Université de Montréal
Lacroix, Paul-Aimé
Lalonde, Sylvie
Lamontagne, M. et Mme Clément
Lamontagne, Laurence
Lamontagne, Pierre, Langlois, Drouin, et associés, avocats
Lampron, Pierre, ministère des Communications, Québec
Landry, Bernard, ministre délégué au Commerce extérieur, Québec
Landry, Renée, Musée national de l'Homme, Ottawa
Lanleigne, Raymond, Héritage franco-albertain
Laroche-Joly, Ginette
Laroque, Jacques, Caron, Bélanger, Dallaire, Gagnon et associés
Larouche, Georges, Commission de toponymie, Québec
Laurent, Michel
Laurin, Camille, ministre de l'Éducation, Québec
Laurin, Michel
Lavoie, André, denturologue
Lavoie, Diane
Lavoie, Jocelyn
Lavoie, Liliane, Hydro-Québec
Lavoie, Louis
Lebrun, Diane

Lefebvre, Marcel
Légaré, Claude, Audet, légaré et associés
Lemieux, Germain, Centre franco-ontarien de folklore
Levac, Lucie
Lévesque, Nicole, La compagnie Great-West
Librairie Limoilou enr.
Lortie, Jean-Paul, Président-directeur-général, Sico inc.

Marcotte, Pierre, Cégep de Limoilou
Marier, Christiane
Martin, Paul-Louis, Président, Commission des biens culturels,
    Québec
Mathieu, Jacques, Directeur, CELAT, Université Laval
Mathieu, Jocelyne, Université Laval
Mercier-Renaud, Lucie
Méthé, Julie
Milot, Jocelyne
Morin, Jacques-Yvan, ministre des Affaires intergouvernementales,
    Québec

Ouellet, Lucien, Musée national de l'Homme, Ottawa

Perron, Diane
Perron, Marie-Louise
Pichette, Jean-Pierre, Université de Sudbury
Poitras, Raymond, Poitras P.E. Enseignes
Proulx, André, Ethnoscope inc.

Remesch, Hedwig
Renaud, Paul, Compagnie d'assurance Crown Life
Rhéaume, Gilles, Président, Société Saint-Jean-Baptiste de Montréal
Rodrigue, Denise, Maison provinciale du Bon Pasteur
Rompré, Jean
Rouleau-Mailloux, Michèle
Rousseau, Guildo, Université du Québec à Trois-Rivières
Roy, Carmen, Musée nationale de l'Homme, Ottawa
Ruel, Andrée, ministère des Affaires culturelles, Québec

Saint-Arnaud, Raymond
Saint-Pierre, Christian
Saint-Pierre, Serge
Sarrasin, Francine
Savard, Benoît, L'Élysée Fleuriste enr.
Schmitz, Nancy, Université Laval
Séguin, Robert-Lionel, Université du Québec à Trois-Rivières

Simard, Jean, CELAT, Université Laval
Sirois, Marie
Soumis, François, Université du Québec à Trois-Rivières

Thomas, Gerald, CEFT, Memorial University of Newfoundland
Tremblay, Gynette, CELAT, Université Laval
Tremblay, Lorraine, Musée national de l'Homme, Ottawa
Tremblay, Pierre, Président-directeur-général, Pierre Tremblay
  publicité inc.

Vachon, Herman
Vallières, Guy, Clinique de médecine industrielle de Québec
Vermette, Luce, Parcs-Canada, Ottawa

Achevé d'imprimer à Montréal par Les Presses Élite Inc.,
le huit décembre mil neuf cent quatre-vingt-trois.

22.95 PV.Q